John Davies

November 2012

»Auch ich habe nie auf die Frage, wie es ausgerechnet in Deutschland im 20. Jahrhundert zum organisierten Judenmord kam, eine plausible Antwort gefunden. Götz Aly hat mir endlich eine einleuchtende Erklärung vermittelt. Ich betrachte sein Buch als den wohl wichtigsten Beitrag in der unendlichen Literatur zu diesem Thema. Seine Analyse eines geschichtlich verwurzelten Prozesses hat mir vieles klarer und das Unverständliche verständlich gemacht.«
W. Michael Blumenthal, Direktor des Jüdischen Museums Berlin

»Götz Aly hat sich die Aufgabe gesetzt, die nationalsozialistischen Großverbrechen als Erscheinungen ihres Jahrhunderts, also auch noch unserer Welt zu begreifen. Es geht ihm um langfristige, fortwirkende Voraussetzungen für das unfassbar grausame Geschehen am Ende. Alys neues Buch ›Warum die Deutschen? Warum die Juden?‹ ist sein provozierendstes.«
Gustav Seibt, Süddeutsche Zeitung

»Die Schuld ist um uns und in uns. Niemand ist auf der sicheren Seite, das ist der eherne Satz, den Götz Aly immer wieder formuliert hat, und es gehört zu seiner großartigen Redlichkeit, seiner intellektuellen und moralischen Redlichkeit, dass er die eigene Familiengeschichte von seinen Forschungen nicht ausgenommen hat, dass in seinem Buch ›Warum die Deutschen? Warum die Juden?‹ immer wieder auch von der Ansteckung und Verführbarkeit seiner Vorfahren die Rede ist.«
Jens Jessen, Die Zeit, aus der Laudatio zur Verleihung des Ludwig-Börne-Preises 2012 an Götz Aly

Götz Aly, 1947 in Heidelberg geboren, studierte Politische Wissenschaft und Geschichte. Er arbeitete für die »taz«, die »Berliner Zeitung« und als Gastprofessor. Seine Bücher werden in viele Sprachen übersetzt. 2002 erhielt er den Heinrich-Mann-Preis, 2003 den Marion-Samuel-Preis, 2012 den Ludwig-Börne-Preis. Zuletzt erschienen in den Fischer Verlagen ›Eine von so vielen. Das kurze Leben der Marion Samuel 1931–1943‹ (2011); ›Unser Kampf. 1968 – ein irritierter Blick zurück‹ (2008). Götz Aly gehörte von 2004 bis 2010 zu den Begründern und Herausgebern der Quellenedition ›Die Verfolgung und Ermordung der europäischen Juden durch das nationalsozialistische Deutschland 1933–1945‹.

Götz Aly

Warum die Deutschen? Warum die Juden?

Gleichheit, Neid und Rassenhass 1800–1933

Fischer Taschenbuch Verlag

Veröffentlicht im Fischer Taschenbuch Verlag,
einem Unternehmen der S. Fischer Verlag GmbH,
Frankfurt am Main, September 2012

Druck und Bindung: GGP Media GmbH, Pößneck
Printed in Germany
ISBN 978-3-596-18997-7

Inhalt

Die Frage aller Fragen

Warum die Deutschen? Warum die Juden?

Warum ermordeten Deutsche sechs Millionen Männer, Frauen und Kinder, und das aus einem einzigen Grund: weil sie Juden waren? Wie war das möglich? Wie konnte ein zivilisiertes und kulturell so vielschichtiges und produktives Volk derart verbrecherische Energien freisetzen? Das bleibt die Frage aller Fragen, die Deutsche beantworten müssen, wenn sie ihre Geschichte verstehen wollen, wenn sie versuchen, die darin eingebundenen Geschichten ihrer Familien sich und ihren Kindern zu erklären.

Juden, die im 19. Jahrhundert aus den östlichen Nachbarstaaten zuwanderten, waren froh, wenn sie die deutsche Grenze überschritten hatten. Sie schätzten die Rechtssicherheit, die wirtschaftliche Freiheit und die Bildungschancen für ihre Kinder, die ihnen Preußen seit 1812 und später das Kaiserreich boten. Pogrome, wie sie bis ins 20. Jahrhundert hinein in den Ländern Ost- und Südosteuropas verbreitet waren, kannte man in Deutschland nicht mehr. Jenseits aller Hemmnisse hatten Juden hier, zumal in Preußen, gute Möglichkeiten, ihre Selbstemanzipation schwungvoll voranzutreiben. Paradox, aber das vergleichsweise hohe Maß an Freiheit, das den Juden gewährt wurde, schürte einen speziellen Antisemitismus.

Im Jahr 1910 wohnten in Deutschland mehr als doppelt so viele Juden wie in England, fünf Mal so viele wie in Frankreich. Als Deutschland die Provinz Posen 1919 an das neu erstandene Polen abtreten musste, flohen die dortigen jüdischen Deutschen »in geradezu pathologischer Angst vor den neuen polnischen Herren des Landes Hals über Kopf« in Richtung Berlin.[1] Einer, der zeitlebens über seine Existenz als Deutscher und Jude nachdachte, war Siegfried Lichtenstaedter, seines Zeichens 1932 pensionierter höherer bayerischer Beamter und nebenberuflich Schriftsteller. Er bemerkte 1937: Wer um 1900 in Deutschland vorhergesagt hätte, »dass vom Jahre 1933 ab Tausende von uns nach Palästina fliehen würden, um nicht unterzugehen, wäre zweifellos als reif für das Irrenhaus betrachtet worden«.[2] Solche Tatsachen verbieten einfache Antworten auf die beunruhigende, geschichtlich zu beantwortende Doppelfrage: Warum die Deutschen? Warum die Juden?

Im heutigen Deutschland rücken wir die Opfer in den Mittelpunkt unserer Betrachtungen und ermuntern zur Identifikation. Das demonstrieren die vielen Denkmäler, Museen, Forschungen, literarischen und pädagogischen Anstrengungen eindrucksvoll. Parallel dazu stilisieren wir die Täter zu schier außerirdischen Exekutoren. Mit einer Distanziertheit, die oft die eigene Familiengeschichte ignoriert, bezeichnen wir sie vorzugsweise als »die Nationalsozialisten«, »die Nazi-Schergen«, das »NS-Regime«, »fanatische Rassenideologen« oder wir sprechen vom »paranoiden Weltbild der Rassenantisemiten« und von der »völkischen Bewegung«. Mit solchen Terminologien ist wenig Einsicht zu gewinnen. Ich versuche auf den folgenden Seiten zu zeigen, was geschichtlich hinter solchen Begriffen stand.

Auch verschiedene Theorien über Faschismus, Diktaturen im Allgemeinen oder die Logik von Inklusion und Exklusion dienen meines Erachtens dazu, der Nachwelt den Holocaust in sorgfältig einhegender Weise auf Distanz zu halten. Letztlich blasse Begrifflichkeiten vernebeln den Rassenmord hinter marxistischen Gesetzmäßigkeiten oder verharmlosen ihn zum Rückfall in vorzivilisatorische Barbarei oder schieben die Last der Verantwortung auf einen deutschen Sonderweg oder auf eine bestimmte, angeblich genau einzugrenzende Generation von Tätern, auf eine spezielle Ideologie oder einen allgemein verbreiteten Hang zur totalitären Staatsform. So logisch solche Gedankenspiele in sich aufgebaut sein mögen, so wenig erklären sie den Verlauf der deutschen Geschichte, der am Ende zum Massenmord führte. Auf solche, nur scheinbar erklärenden Ansätze darf getrost mit Goethe entgegnet werden, dass die Theoretikerzunft »die Phänomene gern los sein möchte und an ihrer Stelle deswegen Bilder, Begriffe, ja oft nur Worte einschiebt«.[3] Ein neues Wort erschließt nicht unbedingt eine neue Wahrheit.

Wer aus dem Mord an den europäischen Juden lernen will, sollte als Erstes damit aufhören, die Vorgeschichte mit Hilfe eines bipolaren Schemas in »gute« und »böse« Entwicklungslinien aufzuspalten. Geschichtsoptimisten mögen solche Konstruktionen. Sie sehen ihre Gegenwart an der Spitze der Zivilität und wärmen das Publikum an der Illusion, dass alles, was uns Heutigen richtig oder falsch erscheint, in der Vergangenheit ebenso richtig oder falsch gewesen sei. Analytisch führt solches Geschichtsdenken in die Irre. Es schafft Abstand und erklärt nichts.

Ziel dieses Buches ist es, einige Sichtblenden wegzuschieben, die den Blick auf die Vorgeschichte derart verengen, dass der Nationalsozialismus zum Fremdkörper, zum im Grunde unbegreiflichen Fehltritt im Gang deutscher Geschichte wird. Deswegen nehme ich auch Männer in den Blick, die zwar als Reformer und Vorkämpfer freiheitlicher Ideen berechtigtes Ansehen verdienen, aber als Judengegner, ja Judenhasser hervortraten: zum Beispiel Karl vom Stein, Ernst Moritz Arndt oder Friedrich Ludwig Jahn, Peter Christian Beuth, Friedrich List oder Franz Mehring – darunter nicht wenige schwarz-rot-goldene Demokraten, auf die sich die heutige Bundesrepublik beruft. Ferner erscheint mir für das Verständnis des deutschen Antisemitismus wichtig zu sein, die von verschiedenen Seiten gespeisten antiliberalen Strömungen in Deutschland in Betracht zu ziehen: die von Konservativen gestützte antiliberale Wende Bismarcks; das kollektivistische, schließlich volkskollektivistische Denken deutscher Sozialisten;

die Selbstzerstörung des Liberalismus unter der Ägide von Friedrich Naumann.

Im Jahr 1933 versuchte Siegfried Lichtenstaedter die künftigen Aussichten der deutschen Juden zu analysieren. Seit Jahren schon studierte er den Völkischen Beobachter aufmerksam – ein »vielgelesenes Blatt, Organ der ›Nationalsozialistischen Deutschen Arbeiterpartei‹«, wie er bereits 1922 bemerkt hatte.[4] Lichtenstaedter fragte sich: Warum die Juden? Einerseits, so meinte er, stehen sie dem Verhalten, dem Aussehen und der Religion nach den europäischen Mehrheitsgesellschaften nahe, andererseits sei ihr »kollektives Ich« deutlich unterscheidbar. Im Gegensatz zur Antisemiten-Bewegung müsse eine Antilinkshänder-Bewegung scheitern, weil die verbindenden Eigenschaften der Linkshänder zu schwach sind, um ein kollektives Linkshänder-Ich zu begründen. Ist das Einigende – wie im Fall der Juden – hinreichend stark, ergibt sich das kompakte Bild einer Gruppe, dem weitere Merkmale zugeschrieben werden können.[5]

Lichtenstaedter betrachtete die NSDAP als Partei sozialer Aufsteiger. Daraus schloss er 1933 auf seine eigene Zukunft und die der anderen deutschen Juden. Im Durchschnitt, so stellte er fest, bekleideten die Juden in Mittel- und Westeuropa höhere soziale Stellungen; das kreideten ihnen die hinterherhinkenden Nichtjuden zunehmend an. Deren nachholendes Aufstiegsstreben verschaffte den Gegnern der Juden enormen Zulauf. Nach Lichtenstaedters Eindruck hielten derart motivierte Antisemiten die mosaische Religion und die jüdische Herkunft für »praktisch belanglos«: Sie konkurrierten um »Nahrung, Ehre und Ansehen«. Seiner Meinung nach bezog der Antisemitismus seine aggressive Dynamik aus Sozialneid, Konkurrenz und Aufstiegsdrang: Wenn die Gruppe der Juden »im unverhältnismäßigen Maße anscheinend ›glücklicher‹« als andere ist, »warum sollte dies nicht ähnlich Neid und Missgunst, Sorgen und Bekümmernis um die Zukunft im Kopfe und Herzen der anderen erregen, wie es im Verhältnis zwischen Individuen nur allzu oft der Fall ist?«.[6]

Lichtenstaedter unterschied das kollektive Ich der Juden, also die Distinktionsmerkmale, von den Motiven der Judenfeinde. Er differenzierte zwischen den äußeren Anknüpfungspunkten des Antisemitismus und den Zielen der Antisemiten. Statt die Nationalsozialisten zu dämonisieren, analysierte er die politischen Kräfte, die ihn existentiell bedrohten – nicht nur ihn, nicht nur seine Glaubensgenossen, sondern alle, die als Angehörige der jüdischen Rasse galten. Lichtenstaedter wollte seine nationalsozialistische Umwelt verstehen. Ihm lag an Vorhersagen und daraus abzuleitenden Verhaltensregeln. Er stellte in Rechnung, dass Hitler das Judentum als »ein Volk mit besonderen Wesenseigenheiten« ansah, die es »von allen sonst auf der Erde lebenden Völkern scheiden« würde.[7] Doch speiste sich der deutsche Antisemitismus nach seinem Eindruck nicht aus einer speziell ausgedachten Ideologie, sondern aus materiellen Spannungen und Interessen – letztlich aus derjenigen unter den sieben Todsünden, die anders als Wollust, Völlerei, Hoffart, Habgier, Zorn oder Faulheit überhaupt keinen Spaß macht: dem Neid.

Neid zersetzt das soziale Miteinander. Er zerstört Vertrauen, macht aggressiv, führt zur Herrschaft des Verdachts, verleitet Menschen dazu, ihr Selbstwertgefühl zu erhöhen, indem sie andere erniedrigen. Der tückische, scheele Blick auf den Rivalen, die üble Nachrede und der Rufmord gelten dem Erfolgreichen, erst recht dem Außenseiter. Dabei vergiften sich die Neider selbst, werden immer unzufriedener und noch gehässiger. Sie wissen das nur zu gut. Deshalb verstecken sie diesen Charakterzug schamhaft hinter allerlei vorgeschobenen Argumenten – zum Beispiel hinter einer Rassentheorie. Neider brandmarken die Klügeren als zwar schlau, aber nicht tiefsinnig; sie zernagt der Erfolg der anderen, sie schmähen die Beneideten als geldgierig, unmoralisch, egoistisch und daher verachtenswert. Sich selbst erheben sie zu anständigen, moralisch superioren Wesen. Sie bemänteln das eigene Versagen als Bescheidenheit und werfen dem Beneideten vor, er spiele sich lärmend in den Vordergrund.

Der Neider strebt nicht unbedingt danach, es dem Beneideten gleichzutun. Nicht selten lehnt er dies lauthals ab. Er richtet seine Energie »auf Zerstörung des Glücks anderer«, wie Immanuel Kant beobachtete. Büßen diese anderen ihre Vorzüge und Vorteile ein, geht es ihnen an den Kragen, bereitet das dem Neider stilles Vergnügen, er genießt Häme und Schadenfreude. Verdienen die Beneideten dann Mitleid oder gar Beistand? Nein! Sie wussten doch stets alles besser! Hatten immer die Nase vorne! Mögen sie sich selber verteidigen! So beruhigt der Neider seine moralischen Restskrupel, steckt die Hände in die Tasche und gibt die verfolgte Unschuld. Wenn andere den Beneideten drangsalieren, sagt sich der kleine Neider: »Was geht mich das an!« Sein Gewissen bleibt ruhig. Er ist es nicht gewesen.

Aus welchen Quellen sprudelt der Neid? Aus Schwäche, Kleinmut, mangelndem Selbstvertrauen, selbstempfundener Unterlegenheit und überspanntem Ehrgeiz. »Der Deutsche sagt von sich ganz extra, dass er deutsch sein soll«, monierte Julius Fröbel, 1848/49 Parlamentarier in der Paulskirche, und erkannte darin Minderwertigkeitsgefühle: »Der deutsche Geist steht gewissermaßen immer vor dem Spiegel und betrachtet sich selbst, und hat er sich hundert Mal besehen und von seinen Vollkommenheiten überzeugt, so treibt ihn ein geheimer Zweifel, in welchem das innerste Geheimnis der Eitelkeit beruht, abermals davor.«[8]

Ganz anders Engländer, Franzosen oder Italiener. Letztere errichteten ihren Staat 1870 nach drei Kriegen, die sie im eigenen Land gegen die Fremdmächte Frankreich und Österreich und gegen den päpstlichen Kirchenstaat geführt hatten, und bestätigten die Gründung per Volksabstimmung. Währenddessen marschierte der von Preußen geführte deutsche Staatenbund zwischen 1864 und 1870 ohne plausible Gründe in Dänemark, Österreich und Frankreich ein, um den Anschein nationaler Selbstgewissheit zu erlangen. Der Historiker Heinrich von Treitschke jubelte: »Der Krieg ist die beste Arznei für ein Volk.« Das Ergebnis der mit Blut und Eisen zusammengeschmiedeten Einheit blieb brüchig, und

1933 beobachtete der italienische Diplomat Carlo Sforza: »Die Deutschen fragen sich in jedem Augenblick, was ›Deutschtum‹ sei oder nicht sei.«[9]

Die dem deutschen Nationalismus eigene Selbstunsicherheit führte zwischen 1800 und 1933 zu den bekannten Auswüchsen nervöser Prahlerei. Man denke an die Proklamation des zweiten Kaiserreichs. Sie musste 1871 auf dem Boden des Erbfeindes im Spiegelsaal von Versailles über die Bühne gehen, weil das neue Reich über kein allgemein anerkanntes Staatszentrum verfügte. Man denke auch an die Ansprache, mit der Kaiser Wilhelm II. im Sommer 1900 deutsche Marinesoldaten zur Niederschlagung eines Aufstandes nach China verabschiedete: »Kommt ihr vor den Feind, so wird derselbe geschlagen!« Und zwar so, »dass es niemals wieder ein Chinese wagt, einen Deutschen scheel anzusehen!«[10] Zu Hitlers 44. Geburtstag 1933 ließen sich die Deutschen als »das erste Volk des Erdballs« umschmeicheln.[11] Wer so redet, dem fehlt die innere Balance.

Gleichheitssucht und Freiheitsangst

Neidgetriebene Menschen sprechen ausgiebig von eigener Benachteiligung, fürchten die Freiheit und neigen zum Egalitarismus. Sie, die andere verächtlich machen, sehen sich als die Schwachen und bevorzugen den Schutz einer Gruppe Ähnlichfühlender. Freiheit, Gleichheit, Brüderlichkeit, die so ansteckende Parole der Französischen Revolution, nahmen die deutschen Vorkämpfer des demokratischen Fortschritts eigentümlich verdreht auf. Mit der in Frankreich an erster Stelle genannten Freiheit wussten sie deutlich weniger anzufangen als mit der Idee der Gleichheit. Später brachten die Deutschen die wichtigsten Theoretiker des Kommunismus und des Sozialismus hervor, sie erfanden die Systeme der Sozialversicherungen, den nationalen Sozialismus Hitlers, die in der DDR beschworene Einheit von Wirtschafts- und Sozialpolitik und die in der Bundesrepublik gepflegte soziale Marktwirtschaft. Deutsche verstümmelten den Begriff Gesellschaft zum Synonym für Staat und erkoren sich diesen zum »Vater Staat«.

Im Sinne von 1789 bezeichnete Egalité jedoch nicht mehr und nicht weniger als die Gleichheit der Bürger vor dem Gesetz. Nicht Antisemiten, sondern die überwältigende Mehrheit der Deutschen reduzierten das so wertvolle Prinzip zur Unkenntlichkeit. Sie machten daraus von Staats wegen zu garantierende materielle Gerechtigkeit. Fortan riefen sie bei jeder Gelegenheit: »Ungerecht! Wir fordern auch unseren Platz an der Sonne!« und badeten in dem Gefühl der ewig Zukurzgekommenen. Je mehr sich die so verstandene Gleichheit im allgemeinen Bewusstsein einnistete, desto ausgeprägter wurde der Differenzaffekt (Arnold Zweig), die Abstoßung nicht gleicher Gruppen, zumal dann, wenn diese Schnelligkeit, Witz, Klugheit und Erfolg auszeichneten. Polar ergänzend gesellt sich zum Differenzaffekt der Zentralitätsaffekt, »die Überbetonung und Wichtigkeit der eigenen Gruppe«.[12]

Zur missverstandenen Gleichheit fügten deutsche Nationalrevolutionäre seit Anbeginn ihr merkwürdig kollektivistisches Verständnis von Freiheit. Schon den Krieg gegen die napoleonische Besatzung nannten sie Freiheitskrieg. Das heißt, viele von ihnen fassten Freiheit nicht als individuelle Möglichkeit, als Ansporn für jeden Einzelnen auf, sondern als Abgrenzungsbegriff, gerichtet gegen tatsächliche oder vermeintliche Feinde. Auf dieser mentalitätsgeschichtlichen Basis veröffentlichte Richard Wagner sein Pamphlet »Das Judentum in der Musik« 1850 unter dem Pseudonym K. Freigedank; 1912 benutzte der alldeutsche Antisemit Heinrich Claß das Pseudonym Daniel Frymann. Hitler bezeichnete sein politisches Zerstörungswerk früh als »Freiheitsbewegung« gegen die Fesseln des Versailler Friedensdiktats von 1919. Im Sommer 1922 stellte der spätere Reichskanzler eine grobschlächtige antisemitische Hetzrede unter die Überschrift »Freistaat oder Sklaventum?«. Die Parteizeitung, die der junge Joseph Goebbels 1924 im Ruhrgebiet redigierte, hieß Völkische Freiheit, Ende 1926 gründete er in Berlin den Nationalsozialistischen Freiheitsbund.[13] Von derart definierter Freiheit gelangten deutsche Beamte auf direktem Weg zu dem Verwaltungsbegriff »judenfrei«. Hitlers Kriegsreden erschienen unter dem Titel »Der großdeutsche Freiheitskampf«. Die politischen Ziele hießen »Wehrfreiheit«, »Nahrungsfreiheit« und »Raumfreiheit«, mit anderen Worten: Krieg, Massenmord, Herrschaft über die Kornkammer Ukraine und über solche Länder, die über wichtige Rohstoffe verfügten.

Um 1880 offenbarte die erstarkende antisemitische Bewegung einerseits das Ressentiment gegen Juden, andererseits das noch immer nachwirkende politische Elend der Deutschen: ihre Angst vor Freiheit und eigener Courage, ihre Neigung, das eigene Versagen anderen anzulasten. Der Neidhammel sucht den Sündenbock. Zumal in Krisenzeiten verbanden sie mit Freiheit das Gefühl von Unbequemlichkeit, Ungewissheit und Überforderung, während ihnen Gleichheit gemütliche Geborgenheit, Daseinsvorsorge und minimiertes individuelles Risiko bedeutete. Das verhinderte das politische Erwachsenwerden. Im Schatten der Gemeinschaftswerte verkümmerte die Freiheit. Die Begriffe Gleichheit, Neid und Freiheitsangst ermöglichen es, die Eigenart des deutschen Antisemitismus zu erkennen.

Bemerkungen zur Arbeitsweise

Den größten Teil dieses Buches schrieb ich während mehrerer Forschungsaufenthalte in Jerusalem, und zwar in der Bibliothek der Gedenkstätte Yad Vashem. Nirgendwo sonst stehen die einschlägigen Bücher so zahlreich beieinander. Das Katalogprogramm ist superb. Die Such- und Kombinationsmöglichkeiten übertreffen die der Berliner Bibliotheken bei weitem. Regelmäßig saß Michal in der Bibliothek. Sie wurde 1921 in Tübingen als Liselotte geboren. 1935 wanderte sie mit der Jugendaliah nach Palästina aus. Ihre Eltern starben in Auschwitz. Mit der Lupe in der Hand schreibt sie

Inhaltsangaben deutscher Dokumente auf Hebräisch für die Archivverzeichnisse. Michal spricht gepflegtes Schwäbisch. Eines Morgens reicht sie mir ein Dokument. Es handelt von »Wachtmeister X«, einem Angehörigen der Waffen-SS. Er hatte – 1943 in Grodno – »einem Befehl zur Erschießung von Nichtariern und Häftlingen« nicht Folge leisten wollen und sich mit seiner Dienstpistole erschossen. Jahrelang erhielt die hinterbliebene Ehefrau deshalb keine Witwenrente.[14] »Es ist das erste Mal, dass ich so etwas lese«, sagt Michal.

Anregend wirkte auf mich auch die gelegentlich massive Unruhe im Lesesaal von Yad Vashem. Plötzlich brechen dort Gruppen von Schülern und Lehrern herein und beginnen zu arbeiten, zu diskutieren und zu suchen. Vor allem verursachen schwerhörige ältere Besucher Krach und Aufregung. Satzfetzen und Ortsnamen fliegen durch den Raum: Pinsk, Auschwitz, Będzin, Ghetto, 1943, Kaufering, Dachau; that's my father! No, that's my brother Chaim, he perished; DP camp Föhrenwald; Bahnhofstraße 5, Lager Mühlenberg; Samuel Gleitman, that's my mother's side … Eine ältere Dame sucht für eine noch ältere nach Daten im Register der Ermordeten. Es enthält mittlerweile vier Millionen genaue Personenangaben. Plötzlich ruft sie durch den Lesesaal: »Lilly, komm her, hier findest du deine Leute!« Die Entflohenen und Überlebenden kommen fast jeden Tag aus vielen Ländern. Sie suchen nach Dokumenten über ihren eigenen Leidensweg und nach Spuren, die wenigstens etwas vom Schicksal ihrer ermordeten Geschwister, Großeltern oder Tanten mitteilen. Sie wollen die Todesdaten und -orte von Verschollenen wissen, finden sie oft und sagen dann leise: »Nun können wir das Kaddisch beten.«

Das Wort Holocaust verbirgt, was Deutsche anrichteten. Sie trieben die Juden Europas, deren sie habhaft werden konnten, in Judenhäuser, Lager und Ghettos. Hunderttausende verhungerten dort, erlagen Kälte und Krankheiten. Die anderen deportierten die Deutschen und ihre Helfer – zu Fuß, auf Lastwagen oder in Zügen. Am Zielort warteten Erschießungs- oder Gaskammerkommandos. Einige der Todgeweihten hatten die Massengräber auszuschachten, die Krematorien zu befeuern und zu füllen.

Manchmal, gegen Kriegsende häufiger, sortierten deutsche SS-Männer, Beamte der Arbeitsverwaltung und Ärzte die Kräftigen unter den Deportierten zur Arbeit aus. So überlebten mehrere Zehntausend die Zeit des Schreckens. Hunderttausende Juden, die unter deutsche Herrschaft gerieten, konnten untertauchen, in letzter Minute fliehen oder wurden von den Verantwortlichen ihrer Heimatstaaten nicht an die Deutschen ausgeliefert. Letzteres gelang insbesondere in den Staaten, in denen der deutsche Zugriff aus unterschiedlichen Gründen sofort oder nach einiger Zeit gehemmt werden konnte: in Dänemark, Frankreich, Ungarn, Rumänien, Belgien, Italien und Bulgarien. Doch ermordeten die Deutschen innerhalb von nur drei Jahren 82 Prozent der jüdischen Bevölkerung ihres Herrschaftsraums. Insgesamt sechs Millionen Menschen.[15]

Im Herbst 1932 ahnte der wortgewandte Königsberger Zionist Kurt Blumenfeld das Kommende klarer als die meisten seiner Zeitgenossen; ich werde im Schlusskapitel darauf zurückkommen. Später machte Blumenfeld die gewalttätige Trostlosigkeit des Mordes an den europäischen Juden sprachlos. Er wusste viel über die Jahre der Verzweiflung, viel von den seelischen Wunden der Überlebenden; doch als er im Jahr 1961 seine Lebenserinnerungen niederschrieb, beendete er sie abrupt mit dem 28. Februar 1933, dem Tag seiner Abreise aus Deutschland nach Palästina. Damals hatte eine »neue Wirklichkeit begonnen«, so begründete er sein Schweigen. »Seit jenen Tagen sind über 28 Jahre vergangen. Seit 28 Jahren versuche ich, das Unsagbare zu sagen. Es zeigte sich, dass die Phantasie der Menschen niemals so groß ist wie ihre Grausamkeit. Was immer einer von uns auszudrücken vermag, es genügt nicht.«[16]

Kurt Blumenfeld starb 1963, 30 Jahre nach dem Beginn der neuen Wirklichkeit. Seither ist wieder ein halbes Jahrhundert vergangen. Die Spätfolgen des Unsagbaren sind nicht überwunden. Leicht wird es nie sein, einigermaßen angemessene Sätze für den deutschen Zerstörungswillen zu finden, der schließlich, und dann fast ungebremst, zur physischen Ausrottung der angefeindeten Juden führte.

Im Vergleich zu 1961 konnten mittlerweile einige Tausend Staatsanwälte, Kriminalbeamte, Richter, Journalisten, Historiker und die zur Zeugenschaft und zum Erinnern entschlossenen oder später ermutigten Überlebenden das Wissen über den Holocaust erheblich vermehren. Über die Tatumstände, über die wichtigsten Fakten und Indizien streiten die vielen nicht mehr, die über das Großverbrechen forschen und nachdenken. Die unmittelbaren Gründe, aus denen heraus die deutsche Führung die »Endlösung der Judenfrage« betrieb, sind im Wesentlichen klar; Meinungsverschiedenheiten bestehen in der Gewichtung einzelner Faktoren. Alle an der Diskussion Beteiligten betonen die eminente Bedeutung des Geschichtsbruchs Holocaust. Wohl deshalb wird noch lange strittig bleiben, worin die Bedeutung eigentlich liegt und welches die tieferen Ursachen waren. Die Antworten werden immer fragmentarisch bleiben, aber Historiker müssen danach suchen. Die Grenzen des Erklärbaren überwinden sie nicht.

In Anbetracht des großen Zeitrahmens, den die folgende Untersuchung umfasst, benutze ich fast ausschließlich gedruckte Quellen, seien es Streitschriften, Petitionen, Lebensbeschreibungen, Zeitungsartikel oder Parlamentsprotokolle. So unterschiedlich und oft gegensätzlich diese Texte sind, so verbindet sie eines: Sie wurden von Zeitgenossen verfasst, die nicht wussten, was Deutsche den Juden Europas zwischen 1933 und 1945 antun würden. Das erscheint mir methodisch ratsam. Die Autoren, die 1820, 1879, 1896 oder 1924 über den Antisemitismus und die Minderwertigkeitsgefühle von Deutschen schrieben oder den Judenhass und die Selbsterhöhung der arischen Rasse propagierten, die 1930/32 die politisch bedrohlichen Folgen von Wirtschaftskrisen oder die Anziehungskraft Hitlers und seiner Partei analysierten, kannten die Folgen nicht. Diejenigen, die damals lebten, beobachteten und urteilten, standen – anders als die Nachgeborenen – noch nicht unter dem doppelten Zwang, ein schier unbeschreibliches Verbrechen zu erklären und zugleich – in menschlich verständlicher Weise – Distanz herzustellen.

Nur ausnahmsweise ziehe ich ungedruckte Quellen heran, namentlich solche aus dem sieben laufende Meter umfassenden Archiv der Familie Aly. Ich habe die Papiere 2007 geerbt und neu geordnet. Einige Urkunden reichen bis zum Dreißigjährigen Krieg zurück. Doch enthält das Archiv vor allem Briefe, Tagebücher, Lebensbeschreibungen und Fotos, überwiegend aus der zweiten Hälfte des 19. und der ersten Hälfte des 20. Jahrhunderts. Meine Frage an diese Quellengattung lautet: Wenn der deutsche Antisemitismus eine Massenerscheinung gewesen ist, die man vor 1933 nicht verstecken musste, dann muss er in den Briefen oder Lebenserinnerungen deutscher Familien seinen Niederschlag gefunden haben. In den Hinterlassenschaften meiner Vorfahren konnte ich einige einschlägige Dokumente finden. Ich integriere sie als gesellschaftsgeschichtliche Zeugnisse in den Text. Indem ich Quellen privater Provenienz einbeziehe, widerspreche ich Darstellungen, in denen so getan wird, als ließe sich die deutsche Judenfeindschaft und damit die Vorgeschichte des Holocaust in bestimmte Namen einzelner deutscher Institutionen, Verbände oder bekannter Antisemiten bannen.

Wer sich vergangenen Verhältnissen annähern will, dem bleibt nur übrig, sich die Handlungsbedingungen und Denkgewohnheiten im zeitlichen Horizont der damals Lebenden zu vergegenwärtigen. Das Verfahren erlaubt, geschichtliche Tendenzen zu konturieren, die hernach mit anderen – nicht zwingend negativen – Faktoren zusammentrafen und so verstärkt wurden. Deshalb ziehe ich über die lange strittige Judenemanzipation hinaus die Geistesverfassung der deutschen Nationalrevolutionäre des frühen 19. Jahrhunderts in Betracht, ebenso das Scheitern des Liberalismus und den Siegeszug des Kollektivismus. Zudem nehme ich die Folgen von Kriegen, Krisen und wirtschaftlichen Kraftakten, aber auch die beachtliche Bildungsreform der Weimarer Jahre in den Blick.

Für sich genommen erklären judenfeindliche Äußerungen die Vorgeschichte des Holocaust nicht. Wer den Antisemitismus in der deutschen Mehrheitsbevölkerung verstehen will, muss auch über die Gewandtheit und den Bildungswillen, die Geistesgegenwart und den schnellen sozialen Aufstieg so auffällig vieler Juden sprechen. Erst dann wird der Kontrast zur insgesamt trägen deutschen Mehrheitsbevölkerung, werden die Ansatzpunkte des Antisemitismus sichtbar. Erst dann wird verständlich, warum Antisemiten von Missgunst und Neid bestimmte Menschen waren. Die Judengegner verlangten immerzu nach »mehr Gleichheit« für sich, obwohl die Juden bis 1918 faktisch keine volle Gleichberechtigung genossen.

Ich begrenze meine Darstellung auf die Zeit, in der sich das moderne Deutschland formierte, beginne also mit den Jahren um 1800 und betrachte die Verhältnisse zwischen deutschen Juden und deutschen Christen für die dann folgenden 130 Jahre. Die Chronik antisemitischer Vereinigungen und die Mechanik der Judengesetzgebung in den einzelnen deutschen Ländern streife ich nur gelegentlich. Es kommt mir nicht darauf an, das Prädikat »rassenantisemitisch« möglichst oft zu verteilen, vielmehr gehe ich der Frage nach, wie und warum eine besonders aggressive Form des Antisemitismus in Deutschland entwickelt wurde und schließlich in allen Schichten des Volkes so viele Anhänger fand. Wie, wann und warum wurden Deutsche zu tatbereiten Antisemiten? Welche Motive, welche psychosozialen Dispositionen, welche inneren und äußeren Faktoren begünstigten diese Entwicklung? Wer einfach Schuld verteilt, um sich selbst auf der vermeintlich besseren Seite der deutschen Geschichte sicher zu fühlen, wird die Frage nicht beantworten können, warum sich die Deutschen mehrheitlich auf das Staatsziel verständigten »Fort mit den Juden!«, warum sie der »kalten Grausamkeit der rationalen Pedanterie« zum Durchbruch verhalfen, dem »biologischen Materialismus, der keine moralischen Kategorien kannte«, wie es Theodor Heuss 1949 ausdrückte.[17]

Die Deutschen folgten dieser Bahn, die im Abgrund der Unmenschlichkeit endete, zu keinem Zeitpunkt zwingend – aber am Ende waren sie diesen Weg gegangen. Ziel meiner Arbeit ist keine Forschungskontroverse über Einzelfragen. Ich versuche, den geschichtlichen Prozess, der zum deutschen Schreckensregiment der Jahre 1933 bis 1945 und zum Mord an den europäischen Juden führte, aus seiner inneren Logik zu begreifen, um einige Antworten auf die beiden Fragen zu geben, die so viel Ratlosigkeit erzeugen: Warum die Deutschen? Warum die Juden?

* * *

Die Rechtschreibung folgt auch in den Zitaten den heute gültigen Regeln. Kursiv gedruckte Wörter in den Zitaten entsprechen stets einer Hervorhebung im Original. Weil die verwendete Literatur einen Zeitraum von rund 200 Jahren umfasst, gebe ich in den Fußnoten zum Kurztitel das ursprüngliche Erscheinungsjahr und gegebenenfalls das Erscheinungsjahr der von mir benutzten späteren Ausgabe an, um die zeitliche Einordnung der Texte zu erleichtern. Ist die zitierte Druckschrift wenig umfangreich oder insgesamt für den im Text behandelten Zusammenhang von Interesse, gebe ich keine Seitenzahl an. Einige Absätze entnahm ich einer kleinen, 2007 von mir verfassten Vorstudie, die 2008 als Teil einer namentlich nicht gekennzeichneten Einleitung erschien (Band 1 der von mir mitbegründeten und bis Band 2 mitherausgegebenen Quellenedition »Die Verfolgung und Ermordung der europäischen Juden durch das nationalsozialistische Deutschland 1933–1945«).

Seinerzeit gebräuchliche Begriffe wie Judenfrage, Bastard, Führer, Ausmerze, Arisierung, Blutschutz, Judenstämmling, minderwertige oder hochstehende Rasse usw. setze ich im Vertrauen auf meine Leserinnen und Leser nicht in Anführungszeichen. Die Schriften jüdischer und nichtjüdischer Autoren ziehe ich gleichermaßen heran. Sie eröffnen unterschiedliche, der Fragestellung nützliche Blickrichtungen. Welcher Religion die Einzelnen angehörten, vermerke ich nicht immer. Meistens gibt der Inhalt, manchmal geben die Namen Hinweise; aber Vorsicht: weder Karl Kautsky noch Matthias Erzberger oder Wilhelm Liebknecht waren Juden.

Die bis 1933 in Deutschland ansässigen Juden waren zu mehr als 80 Prozent deutsche Staatsbürger, also Deutsche. Sie verstanden sich weithin so, nicht selten waren sie stolz darauf. Ich begrenze den Unterschied zwischen Juden und Nichtjuden auf religiöse Traditionen. Der Text handelt jedoch von einer Epoche, in der zumeist schlicht und kunterbunt von Deutschen, Christen und Juden gesprochen wurde, gleichgültig, ob der religiöse, nationale oder rassische Unterschied gemeint war, ob die Staatsbürgerrechte für Juden erstritten oder später deutschen Juden abgesprochen werden sollten.

Folglich verzichte ich auf die theoretisch wünschenswerte sprachliche Präzision, die ich nur um den Preis geschichtsfremder Künstelei durchhalten könnte. Auch würde ich auf diese Weise das Selbstverständnis der vielen verletzen, die sich in zunehmender Zahl als nicht religiös gebundene Bürger verstanden. Deshalb rufe ich den am ehesten korrekten Sprachgebrauch christliche Deutsche und jüdische Deutsche nur gelegentlich in Erinnerung. Im Mittelalter war die Kollektivbezeichnung Judenschaft gebräuchlich (ähnlich der Handwerkerschaft oder Bauernschaft); das Wort Judenheit kam im frühen 19. Jahrhundert auf, um die bloß religiöse Differenz zur Christenheit hervorzuheben; im Sinne des Nationalismus entsprach der Begriff Judentum dem des Deutschtums. Er enthält die Anschauung von je eigenständigen Nationen und wurde mit dem Erstarken des Nationalismus immer beliebter. Wobei diejenigen, die in der Zeit zwischen 1800 und 1933 solche Wörter gebrauchten, das meistens in wechselndem, nur ausnahmsweise im strengen Sinn taten.

Die S. Fischer Stiftung (Berlin) förderte das vorliegende Buch großzügig, ebenso das International Institute for Holocaust Research in Yad Vashem (Jerusalem). Dort konnte ich dank des Baron Carl von Oppenheim Stipendiums zur Erforschung des Rassismus, des Antisemitismus und des Holocaust, das mir Christopher von Oppenheim gewährte, in aller Ruhe arbeiten. Die stets mitdenkenden, diskussionsfreudigen, hilfsbereiten und gastfreundlichen Kolleginnen und Kollegen in Yad Vashem erleichterten meine Arbeit in liebenswürdiger Weise.

Wie schon sechs andere meiner Bücher betreute Walter Pehle auch dieses. In stiller Hintergrundarbeit hat er im Laufe seiner 35 Jahre währenden Tätigkeit beim S. Fischer Verlag mehr als 250 Bücher zur Geschichte des Nationalsozialismus und insbesondere zur Verfolgung der Juden in den Druck gegeben. Er führte seine Autoren mit Geduld, Bestimmtheit und Nachsicht. Er warb für ihre Werke, wo er nur konnte. Walter Pehle produzierte ununterbrochen Bücher über entsetzliche Verbrechen und wahrte seinen rheinischen Witz. Das Manuskript zu diesem Buch war das letzte, das er bearbeitete, bevor er – es fiel ihm nicht leicht – 70-jährig seinen Schreibtisch im Verlag räumte. Wie immer achtete er auf jedes Komma. Wie es seine Art war, fragte er mich beim Durcharbeiten des Manuskripts hin und wieder spitz: »Was meint der Herr Autor mit diesem Satz?« und bemerkte nach einer kurzen Pause: »Das streichen wir wohl!?« Dafür und für die zwei Jahrzehnte lange Zusammenarbeit herzlichen Dank.

Berlin, März 2011

1800–1870: Judenfreunde, Judenfeinde

Halbherzige Emanzipation von oben

Am 6. August 1806 verschwand das Heilige Römische Reich deutscher Nation von der Weltbühne. Es hatte gut tausend Jahre bestanden, schließlich sank es unter dem Druck der Französischen Revolution und der Napoleonischen Kriege fast lautlos dahin. Goethe notierte knapp: »Es hat mir doch eine traurige Empfindung gemacht.« Zwar merkten es die Zeitgenossen nicht sofort, aber sie standen am Beginn einer stürmischen Epoche. Bald wurden Menschen aus ihren lange gewohnten Lebensbahnen geworfen, altes Wissen, Handwerkskünste und Gepflogenheiten verloren an Wert. Hunderte Partikularherrschaften wurden mit einigen Federstrichen aufgelöst und jahrhundertealte Abhängigkeiten beendet. Volksfrömmigkeit und weltliche Kirchenmacht schwanden.

Im Süden und Westen der deutschen Länder schritt die Säkularisation schnell voran. Historiker bezeichneten den Klostersturm hernach als »wohltätige Gewaltsamkeit«, rückten ihn so ins Licht aufgeklärter Reformpolitik. Mit diesem Kunstgriff überblendeten sie unzählige, oft wüst vollzogene Enteignungsakte zugunsten der kleinen Leute, der Universitätsbibliotheken, Gemäldegalerien, Dorfpfarreien und Staatskassen. Selbstverständlich begleiteten Habgier und Korruption die Neuverteilung klösterlicher Besitztümer. In Bayern bauten sich Handwerker und Bauern stattliche Häuser aus den Steinen der Konvente, Klosterkirchen und Nebengebäude. Parallel dazu modernisierten aufgeklärte Adelige und Bürger das Recht. Sie trieben den wirtschaftlichen Wandel voran. 1814/15 bremste der Wiener Kongress den Erneuerungsrausch, befestigte die alten Gewalten ein letztes Mal und verschaffte dem bäuerlichen, handwerklichen und städtisch-patrizischen Konservatismus Raum für zähen Widerstand gegen die von Westen heranbrandende Moderne – bis das vertraute Alte mit der in Deutschland verspätet einsetzenden, dann umso turbulenteren industriellen Revolution unwiderruflich in die Brüche ging.

In den Jahrzehnten nach der Französischen Revolution ordneten deutsche Ratsherren und Staatsmänner das Verhältnis zwischen Christen und Juden neu. 1796 fielen in Frankfurt am Main die Mauern der Judengasse – dank der französischen Belagerung und gegen eine von den Juden an den Stadtkämmerer zu zahlende Kontribution von fast einer halben Million Taler. In Preußen hatte eine 1787 eingesetzte Kommission zwar die Rechtsstellung der Juden erörtert, doch blieben die Verhandlungen ohne greifbaren Erfolg. Erst unter der Vorherrschaft Napoleons gelang der Durchbruch. Die Städteordnung vom 19. November 1808 hob den Zunftzwang auf und garantierte allen Bürgern die Gewerbefreiheit, unabhängig von Stand, Geburt oder Religion. Die Hardenberg'schen Gesetze vom 2. November 1810 und vom 7. September 1811 befestigten diesen Weg.

Die neuen Gesetze ergossen über die Bürger Preußens »eine Wohltat, die von den Regierenden gewährt, nicht vom Volke selbst stürmisch gefordert« worden war, wie der Historiker Friedrich Meinecke feststellte. Sie setzten Unternehmensgeist, Wettbewerb und Kapitalien in Bewegung. Jedoch erschienen die wirtschaftlichen Konsequenzen den meisten deutschen Christen »als Plage«, und die Reform »ist heftig bekämpft worden von denen, denen sie zugutekommen sollte«.[18] Anders die Juden. Sie nahmen die Gewerbefreiheit als Aufforderung zum wirtschaftlichen Aufbruch. Zwar durften sie nicht Apotheker werden und keine öffentlichen Waagen betreiben – das stabilisierte alte Ressentiments –, doch bedeutete es für den weiteren Verlauf nichts, und schon zu diesem frühen Zeitpunkt entstand eine besondere deutsche Konstellation: Die Fortschrittsfreude der meisten Juden stand gegen die Fortschrittsscheu der meisten Christen, die Freiheitslust der einen gegen die Freiheitsangst der anderen, jüdischer Unternehmergeist gegen christlichen Untertanengeist.

Formuliert und durchgesetzt hatte die für die wirtschaftliche Emanzipation der Juden so wichtige preußische Städteordnung Reichsfreiherr Karl vom und zum Stein. Acht Jahre später, 1816, dachte derselbe vom Stein laut darüber nach, die Juden auszuweisen, um mit ihnen »die Nordküste Afrikas (zu) bevölkern«. Wie passte das in ein und denselben deutschen Reformerkopf? Vom Stein konnte Juden noch nie leiden. Ihre wirtschaftliche Gleichstellung bewirkte er nebenbei, aus Gründen der Systematik und unter den Vorzeichen der französischen Besatzung. Nach der Niederlage Napoleons, nach dem Wiedererstarken der dynastischen Mächte und im warmen Strom des Zeitgeistes folgte er dann den Ideen der nationalen Reinheit und des christlichen, von Gottes Gnaden legitimierten Königtums. In dieser Zeit warnte er häufig vor jenen Gefahren, die von einem »Aggregat von Gesindel, Juden, neuen Reichen, phantastischen Gelehrten« ausgehen und dazu führen würden, die aus der Leibeigenschaft befreiten Bauern in »die Hörigkeit an die Juden und an die Wucherer« fallen zu lassen. Vom Stein sprach von der »Verderblichkeit der jüdischen Horde« und forderte, »alle vernünftigen Leute müssen sich vereinigen«, um diese »zu bekämpfen«. Jüdischen Bankiers unterstellte er 1823 generell, dass »deren List, Beharrlichkeit, nationaler Zusammenhang, Mangel an Ehrgefühl, wenn es auf Befriedigung der Habsucht ankam, in jedem Staat verderblich ist und besonders nachteilig auf die Beamtenwelt wirkt«.[19]

Kurz vor dem Ende des preußischen Reformfrühlings unterzeichnete Friedrich Wilhelm III. am 7. Juli 1812 das von Wilhelm von Humboldt vorbereitete Edikt »betreffend die bürgerlichen

Verhältnisse der Juden«. Staatskanzler Hardenberg hatte es gegen den »zähen Widerstand seines Monarchen« durchgesetzt und gab es den Juden »mit Vergnügen« bekannt. Diesen erschien es »als der vollständigste Freiheitsbrief«, und sie feierten das Gesetz »mit unendlichem Jubel«.[20] Es verhalf den altpreußischen Juden zur Staatsbürgerschaft, zur Wehrwürde und sicherte ihnen die Wirtschaftsfreiheit, einschließlich des Rechts zum Kauf und Besitz von Grundstücken zu. Vom Offiziersstand blieben sie ausgeschlossen, auch begrenzte das Gesetz den Zutritt zu Staats- und Wahlfunktionen. Nach Paragraph 3 mussten sie sich Nachnamen zulegen. Die einen wählten alte jüdische Namen (Levi, Cohn), andere ihre Herkunftsorte zum Nachnamen (Bamberger, Sinzheimer), wieder andere bekamen von Amts wegen Spottnamen zugeteilt, die ihnen der »grausame Volkshumor der Germanen angehängt hatte« (Wolf, Kuh), nicht wenige huldigten dem romantischen, der Natur zugewandten Zeitgeschmack und nannten sich Feilchenfeld, Silberklang, Rosenzweig, Lichtblau oder Blumenthal.[21]

In der dem Wiener Kongress von 1814/15 folgenden Ära der Restauration zog die preußische Regierung die noch bestehenden Restriktionen etwas enger, 1822 versperrte sie jüdischen Staatsbürgern den Lehrerberuf »wegen der bei Ausführung sich zeigenden Misshelligkeiten«.[22] In den unruhigen Jahrzehnten zwischen 1830 und 1849 lockerte Preußen einige Beschränkungen für Juden. Den rechtlichen Abschluss fand die Emanzipation in den deutschen Teilstaaten nach 1860. Die beiden maßgeblichen Sätze des Gesetzes »betreffend die Gleichberechtigung der Konfessionen«, das seit dem 3. Juli 1869 für den Norddeutschen Bund und seit 1871 für ganz Deutschland galt, lauten: »Alle noch bestehenden, aus der Verschiedenheit des religiösen Bekenntnisses hergeleiteten Beschränkungen der bürgerlichen und staatsbürgerlichen Rechte werden hierdurch aufgehoben. Insbesondere soll die Befähigung zur Teilnahme an der Gemeinde- und Landesvertretung und zur Bekleidung öffentlicher Ämter vom religiösen Bekenntnis unabhängig sein.«[23]

Vergleicht man die Judenemanzipation in Deutschland nicht mit der in Frankreich, sondern mit der im damals unmittelbar angrenzenden Russland, das große Teile des heutigen Polen einschloss, dann schritt sie rasch voran. Für die in ihrer Bewegungsfreiheit stark reglementierten, immer wieder Pogromen ausgesetzten Juden des russischen Reichs bot der benachbarte preußische Westen seit 1812 ein fast paradiesisches Maß an Rechtsgarantien und Lebenschancen. Die autokratischen Regierungen der deutschen Teilstaaten traten antijüdischer Gewalt entgegen. Soziale Unruhen und eben auch Judenpogrome verstanden sie als Angriffe auf die herrschende Ordnung – deshalb, nicht aus besonderer Sympathie mit den Angegriffenen, schickten sie Soldaten, um solche Volksbewegungen zu unterdrücken.

Nach bescheidenen Anfängen um 1870 ging die Bereitschaft, Juden in den öffentlichen und in den höheren militärischen Dienst aufzunehmen, von 1880 an wieder zurück. Im Jahr 1900 befanden sich in den meisten staatlichen Verwaltungen keine Juden mehr, wie Paul Nathan feststellte. Nathan gehörte zu den herausragenden jüdischen Verbandspolitikern der späten Kaiserzeit und verstand sich als entschlossener Widerpart zu dem seit 1880 auflodernden Antisemitismus. 1901 musste der preußische Justizminister Karl Heinrich Schönstedt im Abgeordnetenhaus erklären, warum er auf konservativen Druck hin keine jüdischen Notare mehr ernenne. Er rechtfertigte das mit dem Hinweis, die Justizverwaltung sei immerhin die einzige, »in der überhaupt jüdische Assessoren angestellt« würden: »Alle anderen Verwaltungen lehnen es ab, jüdische Herren zu übernehmen.« Im preußischen Heer diente damals nicht ein Berufsoffizier jüdischer Religion, seit 1886 war kein Jude mehr zum Reserveoffizier befördert worden. 1911 suchte der Generalsekretär des Verbands Deutscher Juden, Max Loewenthal, abermals nach jüdischen Offizieren im preußischen Heer. Vergeblich. Einen Hauptmann Dreyfus, der im französischen Generalstab diente und aus antisemitischen Motiven des Verrats bezichtigt, degradiert und verbannt wurde, konnte es in Deutschland nicht geben.[24]

Die verdeckte Benachteiligung hatte sich gegen den Buchstaben des Gesetzes auf dem Verwaltungsweg eingespielt. Die Schriftzeugnisse, die in den verschiedenen Parlamenten und Behörden dazu entstanden, belegen das übliche Verfahren: Die führenden Herren der Wilhelminischen Ära wiesen den Verdacht der Judendiskriminierung öffentlich weit von sich, im Stillen förderten sie die judenfeindliche Verwaltungspraxis allerorten. Hier und da duldeten sie einen Konzessionsjuden – diesen Begriff gab es tatsächlich. Für gewöhnlich verfuhren sie wie die Stadtväter des vorpommerschen Ueckermünde. Als es dort 1904 nicht gelang, eine vakante Lehrerstelle zu besetzen, bemerkte der Chronist: »Auf die Ausschreibung meldete sich kein geeigneter Bewerber, nur ein Jude. Da ein solcher nicht erwünscht war, kam die Stadt in schlimme Verlegenheit.«[25]

Etwas besser erging es dem Gerichtsreferendar Arthur Ruppin 1902. Der Oberlandesgerichtspräsident in Naumburg wies ihn dem Amtsgericht des entlegenen Städtchens Klötze bei Salzwedel zu. Amtsrichter Grunert empfing ihn aufs Liebenswürdigste, leutselig nahm er den jungen Kollegen sofort zum Frühschoppen der örtlichen Honoratioren mit. Am nächsten Morgen schritt er zur Vereidigung. Name, Vorname, Geburtsdatum, Geburtsort, fragte Grunert die Personalien ab, der Gerichtsschreiber nahm sie auf. »Ihre Religion?« – »Jude«, antwortete Ruppin. »Es traf den Amtsrichter wie ein Blitz. Darauf war er nicht vorbereitet. Sein Referendar – Jude!«[26]

Und dennoch: Widerwillig als Vollbürger akzeptiert, immerhin vor Gewalt und wirtschaftlicher Zurücksetzung wirksam geschützt, stiegen die deutschen Juden zwischen 1810 und 1870 von benachteiligten Untertanen zu aktiven Staatsbürgern auf. Das versinnbildlichte die vor der formellen rechtlichen Gleichstellung vollendete Neue Synagoge in der Berliner Oranienburger Straße. Ihre vergoldete Kuppel erhob sich neben den Kuppeln des Hohenzollernschlosses und des damals noch bescheidenen protestantischen Doms. In keiner anderen europäischen Metropole bauten die Juden so selbstbewusst. »Die größte und prächtigste ›Kirche‹ der deutschen Hauptstadt ist die Synagoge!«, giftete Heinrich von Treitschke 1870.[27] Von 1859 an hatte Hofarchitekt August Stüler den Bau geleitet; zum Eröffnungszeremoniell am 5. September 1866 gaben sich die Spitzen der Stadt und des Staates die Ehre, allen voran Preußens Ministerpräsident Otto von Bismarck.

Eine erhebende und schöne Feier fast ohne Makel – fast. Seine allerchristlichste Majestät König Wilhelm I. erschien nicht, und das aus einem speziellen Grund. Als Religionsgemeinschaft wurden die preußischen und deutschen Juden bis 1919 nicht anerkannt, nicht, wie beispielsweise in den Niederlanden, den christlichen Kirchen gleichgestellt. Seit 1869/71 garantierte das Gesetz den Juden individuelle Rechtsgleichheit, als in ihrer Religion verbundene Gruppe blieben sie Geduldete.

Gute Deutsche, schlechte Deutsche?

Trotz aller Hemmnisse, die der vollendeten bürgerlichen Gleichstellung entgegenstanden, fand die Idee der Judenemanzipation seit den Tagen Hardenbergs viele engagierte Fürsprecher in Deutschland. Sie beriefen sich auf das Vernunftrecht. So zum Beispiel Georg Wilhelm Friedrich Hegel. Gegen das »Geschrei« der Judengegner stellte er den Anspruch der Juden, »als rechtliche Personen in der bürgerlichen Gesellschaft zu gelten« in das Zentrum seiner Überlegungen.[28]

Viele Deutsche stritten im 19. Jahrhundert für die Rechte der Juden und traten gegen den Antisemitismus auf. Ihr Einsatz, auch ihre Courage sind heute oftmals vergessen, vom Schatten des späteren Mordens überdeckt. Aus dem öffentlichen Gedächtnis ist getilgt, dass Reichskanzler Bismarck auf dem Berliner Kongress 1878 mit Nachdruck für die gesetzliche Gleichberechtigung der Juden in Rumänien, Bulgarien und Serbien eintrat. Er »ruhte nicht, bis er das Wort eines jeden Einzelnen hatte«, er proklamierte »die Gleichberechtigung der Bekenntnisse in so feierlicher und zwingender Weise, wie es noch nie vorher in der Welt geschehen war«.[29] Noch als das Kaiserreich Anfang 1918 mit Rumänien den Frieden von Bukarest schloss, diktierten seine Unterhändler in die Friedensbedingungen, dass den rumänischen Juden nun endlich gemäß dem Berliner Vertrag von 1878 volle staatsbürgerliche Rechte zu garantieren seien. Als Litauen im Sommer 1918 unter deutscher Herrschaft neu gegründet wurde, erklärte die kaiserliche Regierung unter Hinweis auf die »berechtigten Wünsche der Juden«: In Litauen »muss allen nationalen Minoritäten ihr Recht auf bürgerliche Gleichberechtigung, freie Religionsausübung und Pflege ihrer Eigenart und Überlieferung voll bewahrt werden«. Auf der Pariser Friedenskonferenz, die im Sommer 1919 mit dem Versailler Vertrag endete, lancierte die deutsche Delegation im März die Forderung: »Gleichberechtigung und Gleichstellung der Juden und des Judentums in allen Ländern der Welt.«[30]

Die demonstrativen Interventionen des Kronprinzen Friedrich Wilhelm zugunsten der Juden werden kaum mehr erwähnt. Als Kaiser Friedrich III. starb er im Jahr 1888 einige Monate nach seiner Krönung. Im November 1879 hatte er die »gegenwärtigen antisemitischen Umtriebe« als »Schmach und Schande für Deutschland« bezeichnet.[31] Im Großherzogtum Hessen-Darmstadt ordneten die verantwortlichen Männer im Dezember 1890 an, die Antisemiten sorgfältig zu beobachten und »gegen strafbare Ausschreitungen mit Rücksicht auf die Störung des öffentlichen Friedens sofort und streng einzuschreiten«, ebenso gegen »Beleidigungen der Israeliten als solcher«.[32]

Manche Historiker und Literaturwissenschaftler verteilen das Etikett »antijüdisch« oder »rassenantisemitisch« mit großer Geste – an einige geschichtliche Akteure vorschnell, an andere lieber nicht.[33] Oftmals ziehen sie eine gerade Linie von Johann Gottlieb Fichte hin zu Wilhelm Raabe, Gustav Freytag, Heinrich von Treitschke, Wilhelm Marr und Adolf Stoecker, sie fahren mit der Judenzählung im Ersten Weltkrieg fort und gelangen so auf geradem Weg zu »den nationalsozialistischen Gewalthabern«. Derart vereinfacht reichen für den Stempel »Antisemit« ein paar unfreundliche oder bösartige Sätze über Juden aus. Aber das Herauspräparieren scheinbar zwingender Abfolgen judenfeindlicher Äußerungen und Ereignisse erklärt nichts.

Wenn eine Bemerkung von Johann Gottlieb Fichte immer wieder als Beispiel für einen selbst unter deutschen Philosophen verbreiteten Vernichtungsantisemitismus dient, versperrt das den Erkenntnisgewinn. So einfach liegt der Fall nicht. In seinem 1793 verfassten Text über die Französische Revolution schrieb Fichte gegen verschiedene Formen der Unterdrückung an: gegen wirtschaftliche Ausbeutung, Despotie, Hierarchie und gegen geschlossene Kasten, insbesondere das Militär, den Adel und die (noch ghettoisierten) Juden. Nachdrücklich sprach er diesen die allgemeinen Menschenrechte zu: »Zwinge keinen Juden wider seinen Willen, und leide nicht, dass es geschehe, wo du der nächste bist, der es hindern kann.« Aber Fichte lehnte es damals ab, ihnen die Bürgerrechte, die volle Rechtsgleichheit, zuzuerkennen, es sei denn, sie würden gründlich umerzogen und jeder jüdischen Idee entsagen. Seine Überlegung zur aufklärerischen Gehirnwäsche packte er in ein sehr drastisches, anstößiges Bild: »Aber ihnen Bürgerrechte zu geben, dazu sehe ich wenigstens kein Mittel als das, in einer Nacht ihnen alle Köpfe abzuschneiden und andere aufzusetzen, in denen auch nicht eine jüdische Idee sei.«

Diese Textstelle wird in der einschlägigen Literatur dutzendfach isoliert zitiert, manchmal textwidrig als mörderisch interpretiert. Fast immer wird übergangen, dass Fichte nur wenige Zeilen vor dem vielzitierten Satz kompromisslos für die Menschenrechte der Juden eintrat: »Die Menschenrechte müssen sie haben.« Sehr oft werden auch die beiden einleitenden Sätze zu dem Zitat weggelassen. Sie lauten: »Fern sei von diesen Blättern der Gifthauch der Intoleranz, wie er von meinem Herzen fern ist. Derjenige Jude, der über die festen, man möchte fast sagen, unübersteiglichen

Verschanzungen, die vor ihm liegen, zur allgemeinen Gerechtigkeits-, Menschen- und Wahrheitsliebe durchdringt, ist ein Held, ein Heiliger.« Fichte betonte den Anspruch der Juden auf Menschenrechte und Nächstenliebe, sah jedoch die Notwendigkeit, die christliche Mehrheit vor diesen zu schützen. Aber nicht mit Mord und Totschlag, sondern entweder durch Umerziehung (»andere Köpfe aufsetzen«) oder durch Exilierung (»Um uns vor ihnen zu schützen, dazu sehe ich wieder kein anderes Mittel, als ihnen ihr gelobtes Land zu erobern, und sie alle dahin zu schicken.«) Fichte hat sich später von seiner rabiaten Formulierung distanziert und das in seinem Tun unter Beweis gestellt.[34]

Nichts spricht dagegen, Wilhelm Marr als Antisemiten zu kennzeichnen. Er führte das Wort Antisemitismus ins Weltvokabular ein. Allerdings sollte nicht verschwiegen werden, dass er politisch aus den vorderen Reihen der 48er-Revolutionäre stammt und mit dieser Biographie keinen Einzelfall unter den deutschen Judenfeinden darstellt. Der Berliner Hof- und Domprediger Stoecker war in der Tat ein Vorkämpfer des Antisemitismus – aber auch des deutschen Sozialversicherungssystems, das bis heute als große Errungenschaft gilt. Wie zu zeigen sein wird, setzten sich Antisemiten für das freie, geheime und gleiche Wahlrecht ein, für den Bau von Gartenstädten und für die Errichtung von Konsumvereinen. Solche Ambivalenzen popularisierten den Antisemitismus. Wer sie heute im Namen eines eingängigen Geschichtsbildes ignoriert, begibt sich der Möglichkeit, die deutsche Vorgeschichte des Holocaust in ihrer Komplexität zu begreifen.

Im Namen solcher Eindeutigkeit wird zum Beispiel der glänzende Erzähler Wilhelm Raabe immer häufiger als Antisemit denunziert. Wer diesen mir nichts, dir nichts zu den Produzenten »antijüdischer Klischees« packt, liegt jedoch falsch. Über Raabes Roman »Der Hungerpastor« (1864) mag so reden, wer die historische Vorlage für Moses Freudenstein ignoriert und übergeht, dass im »Hungerpastor« sämtliche jüdischen Nebenfiguren positiv gezeichnet sind. Die beiden Zentralfiguren des »Hungerpastors«

stammen aus benachbarten ärmlichen Verhältnissen, verbringen ihre Kindheit in Freundschaft, machen als Erste ihrer jeweiligen Familien das Abitur, dann trennen sich ihre Wege. Der eine, Hans Unwirrsch, bringt es zum grundehrlichen, miserabel besoldeten Pastor einer winzigen mecklenburgischen Pfarre. Bescheiden wahrt er das gute Alte. Der andere studiert in Paris, promoviert und verleugnet am Ende seine Herkunft: Moses Freudenstein, der Sohn eines jüdischen Trödlers, wird vom politisch Freisinnigen zum opportunistischen, erzreaktionären Konvertiten Dr. Theophil Stein, Geheimer Hofrat – mit aller »Herzlosigkeit« auf dem Weg nach ganz oben. Die Vorlage, die sich der Realist Raabe für diese Romanfigur nahm, war Dr. Joël Jacoby (1807–1863), der sich nach seiner Taufe Franz Karl Jacoby nannte und später zu dem von allen Liberalen gehassten preußischen Oberzensor und »Erzschuft« avancierte.

Mit seiner Erzählung »Holunderblüte« (1863) verneigte sich Raabe demonstrativ vor der mosaischen Lebenswelt. 1875 erschien seine Novelle »Höxter und Corvey«, in der davon erzählt wird, wie die zerstrittenen, im Pogrom jäh geeinten Protestanten und Katholiken von Höxter bald nach dem Dreißigjährigen Krieg die drei, vier jüdischen Familien zusammentreiben und die alte Lea totquälen. Der Erzähler ergreift in jedem Satz Partei für die Verfolgten. Er schildert die christlichen Räuber, den bigotten Pfaffen, die Trunkenbolde und Totschläger als verachtenswertes Gesindel. »Wir sind dem Herrn zu Ehren noch immer da, was sie auch an Marter und Bosheit gegen uns ausgeübt haben« – so zugewandt lässt der angebliche Antisemit Raabe seine Geschichte mit dem Trauergesang jüdischer Frauen ausklingen.[35]

Der seit 1850 ungemein populäre Schriftsteller Gustav Freytag schuf in seinem Roman »Soll und Haben« (1855) mit Veitel Itzig die Figur eines habgierigen Juden. Warum denn nicht in einem unendlich reichhaltigen Werk? Als politisch engagierter Bürger und Liberaler trat er stets für die Emanzipation der Juden ein. Bis zum Tod wirkte er aktiv im Verein zur Abwehr des Antisemitismus, den der Berliner Rechtswissenschaftler Rudolf von Gneist 1890 mitbegründet hatte. Über die deutschtümelnden, angeblich »echten Enkel der alten Germanen« urteilte er 1893 an prominenter Stelle: »Was jetzt mit aufgebauschtem Namen die ›antisemitische Bewegung‹ genannt wird, ist in Wahrheit nur das alte Leiden, die Judenhetze.« Seinem jüdischen Freund Jacob Kaufmann, dem »böhmischen Judenknaben, der aus eigener Machtvollkommenheit ein deutscher Patriot« und Demokrat geworden war, widmete Freytag 1871 einen wunderbaren Nachruf.[36] Des ungeachtet wird Freytag heute immer wieder zu den literarischen Vorläufern des Rassenhasses gerechnet.

Tatsächlich waren Raabe und Freytag Vertreter des Realismus. Sie schufen Hunderte Romanfiguren, darunter auch zwei hartherzige Juden. Sie konnten das Ende der deutsch-jüdischen Geschichte nicht kennen. Eine allgemeine antisemitische Tendenz der deutschen Literatur im 19. Jahrhundert belegen solche fragwürdigen Beispiele nicht. Tatsächlich bedienten im 19. Jahrhundert vergleichsweise wenige deutsche Schriftsteller von Rang antisemitische Klischees. Demgegenüber wimmelt es bei Charles Dickens oder Honoré de Balzac von wucherischen und durchtriebenen jüdischen Gaunern. René de Chateaubriand präsentierte Hebräer abwechselnd als Christusmörder und unverdient reich gewordene Zeitgenossen. Bei Victor Hugo erscheinen die Pogrome zur Zeit der Kreuzzüge als gerechtfertigte Vergeltung für die Massaker, die der Erzähler den biblischen Vorvätern der Hingeschlachteten zur Last legt. Die Sozialisten Charles Fourier und Pierre Joseph Proudhon diskriminierten Juden als Satane und Ischarioths; Michail Bakunin verachtete sie obsessiv; Dostojewski pflegte einen ausgeprägten Judenhass.[37]

Umgekehrt wäre hervorzuheben: Gerade unter den volkstümlichen Dichtern wie Johann Peter Hebel, Peter Rosegger oder Fritz Reuter fanden die jüdischen Deutschen herausragende Verteidiger. Gerhart Hauptmann gehörte ebenfalls dazu. Er thematisierte den neuen Antisemitismus in seiner 1901 uraufgeführten

Tragikomödie »Der rote Hahn«, zeichnete die Christen als »giftige Kröten«, Betrüger und Brandstifter, während die Hauptfigur Dr. Boxer als sympathischer, rechtschaffener »kräftiger Mann von sechsunddreißig Jahren, Arzt, jüdischer Konfession« im Personentableau vorgestellt wird.

Der massive öffentliche Auftritt von Antisemiten im Jahr 1880 rief sofort die Gegenkräfte auf den Plan. Theodor Mommsen warnte vor dem »Bürgerkrieg einer (christlichen) Majorität gegen eine (jüdische) Minorität«. Am 14. November 1880 veröffentlichten 75 einflussreiche Berliner in der Nationalzeitung ihre Stellungnahme gegen die judenfeindlichen Umtriebe, darunter Oberbürgermeister Max von Forckenbeck, der Stadtälteste August Gesenius, Rudolf Virchow, Werner Siemens, Johann Gustav Droysen, Theodor Mommsen, Gustav Robert Kirchhoff, Rudolf von Gneist, die Spitzen der Berliner Kaufmannschaft, Landgerichtsdirektor Carl Robert Lessing, Geheimer Sanitätsrat Friedrich Koerte, Stadtschulrat Eduard Cauer, Professor August Wilhelm von Hofmann (Chemiker und Rektor der Universität), weitere Professoren, Rechtsanwälte, Stadträte, Kommerzienräte und Direktoren. Die Herren sparten nicht an deutlichen Worten: Sie wiesen den »Rassenhass« zurück, der »in tief beschämender Weise« neuerdings »wie eine ansteckende Seuche« auftrete. Im Namen des Gesetzes und der Ehre verlangten sie, »dass alle Deutschen in Rechten und Pflichten gleich sind. Die Durchführung dieser Gleichheit steht nicht allein bei den Tribunalen, sondern bei dem Gewissen jedes einzelnen Bürgers.« Die Unterzeichner warnten vor den neuen Antisemiten und besonders vor dem Anheizen der Leidenschaften des Volkes: »Wenn jetzt von den Führern dieser Bewegung Neid und Missgunst nur abstrakt gepredigt werden, so wird die Masse nicht säumen, aus jenem Gerede die praktischen Konsequenzen zu ziehen.« Schon höre man den Ruf nach gegen die Juden gerichteten Ausnahmegesetzen: »Wie lange wird es währen, bis der Haufen auch diesen zustimmt?«[38]

Von Kopf bis Fuß antisemitisch durchdrungen war die wilhelminische Bürgergesellschaft nicht. Ihre besten Köpfe dankten der Vorsehung, dass sie dem ziemlich spröden »germanischen Metall für seine Ausgestaltung einige Prozent Israel« beigesetzt hatte, wie der Historiker Theodor Mommsen es ausdrückte. Der junge Thomas Mann verteidigte den »unentbehrlichen europäischen Kultur-Stimulus, der Judentum heißt«, den »zumal Deutschland« so »bitter nötig« habe.[39]

Selbstemanzipation kraft Bildung

Die verschleppte Emanzipation der mosaischen Minderheit entsprach den gleichfalls trägen Rechtsfortschritten, die sich die christliche Mehrheit eher ersaß als erkämpfte. Im Gegensatz zu den meisten Christen emanzipierten sich die Juden jedoch selbst, und das im Eiltempo. Sie nutzten die ihnen sukzessive zugestandenen Möglichkeiten zielstrebig. Dafür bot Deutschland mit seinem halbherzigen Reformismus, seiner bis 1870 schwachen Wirtschaftsentwicklung und starken Rechtssicherheit gute Grundlagen.

Anders als in agrarisch-stationären Verhältnissen brauchten die Menschen jetzt Neugier, Einfallsreichtum, Geistesgegenwart, Anpassungsgabe, soziale Intelligenz und vor allem Bildung. Schon zu Beginn des 19. Jahrhunderts wurde sichtbar, dass den jüdischen Schülern das Erlernen der fortan zwingend erforderlichen Kulturtechniken Lesen, Schreiben und Rechnen leichtfiel. Anders als die meisten ihrer christlichen Altersgenossen wurden die jüdischen Knaben in aller Regel seit jeher alphabetisiert, wenn auch auf Hebräisch und mit religiösen Inhalten. Die Eltern legten ihnen zwar keine silbernen Löffel in die Wiege, wohl aber geistige Güter. Im Talmud heißt es, dass man in einer Stadt, in der es keine Schule gibt, nicht wohnen darf. Folglich konnte Arthur Ruppin 1911 selbst für die in elenden Verhältnissen lebenden osteuropäischen Juden im Unterschied zur christlichen Mehrheit sagen: »Bis in die ärmsten Schichten Osteuropas hinab steht die Notwendigkeit des Lernens und Wissens, wenigstens für die Söhne, so fest, dass es in Galizien Tausende von armen Handwerkern oder Händlern gibt, die 1/10 bis 1/6 ihres Wochenverdienstes (also bis zu einem Gulden von etwa sechs Gulden) für den Melamed ihrer Söhne (den Lehrer des Hebräischen und einiger Elementarkenntnisse) ausgeben. Sie würden lieber hungern, als dass sie ihre Kinder den Unterricht entbehren ließen.«[40]

Der Bildungswille bezog seine Kraft aus der Religion und der jahrhundertelangen Rechtlosigkeit. Jüdische Jünglinge lernten zu abstrahieren, zu fragen, nachzudenken. Sie schulten den Verstand am Umgang mit Büchern, im gemeinsamen Lesen und Auslegen und im kontroversen Debattieren der heiligen Schriften. So trieben sie geistige Gymnastik, so praktizierten sie ihre Religion und wurden im wörtlichen Sinne mündig. Zudem beherrschten Juden meistens zwei oder drei Sprachen mit ihren unterschiedlichen Grammatiken und Ausdrucksfinessen. Vielfach benutzten sie neben der hebräischen auch die lateinische Schrift. Derart geschulte junge Männer verfügten über eine gediegene, leicht ausbaufähige intellektuelle Basis für den Aufstieg kraft Bildung. Der in Dessau aufgewachsene Moses Mendelssohn konnte 1743, im Alter von 14, selbstverständlich lesen und schreiben. Er sprach Jiddisch, Hebräisch, Aramäisch und Deutsch. Im Herbst desselben Jahres zog er nach Berlin, musste als Jude noch Leibzoll entrichten, und der Wachposten vermerkte: »Heute passierten das Rosenthaler Tor sechs Ochsen, sieben Schweine, ein Jude.« Und warum wollte der schief gewachsene Jüngling unbedingt nach Berlin? »Lernen«, soll er dem Wächter geantwortet haben; fest steht, dass er seinem geliebten Lehrer Rabbi David Fränkel hinterherzog. Später sollte Mendelssohn als Seidenfabrikant wohlhabend, als Philosoph berühmt werden.[41]

Die Repräsentanten der jüdischen Gemeinden erkannten früh, wie wichtig systematischer Unterricht für die nächste Generation sein würde. Sie sorgten dafür, dass die jüdischen Kinder gutes

Deutsch lernten und gründeten aufs Praktische gerichtete Schulen: 1778 die Freischule in Berlin, 1791 die Wilhelmschule in Breslau, 1798 die Israelitische Mädchenschule in Hamburg, 1799 die Franz-Schule in Dessau, 1801 die Industrieschule für israelitische Mädchen in Breslau und die Jacobsen-Schule in Seesen, 1804 das Philanthropin in Frankfurt am Main, 1805 die Talmud-Tora-Schule in Hamburg. Diese Initiativen verband ein Ziel: »die Verminderung des Elends und der Verachtung, worunter wir seufzen«.[42]

Wie anders verhielten sich die Geistlichen der christlichen Religion. Sie legten Wert auf das Auswendiglernen von Glaubenssätzen, hielten Diskussionen für Teufelszeug, vor dem sie die »Laien« bewahren müssten, und zeigten allenfalls ausnahmsweise Interesse an der systematischen Schulbildung ihrer Schäfchen. Eine christliche, zumeist bäuerliche Familie, in der nur einige ein wenig lesen und schreiben konnten, bedurfte zweier oder dreier Generationen und länger an elementarer Bildung, bis die ersten den Sprung in akademische Höhen schafften. Dann litten die eben Aufgestiegenen noch für einige Jahrzehnte an Unsicherheiten. Bis ins 20. Jahrhundert hinein warnten christliche Eltern ihre Kinder: »Lesen verdirbt die Augen!«

Im Gegensatz zum jüdischen Schulwesen mangelte es dem staatlichen noch lange an soliden materiellen und intellektuellen Grundlagen. Zwar hatte Friedrich Wilhelm I. 1717 die allgemeine Schulpflicht in Preußen eingeführt, doch blieb dem finanziell vernachlässigten Projekt der Erfolg bis in die zweite Hälfte des 19. Jahrhunderts versagt. Überfüllte Klassen und unfähige Lehrer, die das Schulgeld von den Kindern einzogen, bestimmten das Bild. Ausgemusterte oder invalide Soldaten, Hausmeister, alt gewordene Kutscher und gescheiterte Handwerker ergriffen den »Beruf des Prüglers«, wie man sagte, und regierten mit Stockhieben, Ohrfeigen und Kopfnüssen. Der Unterricht solcher Schulmeister »kam auf dem Lande selten über das Buchstabieren hinaus«.[43]

Auf dem Ersten Allgemeinen Deutschen Lehrertag, abgehalten 1876 in Erfurt, forderte der Vorsitzende Julius Beeger zur umfassenden Anwendung der Prügelstrafe auf. Er nannte das Regulativpädagogik, um »1. Rohheit und Wildheit; 2. Arbeitsscheu und Genusssucht; 3. (der) Unbotmäßigkeit« der heranwachsenden Jugend und deren »Frühreife« Herr zu werden. Ein zeitgenössischer Kritiker kommentierte: »Dass die Prügelpädagogik zahlreiche Anhänger in Deutschland hat, wusste ich längst.« Aber erst in Erfurt hatte er zur Kenntnis nehmen müssen, »dass die Prügelpädagogen nahe daran sind, zur unumschränkten Herrschaft zu gelangen« und damit »das Volk nicht für die Freiheit, sondern für die Knechtschaft« erziehen.[44]

Viele Eltern und die noch höchst einflussreichen Geistlichen beider christlicher Konfessionen lehnten die gründliche Unterrichtung der Kinder ab; die Adeligen fürchteten, ihre Untertanen könnten infolge besserer Bildung aufsässig werden; die Bürgermeister widersetzten sich fortschrittlichen Schulideen »teils aus Armut, teils aus Geiz und rohem Sinn«. Der in Bildungsangelegenheiten nicht besonders große König Friedrich II. hielt es 1779 zwar für schön, wenn Preußen aus dem Ausland tüchtige Schulmeister anwerben könnte, »die nicht so teuer wären«, meinte jedoch einschränkend, auf dem platten Land reiche es aus, wenn die Kinder »ein bisschen lesen und schreiben« lernten – »wissen sie aber viel, so laufen sie in die Städte und wollen Secretairs und so was werden«.

Nachdem Friedrich die Bildung seiner Untertanen dem militärischen Machtstreben geopfert hatte, folgten in Preußen zu Beginn des 19. Jahrhunderts beachtliche schulpolitische Anstrengungen. Die Humboldt'schen Reformen erreichten nur die Universitäten und Gymnasien, der Ausbau der Volksschulen und die systematische Lehrerbildung kamen über Anfänge nicht hinaus und versanken seit 1840 unter dem christlich-romantischen König Friedrich Wilhelm IV. im reaktionären Sumpf. Für das Jahr 1870 bezeichnen folgende Indikatoren den preußisch-christlichen Bildungswillen: Von den 36 000 Volkschullehrerstellen waren 3000 unbesetzt, und 20 000 dieser Schulmeister wurden schlechter dotiert als Gerichtsdiener oder Bahnwärter. Die Klassenfrequenz war doppelt so hoch wie in der Schweiz: Sie betrug pro Lehrer mehr als 80 Schüler.

Erst 1872 setzte der Ausbau des Schulwesens langsam ein. Preußen verdreifachte den finanziellen Aufwand für Volksschulen, Lehrergehälter und Lehrerseminare. Es hatte mehr als 30 Jahre gedauert, bis die bildungspolitischen Hauptforderungen, die die Abgeordneten der Frankfurter Nationalversammlung 1848 gestellt hatten, langsam Wirklichkeit wurden: »Die Wissenschaft und ihre Lehre ist frei. Das Unterrichts- und Erziehungswesen steht unter der Oberaufsicht des Staates und ist, abgesehen vom Religionsunterricht, der Beaufsichtigung der Geistlichen als solcher überhoben. Für den Unterricht in Volksschulen wird kein Schulgeld bezahlt.«[45]

Schließlich und endlich gab es um 1900 in fast jeder preußischen Kreisstadt ein Gymnasium. Aber greifbare Ergebnisse der spät einsetzenden staatlichen Initiative zum systematischen Ausbau der Schulen ließen noch einige Jahrzehnte auf sich warten. Im Jahr 1886 bezifferte der Reformpädagoge Eduard Sack den Anteil der über zehnjährigen Preußen, die niemals eine Schule von innen gesehen hatten, auf 14 Prozent. Von denen, die am Unterricht teilgenommen hatten, sagte er, dass von diesen »der größere Teil bloß sehr notdürftig lesen und schreiben kann«. Diejenigen, welche die Grundrechenarten und das Lesen und Schreiben im Sinne einfacher Elementarbildung wirklich beherrschten, schätzte er »auf höchstens 20 Prozent, für einige Provinzen schwerlich auf mehr denn fünf Prozent«. (Die Daten beruhten auf amtlichen Quellen, allerdings aus dem Jahr 1876.)[46]

Die Folgen des einerseits sehr verhaltenen christlichen und andererseits energisch vorwärtsdrängenden jüdischen Bildungsstrebens springen in den Schulstatistiken sofort ins Auge. Das erste

Heft einer 1905 begonnenen Reihe von Veröffentlichungen des damals in Berlin gegründeten Bureaus für Statistik der Juden trägt den Titel »Der Anteil der Juden am Unterrichtswesen in Preußen«. Koautor der Broschüre war Arthur Ruppin, der in der zweiten, 1911 erschienenen Auflage seines Buches »Die Juden der Gegenwart« noch einige Nachträge lieferte.

Ruppin war 1876 in der Provinz Posen geboren worden, wuchs in Magdeburg auf, studierte in Halle und Berlin Rechtswissenschaft und promovierte. Wie berichtet, verbrachte er sein Referendariat in Klötze, anschließend ließ er sich als Rechtsanwalt in Magdeburg nieder. 1904 gründete er den Verband für Statistik der Juden und erarbeitete statistische Studien zur demographischen und sozialen Lage der Juden. 1908 übernahm er die Leitung des Palästina-Amts in Jaffa. Die Gründung der jüdischen Stadt Tel Aviv geht auf seine Initiative zurück. Mit der neuen Siedlung wurde dort die erste hebräischsprachige höhere Schule der Welt errichtet, das Herzl-Gymnasium. 1926 baute Ruppin die Abteilung Soziologie der im Vorjahr gegründeten Hebräischen Universität Jerusalem auf, dann verhalf er jüdischen Deutschen zur Flucht nach Palästina. Er starb 1943.

Folgt man der von Ruppin zu Beginn des 20. Jahrhunderts ausgewerteten preußischen Schul- und Universitätsstatistik, ergibt sich für die unterschiedlichen Bildungsgeschwindigkeiten von Christen und Juden ein deutliches Bild. Im Jahr 1869 stammten 14,8 Prozent der Berliner Gymnasiasten aus jüdischen Familien, während sich vier Prozent der Einwohner zur mosaischen Religion bekannten. 1886 brachten 46,5 Prozent der jüdischen Schüler in Preußen einen höheren als den Volksschulabschluss nach Hause, bis 1901 stieg der Anteil auf 56,3 Prozent. Im selben Zeitraum kroch das christliche Streben nach höherer Bildung von 6,3 auf 7,3 Prozent. Gemessen an christlichen Schulkindern erreichten die jüdischen rund acht Mal so häufig mittlere und höhere Schulabschlüsse. Nichtjüdische Reformpädagogen wie Friedrich

Dittes rühmten die »hervorragende Begabung und das lebhafte Interesse für die intellektuelle Arbeit« der Israeliten und deren »sehr eifriges« Engagement in allen Schulangelegenheiten: »Die Eltern halten ihre Kinder nachdrücklich zum Lernen an und bekümmern sich sorgfältig um deren Fortschritte; ihre Kinder stehen nicht selten an Wissbegierde und zähem Fleiße ihren christlichen Schulgenossen voran.«[47]

Aus den Tabellen sticht auch hervor, wie sehr jüdische Eltern bemüht waren, die Mädchen auf höhere Töchterschulen zu schicken. Gleichfalls an den Bevölkerungsanteilen gemessen besuchten im Jahr 1901 in Berlin 11,5-mal so viele jüdische Mädchen eine weiterführende Schule wie christliche. Erstere benahmen sich in den entsprechenden Altersstufen überdurchschnittlich oft unaufmerksam, »frech und frühreif«, das belegen die mäßigen Noten für »Fleiß« und »Betragen«. Diese Schülerinnen interessierten sich quietschfidel für »gesellschaftliche Zerstreuungen«, bemängelten ihre Lehrer. Aber: Sie lernten und vollbrachten insgesamt vortreffliche Leistungen.

Die Angaben zum so unterschiedlich ausgeprägten Bildungswillen von Christen und Juden referieren den Durchschnitt. In einzelnen Berliner Stadtteilen, in den Provinzen Ostpreußen, Posen, Schlesien und (preußisch) Sachsen lagen die Quoten sehr viel weiter auseinander, ebenso in altsprachlichen Gymnasien und an den Hochschulen. Im Jahr 1910 gehörte die große Mehrheit der Sextaner des Charlottenburger Mommsen-Gymnasiums der jüdischen Religion an. »An intellektuellem Hochmut hat es nicht ganz gefehlt, aber die Kameradschaft war trotzdem gut«, berichtet Rudolf Schottlaender über das christlich-jüdische Nebeneinander, »auch die Lehrer, fast sämtlich Nichtjuden, vermieden judenfeindliche Äußerungen.«[48]

Selbstverständlich machten sich die gymnasialen Bildungserfolge anschließend an den Universitäten geltend. In Preußen lag der Anteil jüdischer Studenten 1886/87 bei knapp zehn Prozent, der

Anteil der Juden an der Gesamtbevölkerung bei knapp einem Prozent, und die amtliche Statistik stellte fest, »dass die katholischen Studenten durchschnittlich das höchste, die jüdischen das niedrigste Lebensalter haben«. Die Protestanten lagen dazwischen. In der Regel begannen Juden das Studium erheblich früher und studierten schneller als die christlichen Kommilitonen. Die preußischen Statistiker äußerten sich zu den Ursachen der so sinnfälligen Unterschiede nicht, sondern konstatierten einfach: »Die jüdischen Studierenden scheinen danach durchschnittlich mehr Befähigung zu besitzen und mehr Fleiß zu entwickeln als die Christen.«[49]

Dem Reformpädagogen und Philosophen Friedrich Paulsen fielen 1902 »eigentümliche Verhältnisse« hinsichtlich der konfessionellen Verteilung der Studierenden auf: Die Katholiken lagen in ihrem Bildungsstreben um mehr als 50 Prozent hinter den Protestanten, die Juden übertrafen beide Gruppen »um ein Vielfaches«. »Die Ursachen des starken Überwiegens der jüdischen Bevölkerung im Universitätsstudium liegen nahe: Sie ist so gut wie ausschließlich städtische und über dem Durchschnitt wohlhabende Bevölkerung. Dazu kommt ein starker Drang, die soziale Stellung zu verbessern, und hierzu ist das Universitätsstudium der nächste und der allein offene Weg, da die Laufbahn durch die Armee verschlossen ist. Auch wird man nicht verkennen können, dass der jüdischen Bevölkerung bei geistiger Regsamkeit eine hervorragende Zähigkeit des Willens, gepaart mit der Gabe, Entbehrungen um des Zieles willen zu ertragen, eigen ist. So geschieht es, dass sie ein unverhältnismäßig starkes Kontingent auf die höheren Schulen und Universitäten schickt, trotzdem sie nachher in den gelernten Berufen, vor allem in der Beamtenlaufbahn starken und zum Teil unüberschreitlichen Hindernissen begegnet. Die Folge ist, dass die sonst Zurückgewiesenen in die wenigen ihnen offenstehenden Berufe mit starker Wucht hineindrängen: den des Arztes und den des Rechtsanwalts und auch den akademischen Lehrberuf.«[50]

Der Bildungseifer der Juden fiel nicht nur in Deutschland auf. Ähnlich sah es in Prag am Altstädter Gymnasium aus. Auch die ärmeren jüdischen Kaufleute ließen dort »ihren Söhnen die bestmögliche Ausbildung zukommen«, und das war, wie Hans Kohn in seinen Lebenserinnerungen berichtet, »bezeichnend für jüdische Eltern und deren Respekt vor Gelehrsamkeit«.[51] In Wien, Kaunas oder Budapest beobachtete man dieselbe Wissbegier, ebenso in den russischen Gebieten, in denen Juden siedeln durften. Als um 1870 das erste altsprachliche Gymnasium in Nikolajew eröffnet wurde, bestanden 38 christliche und 105 jüdische Schüler die Aufnahmeprüfung. Aus Odessa wurde zur selben Zeit berichtet: »Alle Schulen sind von oben bis unten voll mit jüdischen Schülern, und um ehrlich zu sein, sind die Juden immer die Besten in der Klasse.«[52]

Chaim Weizmann berichtet aus seiner Kinderzeit in Motol, nahe der weißrussischen Stadt Pinsk, dass für die russischen Bauernkinder um 1880 keine Schulpflicht bestand. Manche gingen unregelmäßig zur Schule, andere nie. Ganz anders die Juden, sie schickten alle ihre Söhne in die jüdische Schule, die so »einen hohen Grad an formaler Bildung« gewannen: »Die nichtjüdische Bevölkerung hatte einfach nicht diesen überwältigenden Bildungsdurst wie die Juden, die ununterbrochen an die Schultüren klopften.« Weizmann stammte aus einer bettelarmen Familie. Er absolvierte das Real-Gymnasium in Pinsk und wechselte dann zum Chemiestudium nach Darmstadt.[53]

Um 1900 ließ der russisch-jüdische Schriftsteller Scholem Alejchem seinen Helden Tewje, den Milchmann, über dessen Tochter Hodel nachdenken: »Sie strahlt wie ein Stück Gold. Und zu meinem Unglück hat sie obendrein einen scharfen Verstand; sie schreibt und liest jiddisch und russisch und verschlingt Bücher wie Knödel. Werdet ihr doch fragen, wie kommt Tewjes Tochter zu Büchern, wenn ihr Vater mit Butter und Käse handelt?« Und der Milchmann Tewje weiß von anderen jungen Leuten, Kindern von Schneidern und Schustern, zu berichten, die aufs

Gymnasium und dann auf die Universitäten gehen: »Ihr hättet sehen sollen, mit welchem Fleiß, mit welcher Ausdauer sie lernen! (…) Sie wohnen auf Dachböden, haben zu Mittag Plagen und Unglück und zum Nachtisch die Kränke. Monatelang bekommen sie kein Stückchen Fleisch zu sehen. Und wenn es ein Fest gibt, so kaufen sich sechs Personen zusammen eine Semmel und einen Hering.«[54]

Im Schuljahr 1913/14 untersuchte der Wiener Handelsschullehrer Dr. Ottokar Němeček die Lernerfolge christlicher und jüdischer Handelsschüler. Er fragte nicht, wie viel Prozent der jeweiligen Gruppe überhaupt solche weiterführenden Schulen besuchten (die Unterschiede waren offenkundig), sondern wie die durchschnittlichen Leistungen zu bemessen seien. Dafür wertete er die Zeugnisse von 1539 Schülern und Schülerinnen aus, die an der Neuen Wiener Handelsakademie, der Handelsschule für Knaben und Mädchen und der Staatsrealschule Wien IX unterrichtet wurden. Zusätzlich führte Němeček mit einigen hundert Schülern verschiedene Tests durch, um die unterschiedlichen kognitiven Fähigkeiten genauer zu erkunden, insbesondere das sprachliche Ausdrucksvermögen, die Gedächtnisleistung, die Assoziations- und Schreibgeschwindigkeit.

Die Zusatztests fielen durchweg zugunsten der jüdischen Schüler aus, nicht so die Noten für Betragen. Die Ursache dafür sah Němeček »in der größeren Lebhaftigkeit der Juden, die als Schwätzer und Ruhestörer – wie jeder Lehrer bestätigen wird – die christlichen Mitschüler überragen«. In den Fleißnoten schnitten die jüdischen Schüler ebenfalls bedeutend schlechter ab als die christlichen. Trotz des Mangels an Zucht und Fleiß lagen erstere in den mit »sehr gut« und »gut« benoteten Gesamtleistungen eindeutig an der Spitze (26 : 16 Prozent), wohingegen sie in der Gruppe der mäßigen Gesamtleistungen kaum vertreten waren (4 : 23 Prozent). In den Fächern Deutsch, Französisch, Englisch und Geschichte erzielten sie durchweg bessere Leistungen. Dasselbe Bild ergaben die Noten für Mathematik, Chemie und Physik, ebenso in den kaufmännischen und juristischen Fächern.

Als Gründe nannte Němeček, dass in diesen Fächern »in erster Linie der Intelligenz des Schülers Aufgaben gestellt« würden, »die größere Reife der jüdischen Schüler auf dem Gebiete der abstrakten Gedankenarbeit« zum Tragen komme, ebenso deren rasche Auffassungsgabe, Schreibgeschwindigkeit, umfangreicher Wortschatz und emotionale Wachheit. Nur im Zeichnen, Schönschreiben und Turnen lagen die christlichen Schüler vorne. Němeček sammelte Fakten, die Gründe erkundete er nicht. Aber er formulierte eine Frage: »Ob es sich hierbei um eine angeborene Veranlagung oder um ein Produkt des Milieus handelt, in dem die Kinder von Jugend auf Zeugen und Teilnehmer eines lebhafteren Gedankenaustausches sind, ist hier nicht zu entscheiden.«[55]

Gleichgültig, welche Ursachen die Fachwelt für den Bildungsvorsprung der Juden annahm, die Nichtjuden spürten die Differenz und reagierten darauf heftig. Im Jahr 1880 sprach der liberale Reichstagsabgeordnete Ludwig Bamberger vom »ungewöhnlichen Lerntriebe« der Juden, von »sichtbarer Eile«, das ihnen so lange Vorenthaltene nachzuholen, und folgerte: »Sicher ist, dass die Rekrudeszenz der Gehässigkeiten mit diesen Dingen eng zusammenhängt.«[56] Wie sich das im Schulalltag auswirken konnte, belegt ein Offener Brief, in dem Bertha von Suttner 1893 über einen Vorfall berichtete, den sie in einer befreundeten Familie erlebt hatte.

Leopold, ein Volksschüler, kommt aus der städtischen Schule nach Hause. Es hat Zeugnisse gegeben. »Ach, ich bin so glücklich, so glücklich!«, ruft er seinen Eltern entgegen und erklärt auf die Frage »Warum?« wohlgemut: »Dass ich auf der Welt bin, es ist so schön auf der Welt, und weil ich's weit bringen werde, ich bin wieder der Erste gewesen heute.« Einige Zeit darauf kommt Leopold völlig verstört nach Hause und schluchzt. Nicht dass er ein schlechtes Zeugnis bekommen hätte. Nein. Vielmehr hat sich der faule und raufllustige Sohn eines strammen Antisemiten den klugen Mitschüler vorgenommen: »Judenbub, zu was plagst du dich? Wirst doch dein Leben lang nichts erreichen, bist ja nur einer von der Semitenbande!«[57]

Der Kredit anstelle des Lehnrechts

Im Verlauf des 19. Jahrhunderts rückte der alte, religiös fundierte Gegensatz zwischen Christen und Juden in den Hintergrund, ohne je ganz zu verschwinden. Der Rationalismus gewann die Oberhand: nicht als fein konstruiertes Ideengespinst, sondern als durchschlagender Erfolg der Erfahrungswissenschaften. Juden passten ihre Haartracht und Kleidung an, einige gingen Ehen mit christlichen Partnern ein, konvertierten oder wurden zu Atheisten. Manch einer wechselte die Religion nur deshalb, um »ungefährdet Jude bleiben zu dürfen«.[58] Immer häufiger wurde ein Samuel Kohn zum Sigmund Konitz, ein Baruch zum Bernhard, eine Esther zur Else. Bürgerliche Umgangsformen, schnelle wirtschaftliche und zögerliche rechtliche Emanzipation verwässerten die religiöse Segregation.

Weder hatten Juden 1787 den mechanischen Webstuhl erfunden, noch die Revolution von 1789 angezettelt oder 1807 den Code civil erdacht. Aber sie sympathisierten mit dem Fortschritt: mit der Industrialisierung und mit der Idee des Liberalismus. Beide verhießen ihnen wirtschaftliche und politische Freiheit – nicht nur ihnen, ebenso den Christen. Doch anders als diese hatten Juden im Gestern nichts zu verlieren außer Sondergesetzen und -steuern, ungezählten Verboten, immer neu erpressten Schutzgeldern. Im vormodernen christlichen Abendland hatten sie »weiter nichts« anstreben können, »als Schutz gegen Gewalttaten und Erlaubnis zu leben«. Im Gegenzug mussten sie denjenigen, die beides gewährten, »Geld und Geschenke« entrichten, sich einem »erbärmlichen Handel« unterwerfen, den die christlichen Herren willkürlich »wiederholen und abbrechen« konnten. So skizzierte der Historiker Isaak Markus Jost 1842 die Zustände, die bis zum Beginn des 19. Jahrhunderts vorgeherrscht hatten.[59]

Ludwig Börne schrieb 1832, die Juden seien jahrhundertelang von den Christen in ein mit Mist verstopftes, insofern warmes Kellerloch gesteckt worden, die Christen selbst aber dabei – »frei dem Froste bloßgestellt« – halb erfroren. Im emanzipatorischen Tauwetter sah Börne dem beginnenden Wettbewerb freudig entgegen: »Wenn der Frühling kommt, wollen wir sehen, wer früher grünt, der Jude oder der Christ.« Wie zu erwarten, mussten die Juden allerlei Hürden nehmen und Hindernisse umgehen. Störrische Meister und Professoren, von denen »leider in Deutschland gar viele ihre Vorurteile fester behaupten«, missachteten die neue Rechtslage. Doch die »talentvollen Jünglinge« schreckte der Widerstand nicht. Er spornte sie an, »alles aufzubieten, um jede Probe zu bestehen«. In der Tat stiegen sie überdurchschnittlich schnell auf der sozialen Leiter nach oben. Hatten die altpreußischen Juden 1808 mit fast nichts begonnen, so gehörten 1834 schon 13 Prozent zur damals hauchdünnen oberen Mittelschicht und mehr als 50 Prozent zur Mittelschicht.[60]

Die jüdischen Deutschen zeigten sich weniger bedächtig, feierlich und gehorsam als die christlichen, eher beweglich, witzig und keck. Davon abgesehen lebte eine durchschnittliche jüdische Familie offenbar entspannter und achtsamer als eine christliche. Das bezeugt die Statistik. Im Jahr 1840 starben von 100 in Preußen geborenen christlichen Säuglingen 21 im ersten Lebensjahr, von den jüdischen 15. Das Königlich Preußische Statistische Bureau führte die deutliche Differenz darauf zurück, »dass die Frau des Juden nicht leicht schwere Arbeiten außerhalb ihrer Wohnung verrichtet, folglich als Schwangere und Säugende sich mehr schonen kann und ihr Kind stets unter naher Aufsicht behält«. Auch wurden die Juden beträchtlich älter als Christen. Die Statistiker machten dafür christlicherseits unmäßiges Essen verantwortlich, »welches das Leben verkürzt«, und hoben die Zurückhaltung der Juden »im Genuss der geistigen Getränke« hervor.[61]

Entsprechend dem Vernunftdenken fielen mit der Wende vom 18. zum 19. Jahrhundert neben den äußeren auch die inneren Ghettomauern. Für die aufklärerische Reform der religiösen Riten und Regeln steht David Friedländer. Von Beruf Seidenfabrikant in Berlin und mit Moses Mendelssohn befreundet, setzte er sich für den konsequenten Gebrauch der deutschen Sprache ein. Er gab ein deutsches Lesebuch für jüdische Kinder heraus und begründete die liberal-progressive Richtung des deutschen Judentums. Sie zielte darauf, dass die »überwuchernde Religion« nicht länger die Möglichkeit der Juden behindere, ihre Fähigkeiten in Kunst und Wissenschaft zu erproben. Wie sehr das dem orthodoxen Judentum eingewurzelte ständige Fragen »nach dem Dürfen und Nichtdürfen« – die Einhaltung von 248 Geboten und 365 Verboten – die säkulare Anwendung der in den religiösen Studien erworbenen geistigen Fähigkeiten hemmen konnte, illustriert die Anekdote von einem jüdischen Jungen in Galizien, die Arthur Ruppin erzählt. Der Junge trifft auf einen Mann, der gebannt den aufgehenden Vollmond betrachtet. Anstatt sich an dem Naturschauspiel mitzufreuen, verstellte dem strenggläubig erzogenen Kind sofort eine Frage den Weg zur Erkenntnis: »Darf man den Mond ansehen?«[62]

Derart von äußeren und auch inneren Zwängen befreit, starteten die west- und mitteleuropäischen Juden in die Moderne. Die christliche Mehrheit gebrauchte das Wort »jüdisch« weiterhin herabsetzend, aber anders. Jetzt bezeichnete es das Quicke, das Veränderungslustige. Der darin enthaltene Vorwurf spiegelte die Beklemmung, mit der Christen auf das Versinken des altvertrauten Weltgefüges reagierten. In selbstgenügsamem Provinzialismus begannen die Deutschen früh, den Juden heimatlosen Kosmopolitismus und den Hang zum Niederreißen des Althergebrachten vorzuwerfen.

Karl Graf Finckenstein und Ludwig von der Marwitz verunglimpften 1811 die Stein-Hardenberg'sche Reform als Versuch, »aus dem ehrlichen, brandenburgischen Preußen einen neumodischen

Judenstaat« machen zu wollen. Ein Jahr später malte der Staatswissenschaftler Adam Müller die Folgen des allgemeinen Strebens nach Reformen in düsteren Farben aus: »Ritter und Bauernstand gehen unter, und es gibt am Ende nur Kaufleute, Handwerker und Juden.«[63] Selbst Wilhelm von Humboldt, der so engagiert für die Judenemanzipation eintrat und diese entschieden gegen seine derb antijüdisch aufgelegte Ehefrau Caroline verteidigte, mochte die »neumodischen Juden« nicht.[64] In ähnlichem Assoziationszwang bezeichnete König Friedrich Wilhelm IV. Schillers »Tell« als »Stück für Juden und Revolutionäre«.

Im weiteren Sinn stand das Schimpfwort »jüdisch« für den angeblich kalten, französisch und britisch beeinflussten Konstitutionalismus. Das Vorurteil blieb haften. 1876 machte der konservative Historiker, Publizist, eingeschworene Bismarck-Gegner und konsequente Befürworter eines deutschen Föderalismus Constantin Frantz Juden für »die Idee des sogenannten Rechtsstaates« verantwortlich: ein »abstraktes« Konstrukt, das von Religion und Gesinnung völlig absehe und das Individuum zum »bloßen Staatsbürger« mache. In der Konsequenz führe das nach Frantz zum allmächtigen modernen Steuer- und Verwaltungsstaat, der jede gewachsene Gemeinschaft ruiniere.[65]

Zu den ersten Zentren intellektueller Judenverachtung gehörte die Deutsche Tischgesellschaft. Im Januar 1811 auf Initiative des romantischen Dichters Achim von Arnim gegründet, verfolgte sie den Zweck, »geistlos Veraltetes« zu überwinden und – in Reaktion auf die materiell unendlich bedrückende Herrschaft Napoleons – das preußische und deutsche Nationalgefühl zu kräftigen. Franzosen, Philister, Frauen und Juden konnten in diesem feuchtfröhlichen Intellektuellenklub nicht Mitglied werden, selbst getaufte Juden und deren Kinder nicht. Halb witzig-zotig, halb ernst dichtete von Arnim in die Satzung: »Die deutsche Tischgenossenschaft / Bewahrt sich drum mit gleicher Kraft / Vor den Philistern und vor Juden, / Damit sie wächst in allem Guten.«

Vorangestellt hatte er den Reim: »Ein Jude ist, wie jeder weiß / Vor allen Dingen naseweis«, dann folgte von Arnims Ballade von einem fiktiven Beschnittenen aus der Herrschaft derer von Falkenstein, dem irgendeine Missetat vorgeworfen wird. Deshalb soll er »an dieses Galgens schöner Höh« baumeln, »damit ihn Frau und Kind erseh«. Der wüste Herrenschwank führt zum Happy End: Der Delinquent wird begnadigt, rasiert, getauft; er schwört aller Judenlist ab; vor allem verbrennt er sämtliche Schuldscheine. Von Arnim jubiliert: »Zur Ehre des Herrn von Falkenstein / Trink ich den vollen Becher Wein / Und sing ein Lied aus voller Brust / Wer noch nie mit Schweineschmalz / Einen Judenbart gerieben, / Kennt noch nicht das attsche Salz / Kann noch nicht die Alten lieben …«

Tischgenosse Peter Christian Beuth, der im Staatskanzleramt Hardenbergs zum engsten Kreis gehörte und später als Vater der preußischen Gewerbeförderung und Freund von Karl Friedrich Schinkel zu Ansehen gelangte, malte aus, was geschähe, falls Juden rechtlich gleichgestellt und dann auch Gutsbesitzer und folglich Patronatsherren sein würden: Womöglich könnte ein christlicher Prediger dann in die Verlegenheit geraten, den Sohn des Patrons beschneiden zu müssen. Weil von einem christlichen Geistlichen nicht zu verlangen sei, dass er das Beschneiden beherrsche, werde, wie Beuth »tröstend« einflocht, »das Verbluten und Verschneiden manches Judenjungen die wahrscheinliche und wünschenswerte Folge davon sein«.

Der gegen die französische Vorherrschaft gerichtete Klub versammelte neben den beiden Genannten Männer wie Carl von Clausewitz, Heinrich von Kleist, Clemens von Brentano, den Musiker und Goethe-Freund Carl Friedrich Zelter, den Juristen Carl von Savigny, den Staatstheoretiker Adam Müller und Johann Gottlieb Fichte. Letzerer gebot dem untergründig gewalttätigen Männertreiben im Sommer 1812 Einhalt. Damals übernahm er das Sprecheramt der Gesellschaft und hielt den Versammelten eine Standpauke. Die verbrauchten, billigen Witze und Bosheiten auf Kosten anderer würden nur eines bezeugen – die Philisterei der Spötter selbst: »So bleibt vor mir wohl ungeneckt / So Juden- wie Philistertum.«[66]

Wer die Hohnreden Beuths oder von Arnims oberflächlich liest, mag nationale Überheblichkeit oder Rassendünkel hineininterpretieren. Genauer besehen zeigen sie Kleinmut. Den Tischgenossen grauste vor Juden, weil sie angeblich versuchten, sich auf »unruhigen Fußsohlen« in die Wissenschaft, die Kunst und die Gesellschaft »einzuschleichen, einzudrängen und einzuzwängen«. Die derart beschriebenen hebräischen Unterwanderer trieben ihr Unwesen in einer höchst unsicheren Epoche des Umbruchs, »wo die Satzungen der Väter größtenteils umgestoßen werden, wo heiliges Altes mit dem geistlos Veralteten in derselben Gruft begraben wird, wo eine große Verwirrung und Vermischung aller Dinge, Gesetze, Stände und Religionen, kurz, ein allgemeiner plebejischer Zustand herbeigeführt werden soll«. Die Tischgenossen begründeten die Verbannung der Juden aus ihrem Kreis, wie von Arnims Freund Beckedorff im Sommer 1811 sagte, mit deren »neugierigem und neuerungssüchtigem« Wesen, das sie zu »Widersachern aller Ordnung« mache, und brachten so »ihre gründliche Protestation gegen die ephemeren Neuerungen der Tageswelt« zum Ausdruck. Anschließend verabschiedete die Männerrunde Beckedorff in herzoglich-anhaltinische Dienste und grölte im Chorgesang: »Mit dem Schinken sei genecket, / Jeder Jude, der verstecket, / Jeder Jude, der uns naht.«[67]

Wer von Arnims Novelle »Die Majoratsherren« (1820) liest, gewinnt schnell den Eindruck, dass der Autor hier sein eigenes Unvermögen mit seinem Ingrimm gegen die anpassungsfähigen Juden verbindet. Die Geschichte spielt im linksrheinischen Deutschland und handelt vom Niedergang eines Lehnsmajorats. Das dazugehörige stattliche Gebäude ist seit 30 Jahren verwaist, weil die adeligen »reichen Besitzer selten ihres Reichtums glücklich geworden (waren), während die Nichtbesitzer mit Neid zu ihnen aufblickten«. Die Morbidität des Alten machen sich Juden zunutze – repräsentiert in Gestalt der geschäftstüchtigen, vor einem skrupellosen Mord an ihrer christlichen Pflegetochter Esther nicht zurückschreckenden Jüdin Vasthi. »Ein grimmig Judenweib«, so schildert sie von Arnim, »mit einer Nase wie ein Adler, mit Augen wie Karfunkel, einer Haut wie geräucherte Gänsebrust, einem Bauche wie ein Bürgermeister.« Vasthi und ihresgleichen verschafften Französische Revolution und napoleonische Herrschaft die Gewerbefreiheit: »Die Lehnsmajorate wurden aufgelöst, die Juden aus der engen Gasse befreit (…). Da gab es viel heimlichen Handelsverkehr auf Schleichwegen, und Vasthi soll ihre Zeit so wohl benutzt haben, dass sie das ausgestorbene Majoratshaus durch die Gunst der neuen Regierung zur Anlegung einer Salmiakfabrik für eine Kleinigkeit erkaufte.« Den Kaufpreis hat sie schnell wieder hereingewirtschaftet, indem sie ein paar Ölgemälde aus der Ahnengalerie einstiger Lehnsherren verscherbelt. So geht bei von Arnim die Welt adeliger Herrschaft zugrunde. In der leeren Hülle des Majoratshauses produziert eine Jüdin – eine Frau noch dazu! – einen ekelerregend stinkenden Rohstoff für die industrielle Zukunft. Rücksichtslos stellt sie den Profit über die Schönheit des lange Gewordenen, und es tritt »der Kredit an die Stelle des Lehnrechts«.[68]

Von Arnim selbst hatte das Familiengut im brandenburgischen Wiepersdorf schon überschuldet ererbt. Wirtschaftlich kam er nie auf einen grünen Zweig. Seine Einnahmen reichten kaum, um die Kredite zu bedienen. Er mühte sich am wenig lukrativen Anbau von Feldfrüchten ab, litt ständig unter Geldmangel, konnte seiner Frau Bettina niemals ein standesgemäßes Leben sichern. Er musste den einzigen verbliebenen Diener entlassen. Der bayerische Staatsreformer Johann Freiherr von Aretin legte 1809 dar, was von Arnim und dessen Schicksalsgenossen in ihren politisch-literarischen Schriften antrieb: »Hinter der Maske des Germanismus« kochte die Wut über den »gelittenen Verlust«.[69]

Nationaldemokratischer Fremdenhass

Die Deutsche Tischgesellschaft trat konservativ-reformerisch auf, romantisch-deutsch und preußisch-staatstragend. Anders die deutschen Demokraten, damals auch Demagogen genannt. Diese stritten gegen Standesvorrechte, Kirchenmacht und Fremdherrschaft, hielten jemanden wie Achim von Arnim für das Überbleibsel »törichten Adelsstolzes«, das besser heute als morgen vom Sockel gestoßen werden müsse. Doch an einem Punkt dachten deutsche Nationalrevolutionäre und Nationalromantiker in denselben Bahnen: Sie verachteten die Juden und behinderten deren Emanzipation nach Kräften. Das offenbart der Blick in die politischen Flugschriften und Gedichte von Demokraten wie Ernst Moritz Arndt, Friedrich Ludwig Jahn oder Jakob Friedrich Fries und, etwas später, von August Heinrich Hoffmann von Fallersleben. Die kritische Revue der schwarz-rot-goldenen Burschenschaften und des Wartburgfests von 1817 bestätigen die pessimistischen Zeugnisse, die zum Beispiel Saul Ascher und Heinrich Heine ihren demokratisch gesinnten deutschen Zeitgenossen ausstellten.

Nach den Statuten der von Ernst Moritz Arndt propagierten Deutschen Gesellschaften konnten auch den nationalrevolutionären Vereinen nur Christen beitreten, nicht Juden. Bald nach 1815 nahm die Jenaer Urburschenschaft in ihre Verfassung den zuvor noch knapp abgewiesenen Passus auf, nach dem »nur ein Deutscher und ein Christ« Mitglied werden durfte. Richard Rothe, ein Heidelberger Burschenschaftler, dem diese Exklusivität missfiel, sprach 1818 vom »unglaublichen«, »durchaus nichtigen und hohlen Deutschheitshochmute« in Jena.[70] Die Satzungsparagraphen, die Juden ausschlossen, tilgten die Burschenschaften 1831 (nach dem revolutionären, nicht teutomanischen Sommer von 1830) und nahmen sie um 1880 wieder auf.

Als junger Mann war Ernst Moritz Arndt mutig gegen die Leibeigenschaft aufgetreten, hatte für eine die Zivilisten schonende

Landkriegsordnung gestritten, die erst hundert Jahre später zu internationalem Recht wurde. Als Vorkämpfer deutscher Einheit und Volkssouveränität ehrten ihn später gleichermaßen Demokraten, Nazis, Kulturlenker der DDR und Repräsentanten der Bundesrepublik. Der von der Nachwelt geheiligte Arndt pflegte das antijüdische Vorurteil. Zwar wollte er die Juden nicht in die Rechtlosigkeit früherer Jahrhunderte zurückstoßen, warnte jedoch vor deren Gleichberechtigung. Er sah sie als »fremde Plage« oder »fremden Auswurf« an, der den »teutschen« Volksstamm in dessen angeblich erhabener Reinheit bedrohe: »Unstet an Sinn und Trieb, umherschweifend, auflauernd, listig, gaunerisch und knechtisch duldet (der Jude) allen Schimpf und alles Elend lieber als die stetige und schwere Arbeit, welche die Furchen bricht, den Wald rodet, die Steine haut oder in der stetigen Werkstatt schwitzt; wie Fliegen und Mücken und anderes Ungeziefer flattert er umher und lauert und haschet immer nach dem leichten und flüchtigen Gewinn und hält ihn, wenn er ihn erschnappt hat, mit blutigen und unbarmherzigen Klauen fest.«[71]

Seine Erzfeinde, die Franzosen, schmähte Arndt als »geiziges und spitzbübisches Judenvolk«, das danach trachte, die Deutschen mit »jüdischen Kniffen und Pfiffen« zu verderben.[72] Er warnte vor der »giftigen Judenhumanität«, der »wir« unser »Eigentümliches, Deutsches, dagegenzusetzen« hätten.[73] Im Weltbürgertum witterte er »Erniedrigung zum Judensinn«, »Verwandlung der Deutschen zu Allerweltsjuden«. Er forderte von seinen demokratischen Anhängern: »Geschieden werde das Fremde und das Eigene auf ewige Zeit!«[74]

Schon alt geworden, wetterte Arndt in den 1840er-Jahren gegen die »fürchterlichen Gleichmacher und Zerstampfer« des Industriezeitalters (»… die Dampfschiffe, die Dampfwagen; bald werden auch die Luftwagen dir über den Kopf hinsausen …«) und im selben Atemzug gegen die »Rührigkeit, Anstelligkeit und Tätigkeit« der »unruhigen, neugierigen und alles betastenden und umwühlenden Hebräer«. Bis an sein Lebensende verlangte er »die

Eindämmung gegen die unreine Flut von Osten her«.[75] Arndt warb dafür, die Deutschen mit Hilfe einer politischen Doppelstrategie zum Volk zu formen. Einerseits sollte »das Kleinliche und Fremde vertilgt und das Großartige und Heimische belebt« und andererseits jedermann, »vom Fürsten bis zum Bettler, von dem großen Gefühl, das Vaterland gehört allen und alle gehören dem Vaterlande, durchdrungen werden«.[76]

Ausdrücklich wandte er sich 1847 gegen den von Liberalen vertretenen Gedanken, dass den Deutschen die soziale und eheliche Mischung mit Juden zum Vorteil gereiche. Wortreich schrieb er gegen die Verfechter der Humanität an, die behaupteten, dass »kein größeres Glück dem dummen, schläfrigen deutschen Stamm widerfahren« könne, als wenn auf diese Weise »Geistiges und Quickes unter seine Langweiligkeit und Schwerfälligkeit gemischt« und »das Starre nur beleben und das Dumme begeistern« würde.[77] In immer wiederkehrenden Wendungen hielt Arndt den Juden ihre »Klugheit« vor, »das Scharfe, das Spitzige, das Geistige, das Schlaue und Pfiffige«. Solche Charakterzüge kontrastierte er mit den »deutschen Tugenden« Treue, Einfalt, Ordnungsliebe, Frömmigkeit. Arndt und seine Anhänger verherrlichten das Bedächtige, legitimierten den Hass des Tölpels und der Transuse auf die Regsamen und Behänden.[78] Sie schufen den Boden, aus dem der spezifische deutsche Antisemitismus erwuchs: national eintöniges Gleichheitsgebrause, Engherzigkeit und grämlicher Neid auf diejenigen, die sich mit hellwachem Geist an der Gegenwart erfreuten und deren Geschäfte in bunter Vielfalt blühten.

Zur Erklärung des Holocaust wird oft auf autoritäre deutsche Traditionen verwiesen, auf Kadavergehorsam und Untertanengeist. Dem steht der antiautoritäre Gestus schwarz-rot-goldener Nationalrevolutionäre entgegen. Sie gingen für ihre Ideen ins Gefängnis, in den Untergrund, riskierten Wohlleben und Karriere. Sie kämpften gegen Unterdrückung und für Pressefreiheit. Einer meiner Vorfahren, Pastor David Lochte, versteckte seinen Gesinnungsgenossen Hoffmann von Fallersleben 1848 im Pfarrhaus von St. Marien in Alt-Wolfsburg. Die Kirche unterstand dem Patrimonium derer von der Schulenburg.

Lochte stammte aus einer braunschweigischen Müller-Dynastie. Er trug einen gewaltigen Bart und lange, herabwallende Haare, wie seine Enkelin, meine Urgroßmutter Anna, berichtet: »Wir Kinder lernten von ihm«, und zwar in den 1860er-Jahren, »die Revolutionslieder Hoffmanns von Fallersleben, die er mit Entzücken auswendig deklamierte«. Seine erfolgreiche Probepredigt hatte er 1826 »nach einem fröhlichen Abend, unausgeschlafen, unvorbereitet« gehalten. 1862 legte ihm der junge, eben zum Patrimonialherren aufgestiegene Günther Graf von der Schulenburg den Abgang nahe, weil er »die Leute geradezu in die Hölle predige«. Der Getadelte verteidigte seine antifeudalen, »mehr moralischen als dogmatischen«, jedoch gesinnungstüchtigen, stets mit volkstümlichem Humor gewürzten Kanzelworte kompromisslos und trat ab.

Wie viele andere nationalrevolutionär Gesinnte wandte sich David Lochte Ende der 1860er-Jahre von den demokratischen Ideen ab und begeisterte sich 1870 für Bismarcks Feldzug gegen Frankreich. Zum Entsetzen seiner Familie wollte er »sofort als Feldprediger ins Heer eintreten«. »So lasst mich doch, man wird da draußen jeden gebrauchen können«, schrieb der 70-Jährige an seinen betulichen Sohn. Mit dem Gesang von Revolutionsliedern war es nun vorbei. Stattdessen brachte Lochte seiner Enkelin den in den Anfangstagen des deutsch-französischen Kriegs gereimten Truppenschlager bei »König Wilhelm saß ganz heiter …« Eine der 14 Strophen handelt von den Heldentaten des Kronprinzen Friedrich und den beiden ersten wichtigen Schlachten auf französischem beziehungsweise elsässischem Boden: »Unser Kronprinz, der heißt Fritze / Und der fährt gleich einem Blitze / Unter die Franzosenbrut. / Und, ob wir uns gut geschlagen / Weißenburg und Wörth kann sagen, / denn wir schrieben dort mit Blut.«

David Lochtes Sohn Hermann wurde Jurist, promovierte und

brachte es in Magdeburg zum wohlhabenden Justizrat. Was die beiden über Juden dachten, weiß ich nicht. Doch die Art, in der meine Urgroßmutter Anna die Geschäfte ihres Großvaters mütterlicherseits beschreibt, mag einen Anhaltspunkt geben, wie in der Familie gesprochen wurde. Sie berichtet, dass ihr Großvater Karl Herdtmann mit fünf Thalern nach Breslau gekommen war, wo er »durch rastlosen Fleiß, Klugheit und Sparsamkeit« Ansehen als Kaufmann erwarb: »Die Firma betrieb vor allem ein großes Wollgeschäft mit Österreich, Ungarn und Polen. Der Großvater musste mit galizischen Juden verhandeln, die Proben nach Breslau ins Kontor brachten, und ließ sich nicht betrügen, wie sie auch ›Gott den Gerechten‹ anriefen und mit ihren langen Löckchen wackelten. Er kannte sie ganz genau, hatte er doch oft die ganze Stube voll dieser gestikulierenden Kaftanleute.«[79]

Zurück zu den Burschenschaftlern und Jahn'schen Turnern in der Zeit zwischen 1815 und 1848, denen sich auch der im Jahr 1800 geborene David Lochte angeschlossen hatte. Sie waren keine Duckmäuser, eher zerrissene Gestalten, jedenfalls Nonkonformisten und vom Freiheitsdrang beseelt. Mit Vollbart, damals einem sicheren Anzeichen staatsgefährlichen Denkens, Barett, offenem Kragen und in schwarzer Kluft traten sie – frisch, fromm, fröhlich, frei – gegen die selbstzufriedenen, politisch gleichgültigen deutschen Spießbürger an. Geführt und begeistert von Turnvater Friedrich Ludwig Jahn wetterten sie gegen »die geilen Welschen«, gegen die französische »Schmutz- und Giftsprache«, zerschlugen französische Inschriften und skandierten: »Polen, Franzosen, Pfaffen, Junker und Juden sind Deutschlands Unglück.« Trafen sie auf einen herausgeputzten, modisch gekleideten Menschen, »dann kauerten sich die jungen Unholde im Kreise um den Gegenstand des Entsetzens, reckten die Zeigefinger vor und brüllten: äh äh!« Jahn schleuderte seinen Gegnern Kuhfladen ins Gesicht. Nach innen, im Kreise der Getreuen, pflegten seine Gefolgsleute höchste Kameradschaft und reimten die passenden Kampfgesänge: »So hegen wir ein freies Reich, / An Rang und Stand sind alle gleich. / Freies Reich! Alle gleich! Heisa juchhe!« Später bezeichnete Thomas Mann das Treiben »solcher Typen wie Jahn« als »völkische Rüpel-Demokratie«.[80]

Zur »doppelten Wiedergeburt des Vaterlandes« veranstalteten einige hundert Burschen und Turner am 18. Oktober 1817 das Wartburgfest. Kurzerhand hatten sie die 300-jährige Wiederkehr des Reformationstages und den vierten Jahrestag der Völkerschlacht bei Leipzig auf ein Datum zusammengezogen, um dergestalt die innere Befreiung Deutschlands (Luther) und die äußere von der französischen Fremdherrschaft (Lützow'sche Freischaren) mit nationalreligiöser Inbrunst, Heilrufen und Bier zu zelebrieren. Angetan mit schwarz-rot-goldenen Armbinden und Kokarden zogen sie vom Eisenacher Marktplatz hinauf zur Wartburg. Am Abend erleuchtete ein Weihefeuer die Szene. Die Anführer spießten jene Druckschriften auf eine Mistgabel, die den Ideen der Versammelten widersprachen, zeigten sie der Menge, um sie dann unter Verwünschungen in die Flammen zu werfen: darunter den Code Napoléon und verschiedene verfassungsrechtliche Schriften, Kotzebues »Geschichte des Deutschen Reiches«, ferner Bücher und Zeitschriften aller »schreibenden, schreienden und schweigenden Feinde der löblichen Turnkunst« und die »das Vaterland schändenden und entehrenden Zeitungen«, schließlich einen Korporalstock und andere Attribute der seinerzeit so bezeichneten Rückwärtserei.

Desgleichen überantworteten die nationaldemokratischen Hitzköpfe die von Saul Ascher verfasste zeitdiagnostische Schrift »Germanomanie« ihrem Feuergericht und brüllten ein kräftiges »Wehe über die Juden!« hinterher. Ascher hatte den Germanomanen vorgehalten, sie würden die universellen republikanischen Prinzipien derart zurechtstutzen, dass sie »bloß für die Deutschen« gelten sollten. Die Juden, so fasste er das Weltbild der Burschenschaftler und Turner zusammen, »sind weder Deutsche noch Christen, folglich können sie nie Deutsche werden«, ja, sie würden als Menschen behandelt, die der »Deutschheit entgegengesetzt« seien und bestenfalls so lange geduldet, wie »sie der Deutschheit nicht in den Weg treten«.[81]

Die Jahn'schen Turner forcierten die Bedeutung des Wortes Überzeugung in der Weise, wie sie heute gebräuchlich ist. Hatte man darunter bis ins 18. Jahrhundert das Zeugnis eines unbeteiligten Dritten, eines Über-Zeugen, verstanden, so beinhaltete es jetzt »die Stimme des Gewissens, das wahre Ich des Deutschen«. Überzeugung wurde höchste Tugend, sie »ändern hieß, sich selbst und die Deutschheit verraten«, wie Treitschke schreibt, auf dessen distanzierte und faktenreiche Darstellung ich diese Absätze stütze. Selbst noch in seinen antisemitischen Aufsatz »Unsere Aussichten« flocht Treitschke 1879 ein, »die teutonische Judenhetze des Jahres 1819« sei »hohl und grundlos« gewesen.[82]

Damals entstanden der eigentümliche Gemeinschaftsgeist und jene so charakteristische Starre des deutschen Nationalismus: »Im Hochgenusse der gemeinsamen Überzeugung fühlte sich das junge Volk der Zukunft sicher« und sang: »Über jeder Schicksalsbeugung / Schwingt uns unsere Überzeugung. / Diese macht uns alle gleich, / Stiftet unser neues Reich.« Im schwarz-rot-goldenen Qualm politischer Schwärmerei zeichnete sich über der Wartburg der Terminus Weltanschauung ab.

Die ultraradikalen unter den Burschen nannten sich »Die Unbedingten«. Zu ihnen zählte Karl Sand, der eineinhalb Jahre später, am 23. März 1819, zur Propaganda der Tat, zum Mord, schritt. Er reiste einem den Studenten besonders Verhassten, dem schriftstellerisch tätigen Diplomaten August von Kotzebue, nach Mannheim hinterher und erstach ihn mit den Worten: »Hier, du Verräter des Vaterlandes!« Neben dem tödlich Getroffenen legte Sand ein Bekennerschreiben nieder (»Ein Zeichen muss ich euch geben …«), richtete den Dolch mit geringerem Erfolg gegen sich und rief, fürchterlich blutend: »Hoch lebe mein deutsches Vaterland!«

Die Burschenschaftler nahmen den Mord »mit unverhohlener Freude auf« und berieten insgeheim über neue Gewalttaten. Sie scheiterten an den Wankelmütigen in den eigenen Reihen und an der Staatsmacht. Im August 1819 ergingen die Karlsbader Beschlüsse mit Turnerverbot, Zensur, Überwachung der Universitäten und Lehrverbot für politisierende Professoren. Am 20. Mai 1820 wurde Karl Sand auf den Wiesen vor Mannheim enthauptet. Er starb als politischer Überzeugungstäter und deutscher Demokrat. Sechs Monate vor seiner Mordtat hatte er einem Gesinnungsgenossen ins Stammbuch geschrieben: »Unser Tod ist Heldenlauf, kurzer Sieg, früher Tod! Tut nichts, wenn wir nur wirkliche Helden sind.«[83]

Professor Lorenz Oken aus Jena, ein schon etablierter Sympathisant der Studentenbewegung und einer von Sands Lehrern, verhöhnte die Verfasser der auf der Wartburg verbrannten Schriften hernach noch einmal als »Gänse, Esels-, Pfaffen- und Judenköpfe«, wie Treitschke berichtet. Dieser bezeichnete das Treiben der »fanatischen Urteutonen« jener Tage als »akademischen Größenwahnsinn«, »maßlosen Hochmut« und »jakobinische Unduldsamkeit«. Von einem weiteren Mentor der burschenschaftlichen Studentenbewegung, Professor Dietrich Georg von Kieser, teilt Treitschke mit, wie dieser das Wartburgfest als Hochamt des Deutschtums verherrlichte und verkündete, dass »in dessen dunklem Schoße fruchtbare, auf Jahrhunderte wirkende Keime enthalten« seien.[84]

Neben Oken und Kieser gehörte Jakob Friedrich Fries zu den arrivierten Agitatoren auf der Wartburg. Auch Sand hatte bei ihm gehört, später, 1841, sollte Karl Marx bei ihm promovieren. Als Demokrat, der aufrührerische Reden hielt und Schriften drucken ließ, verlor er 1819 seine Philosophieprofessur für viele Jahre. Einer der Gründe dafür war seine 1816 veröffentlichte Schrift zur Staatsverfassung. Darin hatte er für »bürgerliche Freiheit und persönliche Gleichheit« gefochten, gegen »bornierten Pfaffengeist und törichten Adelsstolz« – Kräfte, die »das Volk in Dummheit zu erhalten« wünschten. Fries trat dafür ein, die Standesschranken zu schleifen und jedem Talent den Zutritt zur wirtschaftlichen und geistigen Entfaltung zu gewährleisten. Er kämpfte für den sozialen Rechtsstaat: »1. Die Arbeit soll ihren Lohn finden. 2. Jeder Bürger soll zweckmäßige Arbeit finden. 3. Wer nichts besitzt und nicht arbeiten kann, soll nicht hilflos bleiben.« Er forderte »Wohlstand, Geistesbildung und Gerechtigkeit« für alle und fügte hinzu: »Das Höchste aber ist die Gerechtigkeit.« Von Freiheit sprach er selten, viel aber davon, dass »unsre Deutsche Volksgemeinschaft« gegen »Volksschädlinge« namens Juden in aller Wehrhaftigkeit verteidigt werden müsse.[85]

Parallel zu dieser Schrift und ebenfalls kurz vor dem Wartburgspektakel publizierte Fries die als Rezension verhüllte Polemik »Über die Gefährdung des Wohlstandes und Charakters der Deutschen durch die Juden«. Hinsichtlich des Wohlstandes warf der Autor den jüdischen Kaufleuten vor, sie verfügten über so gute und weitreichende Verbindungen, dass sich »der einzeln stehende christliche Kaufmann nicht mit ihnen messen« könne. Was den nachteiligen Einfluss der Juden auf den deutschen Charakter anging, so räumte Fries ein, dass auch manche Nichtjuden mit allerhand dunklen Geschäften zu Reichtum kämen, doch stufte er solche Zeitgenossen als »jüdisch verdorbenen Auswurf der christlichen Gesellschaft« ein. Am Beispiel der Frankfurter Juden, die seit 1796 nicht mehr im Ghetto wohnen mussten und es zu etwas gebracht hatten, schürte er Angst: »Lasst sie nur noch 40 Jahre so weiterwirtschaften, und Söhne der christlichen ersten Häuser mögen sich als Packknechte bei den jüdischen verdingen.«

Aus solchen Gründen forderte der Demokrat Fries, die »Judenkaste« solle »mit Stumpf und Stiel ausgerottet« werden. Er meinte das nicht im Sinne von Mord, sondern regte an, den weiteren Zuzug von Juden zu unterbinden, Heiratsbeschränkungen und berufslenkende Maßregeln zu verhängen und jüdische Kinder in öffentliche christliche Schulen zu zwingen. Ferner sollten die Vereine der Juden verboten und Verstöße hart geahndet werden. Modern gesprochen, beklagte Fries eine jüdische, allerdings überaus strebsame Parallelgesellschaft, die es mit robusten, strafrechtlich bewehrten Maßnahmen aufzulösen gelte, um so die individuelle Integration in die Leitkultur der christlichen Mehrheitsgesellschaft durchzusetzen. Er nannte das »die geistige Annäherung an uns«.[86]

Juden zwischen Revolution und Reaktion

Zum Verlauf der unruhig-revolutionären Zeiten um 1830 und 1848 wird oft bemerkt, dass es zu gewaltsamen antijüdischen Übergriffen namentlich in Süddeutschland gekommen sei[87], jedoch kaum je erzählt, wo Juden damals am meisten um ihr Leben bangten – im vornehmlich von Polen besiedelten Teil der preußischen Provinz Posen. Isaak Bernstein berichtete aus dem Städtchen Miloslaw, wie sich polnische Revolutionäre während der dortigen Märzereignisse über die örtlichen Juden hermachten: »Es ging mir nicht besser als den übrigen jüdischen Einwohnern. Mir wurden sämtliche Waren, Kleidung etc. geraubt, auch unser Leben schwebte in Gefahr. Ich rettete meine Frau und Kind zu meinem Freund Müller.« Müller brachte beide ins sichere, weil hauptsächlich von Deutschen bewohnte Posen. Bernstein wollte noch einige wertvolle Dinge aus dem Haus und seiner Getreidehandlung bergen. Aber die polnischen Insurgenten hatten den »unglücklichen« Ort noch einige Wochen fest im Griff; die Brüder Bernstein brachten »die Nächte gemeinsam in einer Kammer unter Todesangst zu«. Der zuständige Landrat berichtete von »vielfachen Gewalttätigkeiten« der Aufständischen gegen die Juden.[88]

Unter General Peter von Colomb stellten regierungstreue preußische Grenadiere Recht und Ordnung wieder her. Sie schossen die polnischen Freiheitskämpfer nieder, was ihnen erst im zweiten Ansturm gelang, und retteten die Juden. Solche Ereignisse begründeten eine deutsch-jüdische antipolnische Allianz, die bis in die Spätzeit der Weimarer Republik hielt. Wie anders der Verlauf des polnischen Aufstands gegen die russischen Herren im Jahr

1863. Erst konfiszierten die Aufständischen die Waren der Juden, sodann erklärten sie die Juden zu russischen Spionen, beraubten sie und ermordeten viele. Anschließend veranstalteten russische Truppen, die gegen die polnischen Freiheitskämpfer ins Feld geführt wurden, ebensolche Judenpogrome und Raubzüge. Zu den revolutionären Unruhen, die Russland im Herbst 1905 erschütterten, gehörten Hunderte Pogrome.[89]

Das bedeutet: Auch mit den Freiheits- und Demokratiebewegungen, mit dem Streben der Unterdrückten nach sozialer und politischer Emanzipation ging in Deutschland und in den ostmitteleuropäischen Ländern Antisemitismus einher. Wie ist das zu verstehen? Die nationale Gemeinschaft mit ihren Ideen von Volksgeist, Blutsverwandtschaft und gemeinsamem Geschichtsboden versprach ein Mindestmaß an Geborgenheit in einer Welt, die sich mit bis dahin unbekanntem Tempo veränderte. Die industrielle Revolution und die Marktkonkurrenz zerbrachen alte Gewissheiten über Nacht. Die weithin noch bäuerlichen Massen wurden kraft der Verhältnisse in die Städte gezwungen, sie verloren ihren traditionellen Rückhalt.

Individuelle Freiheit bedeutete den Meisten Verlust, sie verursachte Angst und erzeugte das Bedürfnis nach neuen Formen kollektiver Sicherheit. In diesem Sinn formulierte der rumänische Patriot Nicolae Bălcescu im Revolutionsjahr 1848: »Für mich ist die Frage des Volkstums wichtiger als die Frage der Freiheit. Von dieser kann ein Volk erst dann Gebrauch machen, wenn es als eine Nation bestehen kann. Freiheit kann, einmal verloren, leicht wiedergewonnen werden, das Volkstum aber nicht.« Rumänisches Volkstum musste gegenüber Ungarn, Russen, Ukrainern, Bulgaren, Türken, Deutschen und Juden definiert und erkämpft werden – dafür opferte nicht nur Bălcescu die Idee der Freiheit.[90]

Im Frankfurter Paulskirchenparlament erreichten die deutschen Liberalen diesen Punkt, als sie vom 24. bis 27. Juli 1848 über die Wiederherstellung des polnischen Staates debattierten. Der liberale Abgeordnete Wilhelm Jordan begründete den Antrag, es bei der Teilung Polens zu belassen. »Die Überlegenheit des deutschen Stammes gegen die meisten slawischen Stämme« betrachtete er als »naturhistorische Tatsache«. Deshalb sei Polen, dieses Land »aus Edelleuten, Juden und Leibeigenen«, dreimal geteilt worden. Von einzelnen Gegenreden abgesehen, votierten die Abgeordneten mit 342 zu 31 Stimmen dafür, das Großherzogtum Posen zu teilen und den größeren Westteil in den Deutschen Bund einzugliedern. Sie rechtfertigten ihren Angriff auf die Freiheit Polens mit »gesundem Volksegoismus«. Im September 1848 kommentierte der Historiker Friedrich Christoph Dahlmann: »Die Bahn der Macht ist die einzige, die den gärenden Freiheitstrieb befriedigen und sättigen wird.«[91] Im selben Revolutionsjahr tagte in Prag der erste Panslawistenkongress. Ein Jahr später, 1849, schrieb der britische Ökonom und Philosoph John Stuart Mill über den neuen kontinentaleuropäischen Nationalismus: »Das Nationalgefühl überwiegt die Freiheitsliebe so sehr, dass das Volk bereit ist, seinen Führern dabei zu helfen, die Freiheit und Unabhängigkeit jedes Volkes zu vernichten, das nicht seiner Rasse angehört oder eine andere Sprache spricht.«[92]

Die Ambivalenz des deutschen – in so viele Gegenden Europas exportierten – Sprach- und Kulturnationalismus zeigt die Geschichte der deutschen Nationalhymne. »Einigkeit und Recht und Freiheit …« lautet die erste Zeile des Liedes, wie es heute gesungen wird. Heinrich Hoffmann von Fallersleben hatte den Text 1841 gedichtet, beginnend mit dem Ausruf »Deutschland, Deutschland über alles, über alles in der Welt«. Diese Zeilen machten sich die Revolutionäre von 1848 zu eigen und meinten damit, sieht man von der Polendebatte ab, ein innerdeutsches Ziel: das Ende des territorialstaatlichen Feudalismus und den Aufbau einer gemeinsamen Republik. Doch im Sommer 1881 gründeten Studenten auf dem Kyffhäuser den extrem antisemitischen Dachverband deutscher Studentenvereine. Die Bundesbrüder erhoben Hoffmanns Reime zum Bannerlied und schmetterten es »von der Höhe des deutschesten aller deutschen Berge« ins thüringische Land, wie sie mit strotzendem Nationalstolz und in untertänigster Klebrigkeit an Kaiser Wilhelm I. telegrafierten. 1891 erkor die antisemitische Bewegung des nordhessischen Bibliothekars Otto Boeckel die Parole »Deutschland, Deutschland über alles!« zum Titelslogan ihrer Zeitung Reichsherold, und der 48er-Revolutionär Ludwig Bamberger musste erkennen: Das Deutschlandlied, das er und seine exilierten Schicksalsgenossen in Paris so oft gesungen hatten, sei nun zur »antisemitischen Marseillaise geworden«.[93]

Die Weimarer Verfassung bestimmte das Lied 1919 zur Nationalhymne. Das Dritte Reich behielt sie bei, ergänzte sie um die dumpfe, im Marschrhythmus gehaltene Parteihymne (»Die Fahne hoch! / Die Reihen fest geschlossen ...«); die Bundesrepublik strich die ersten beiden Strophen und behalf sich mit der halbwegs tragbaren dritten Strophe, die angesichts der Teilung Deutschlands und – 41 Jahre später – infolge der Wiedervereinigung neue geschichtliche Bezugspunkte fand.

Als sozialhistorisches Dokument gelesen, erhellt Hoffmanns Text die Haltlosigkeit der national erregten Demokraten. Er bildet den vollendeten Gegensatz zur Marseillaise (»Allons enfants de la Patrie ...«). In der französischen Hymne brechen Menschen auf, greifen zu den Waffen, streiten für die Freiheit, überwinden die Tyrannen in der Revolution. Das Lied der Deutschen besingt die Kuhwärme nationaler Gemeinschaft: deutschen Sang, deutsche Frauen, deutschen Wein, deutsche Treue und deutsches Vaterland. Das nationale Korsett umschnürt die Individuen, gibt ihnen kollektiven Halt – Einheit und Gemeinschaft.

Neben vaterländischem Pathos schmiedete Hoffmann die verzagtesten Kinderlieder, zum Beispiel »Ein Männlein steht im Walde ganz still und stumm«, und schrieb zwischendurch herb antijüdische Gedichte. Eines davon, am 27. April 1840 entstanden, trägt den Titel »Emancipation«. Es beginnt mit dem an »Israel« gerichteten Vers: »Du raubtest unter unseren Füßen / Uns unser deutsches Vaterland« und mündet in schiere Hetze: »Und bist durch diesen Gott belehret, / Auf Wucher, Lug und Trug bedacht.« Am Ende ergeht an »Israel« die Mitteilung, dass Juden allenfalls als Nichtjuden unter deutschen Demokraten und Freiheitskämpfern willkommen seien: »Willst du von diesem Gott nicht lassen, / Nie öffne Deutschland dir sein Ohr! / Willst du nicht deine Knechtschaft hassen, / Nie ziehst du durch der Freiheit Tor.«[94] Die deutschen Patrioten waren nicht Manns genug, die überkommenen Sozialstrukturen zu sprengen, den regionalen Feudalautokraten Beine zu machen und den religiösen Zwiespalt zwischen Protestanten und Katholiken zu überwinden. Prompt schoben sie die Schuld einigen Zehntausend Juden zu, die angeblich über so viel Macht verfügten, Hoffmann, Jahn, Fries und Arndt und ihren Burschen- und Turnerscharen das Vaterland unter den Filzpantoffeln wegzuziehen.

Ganz anders verhielt sich der Erzfeind dieser so deutschen Männer, der Reaktionär Fürst Clemens von Metternich. Als österreichischer Staatskanzler verteidigte er 1814/15 die Judenemanzipation gegen die deutschen Bürgerstädte,[95] während der Demokrat Jahn mit seinen turnerischen Kampfgefährten nationalistischer Überheblichkeit, Fremden- und Judenfeindschaft das Wort redete. Fast jede deutsche Stadt hegt und pflegt noch heute ihre Jahnstraße oder -turnhalle. Was die Vorkämpfer der deutschen Demokratie als Aufbruch verstanden, versuchte Metternich als »Universitäts- und Turnerteutonismus« niederzuhalten. Sein Motiv, die bestehende Sozial- und Herrschaftsordnung zu retten, liegt uns Heutigen fern. Rückblickend kann Metternich jedoch zugutegehalten werden, dass er ahnte, welches Unheil die Vorkämpfer des deutschen Volksfrühlings und ihre vielen nicht-deutschen Nachahmer dereinst unter der Parole »Selbstbestimmung der Völker« anrichten würden. Metternich prophezeite, ein nationalrevolutionär vereinigtes Deutschland »wäre nicht zu bändigen und würde der Welt ganz andere Schaustücke aufführen als selbst Frankreich in den großernsten Revolutionsperioden«. Er warnte vor den »pedantischen« schwarz-rot-goldenen Umstürzlern und dem »kräftigen Gelichter« der älteren Burschenschaftler: »Gott behüte Deutschland vor einer allgemeinen Revolution, deren Grenzen wären nicht zu berechnen.«[96]

Die politischen Prognosen des kühl denkenden Sachwalters der Macht kamen den Angstträumen eines Mannes nahe, der vor Metternich hatte fliehen müssen – Heinrich Heine. Auch er ahnte die Gefahr, die in dem doppelgesichtigen demokratischen Nationalismus wucherte. Er verabscheute die »volkstümelnden Championen der Nationalität«, »unsere Nationalisten, sogenannte Patrioten, die nur Rasse und Vollblut und dergleichen Roßkammgedanken im Kopfe tragen«. Die Macht dieser »sogenannten Deutschtümler« und »dunklen Narren« führte er darauf zurück, dass »ihnen jene mächtigen Formeln zu Gebot« stünden, »womit man den rohen Pöbel beschwört, die Worte ›Vaterland, Deutschland, Glauben der Väter usw.‹ elektrisieren die unklaren Volksmassen noch immer weit sicherer als die Worte: ›Menschheit, Weltbürgertum, Vernunft, Wahrheit ...!‹«[97]

In ähnlicher Tonlage wie Metternich argumentierte Heine gegen Ludwig Börne. Wer wie dieser die Deutschen zur Revolution aufstachle, streue eine Saat aus, »die früh oder spät die furchtbarsten Früchte hervorbringt«. In Deutschland würde dann, schrieb Heine an anderer Stelle, »ein Stück aufgeführt« werden, »wogegen die Französische Revolution nur wie eine harmlose Idylle erscheinen möchte«.[98] 1823 begründete er seinem späteren Schwager, warum er die Sache des Umsturzes und der Volkssouveränität in England wie Italien freudig unterstütze, während ihm die heimatlichen Nationalrevolutionäre wie Arndt oder Jahn stets suspekt bleiben würden: »... aus dem ganz zufälligen und geringfügigen Grunde, dass bei einem Sieg dieser Letzteren einige tausend jüdische Hälse, und just die besten, abgeschnitten werden.«[99] Das verhindert zu haben, rechnete Heine seinem Verfolger Metternich hoch an: »Metternich hat nie mit der Göttin der Freiheit geliebäugelt, er hat nie in der Angst des Herzens den Demagogen gespielt, er hat nie Arndts Lieder gesungen und dabei Weißbier getrunken, er hat nie auf der Hasenheide geturnt, er hat nie pietistisch gefrömmelt.«[100]

Ich werbe nicht für Metternich-Denkmäler, sondern auch anhand dieses Beispiels dafür, die Unterscheidung zwischen angeblich guten und angeblich bösen Linien und Traditionen der (deutschen) Nationalgeschichte aufzugeben. Sie verstellt den Blick auf ein zentrales historisches Problem: Auch deutsche Freiheitshelden und Demokraten, die sich unter den republikanischen Farben Schwarz-Rot-Gold sammelten, ebneten Wege, die am Ende nach Auschwitz führten. Sie proklamierten die Nation als Einheit von geschichtlicher Herkunft, Religion und Sprache. Sie stellten die Volkseigenart, den ethnisch definierten Volksgeist über die universellen Menschenrechte. Damit schlossen sie sogenannte Fremdlinge aus – im Namen nationaler Einheit.

Unter den ausgeschlossenen Deutschen ist Ludwig Bamberger zu nennen. In jungen Jahren stand er als Journalist und Parteiführer in den vordersten Reihen der 48er-Revolutionäre, wurde Abgeordneter im Paulskirchen-Parlament, beteiligte sich 1849 am pfälzischen Aufstand, musste fliehen und wurde in Abwesenheit von einem Gericht seiner Heimatstadt Mainz zum Tode verurteilt. Im Exil in London, Amsterdam, Antwerpen und Paris brachte er es zum erfolgreichen Bankier. Nach der Amnestie von 1866 kehrte er nach Deutschland zurück und gewann während des liberalen Abschnitts der Bismarckzeit erheblichen Einfluss. Gegen den allgemeinen Partikularismus setzte er die Gründung der Reichsbank durch und schuf die deutsche Mark als einheitliche Währung. Wegen der antiliberalen Wende wurde Bamberger 1876 zum Gegner der Bismarck'schen Politik.

Vom Exil aus bereiste Bamberger 1863 gemeinsam mit seiner Frau zum ersten Mal wieder Deutschland und erlebte auf der Eisenbahnfahrt zwischen Gotha und Dresden, wie die Teilnehmer eines Turnfestes den Waggon »überfluteten«: »Es war zum ersten

Mal seit 1849, dass ich wieder mit der Wein und Bier trinkenden deutschen Menschheit in solcher Massenauflage zusammenstieß, und die Art, wie wir an dem schwülen Augustnachmittag in dem Coupé zusammengepresst waren, machte das Erlebnis nicht reizender.« Nachdem der Exilant in seinen Erinnerungen das Getobe und Gebrüll, den Dunst und Qualm dieser Turnerhorde geschildert hatte, kam er auf Deutschland generell zu sprechen. Er verwies auf das Schlusskapitel von Machiavellis Buch über fürstliche Herrschaftstechnik, das davon handelt, wie sich Italien des Ansturms der nördlichen Barbaren erwehren müsse, und fuhr fort: Statt der Barbaren von jenseits der Grenze hätten wir Deutsche »die Barbarei aus unserem Vaterlande zu vertreiben«.

Das grundlegende Problem der inneren Barbarei konnte nach Bamberger nicht »mit Geduld und Sauerkraut« überwunden werden, sondern nur dann, wenn von der deutschen Öffentlichkeit jede Gemeinheit, jede Niedertracht und Ungerechtigkeit »mit der Lebhaftigkeit und Nachhaltigkeit geahndet würde, die einer solidarischen und gebildeten Nation entsprächen, dann, ja dann, hätten wir das Recht zu sagen: Wir sind Ein Volk und Ein Land«. Aus seinen Erinnerungen, die Bamberger 1899, seinem Todesjahr, abschloss, spricht die Skepsis eines Mannes, der als liberaler Reichstagsabgeordneter seit 1874 die neue deutsche Judenfeindschaft am eigenen Leib zu spüren bekommen hatte. In der Reichstagssitzung vom 14. Juni 1882 beschimpfte ihn Bismarck als »Sujet mixte«.[101]

Der um eine Generation ältere Ludwig Börne hatte den Antijudaismus der Burschenschaftler und Turner noch begütigend als nationalrevolutionäre Gehhilfe betrachtet: »Dem deutschen Volke verzeihe ich den Judenhass, weil es noch ein Kindervolk ist und darum eben wie die Kinder, um einst frei auf den Füßen stehen zu können, einer Laufbank bedarf, damit es an der Schranke der Freiheit die Schranke entbehren lerne. Das deutsche Volk würde hundertmal im Tage umfallen, wenn es ohne Vorurteile wäre.«[102] Demnach entstand die spezifisch deutsche Judengegnerschaft aus entwicklungsbedingter Unbeholfenheit, und Börne hing der Illusion an, diese würde sich auswachsen. Aber das täppische Kindervolk brachte es, um im Bild zu bleiben, bis 1945 nur zum unreifen, aggressiven Halbstarkenvolk, das ganz Europa und namentlich die europäischen Juden mit Schrecken ohnegleichen überzog.

1880: Antisemitismus als soziale Frage

Zurückgeworfen und ohne Mitte

Im Verlauf des 19. Jahrhunderts verloren Handwerker, Hoflieferanten und mittlere Bauern, Pastoren, Amts- und Respektspersonen Stück für Stück an gesellschaftlichem Einfluss. Die Reste der Handwerkerzünfte verkamen zu egoistischen Monopolanstalten, sie hemmten den wirtschaftlichen Fortschritt. Noch bis zur Mitte des Jahrhunderts versuchten Berliner Handwerker auf allen nur möglichen Rechts- und Schleichwegen ihre früheren Vorrechte wiederherzustellen. Statt des alten Mittelstands trat eine neue, agile Mittelschicht auf den Plan: Anwälte, Ärzte, Prokuristen, Verleger und Bierbrauer, Börsenleute, Theaterdirektoren und Kaufhausgründer – unter ihnen verhältnismäßig viele Juden. Ansehen und Wohlstand wurden nicht mehr vorwiegend ererbt, sie konnten erworben werden.

Das einst beständige Leben auf dem Lande, in der Marktgemeinde oder Kleinstadt geriet zusehends in den Strudel des Fortschritts. Grundsteuern, Mechanisierung, wesentlich billiger produzierende ausländische Konkurrenz, seit den 1880er-Jahren vor allem amerikanische, verursachten Not, Existenzangst und massenhafte Landflucht. Die Wagemutigen, denen es zu eng und zu stickig wurde, kehrten ihrer Heimat den Rücken und brachen auf nach Übersee. Zwischen 1864 und 1893 wanderten mehr als zwei Millionen Deutsche nach Amerika aus. Die anderen blieben und zogen, ob sie wollten oder nicht, zu Millionen in die Städte.

1871 wohnte nur jeder Zwanzigste in einer Großstadt mit über 100 000 Einwohnern, 1933 jeder Dritte. Die Juden eilten dem Trend voran: Zwischen 1811 und 1875 vermehrte sich die Zahl der christlichen Einwohner Berlins um das Sechsfache, die der Juden um das Vierzehnfache; daher stieg der Anteil der Einwohner jüdischer Religion zwischen 1813 und 1875 von 1,7 auf 4,7 Prozent, verharrte auf diesem Niveau bis 1925 und sank dann ab. Gleichzeitig wuchs die Gesamtbevölkerung Berlins von 165 000 (1813) auf 970 000 (1875) und bis 1925 auf vier Millionen. Das bedeutete praktisch, dass sich die christliche Mehrheitsbevölkerung der Stadt viele Jahrzehnte lang mehrheitlich aus neu zugezogenen ehemaligen Landarbeitern und Bauern zusammensetzte.[103]

Im Vergleich zu England, Belgien und Nordfrankreich verlief die Entwicklung in Deutschland bis 1860 sehr gemächlich. Dafür stehen Begriff und Epoche des Biedermeier. Der jüdische Schriftsteller Berthold Auerbach zeichnete das deutsche Bürgertum 1836 als ebenso »ehrenhafte« wie »bornierte« Klasse, die den neuen Wind nicht als Chance zum Aufbruch, sondern als Ungemach empfand: »Da ist alles noch in patriarchalische Einfalt eingeschlossen, das erstreckt sich nicht leicht über städtische und Provinz-Angelegenheiten hinaus. Der Schlendrian ist da noch ein lieber Hausfreund, den man schmerzlich vermissen würde. Die modernen Ideen reisen nur im Eilwagen durch, man springt ans Fenster, staunt ob der seltsamen Figuren, die vorbeifliegen und erst in größeren Städten haltmachen.« Manche der hinter den Gardinen Hervorlugenden lassen in Auerbachs Sittengemälde »gehässige« Worte über die Juden fallen, andere zeigen diesen gegenüber in aller Behäbigkeit paternalistisch begrenztes Wohlwollen: »Will sich aber der Jude frei und selbständig, mit dem ganzen Gehalte einer eigentümlichen Persönlichkeit, neben sie, oder gar gegen eine ihrer Tendenzen stellen, so brechen die Spuren eines nur überdeckten Judenhasses hervor.« Dann töne der christliche Bürger prompt, nur ein Jude könne den deutschen Michel so unbarmherzig auf die »quammige Wange« schlagen, »ihn aus seinem selbstzufriedenen Glotzen wecken« und »die Blößen deutscher Nationalität so schamlos aufdecken«. Viele der biedermeierlichen Deutschen argwöhnten, »dass die elastischen Federn des Judentums, die durch das Daumendrücken der Christen niedergehalten wurden, jetzt plötzlich zurückschnellen« und den Unterdrückern ins Gesicht schlagen könnten.[104]

Die ängstliche Langsamkeit und die so wenig selbstbewusste Deutschtümelei sollten nicht einfach als Folge des Nationalcharakters beiseitegeschoben werden. Beide Phänomene können auf eine geschichtliche Wurzel zurückgeführt werden: die territorialstaatliche und religiöse Zerrissenheit des Landes. Sie ermöglichte jene kulturelle Vielfalt, die bis heute zum hoch geschätzten Reichtum Deutschlands gehört, und führte – das war der Preis – zu einer nahezu unendlichen Abfolge dynastischer und religiöser Kriege, zu Selbstverletzungen, nachhaltigen wirtschaftlichen Schäden und Massenarmut. Im kollektiven Gedächtnis der Deutschen bildete der Dreißigjährige Krieg den mörderischen Höhepunkt des schier ewigen Bruderzwists. Die unsäglichen, hier nur statistisch anzudeutenden Schrecken hatten auf dem Land einen Bevölkerungsrückgang um 50 Prozent, in den Städten um 30 Prozent zur Folge. Felder fielen brach, Hunderte Städte und Tausende Dörfer in Schutt und Asche. Es dauerte Jahrzehnte, bis die Überlebenden und die Nachgeborenen wieder wirtschaftlich Boden unter den Füßen und mäßigen Wohlstand erlangt hatten.

Der Dreißigjährige Krieg hatte die deutschen Länder gegenüber den glücklicheren Nachbarn weit zurückgeworfen und das lange nachwirkende Trauma der Selbstzerfleischung bewirkt. »Das vom Blut fette Schwert, die donnernde Kartaun, / Hat aller Schweiß und Fleiß und Vorrat aufgezehret«, wie der zeitgenössische schlesische Dichter Andreas Gryphius in seinem Sonett »Tränen des Vaterlandes Anno 1636« schrieb. Nicht zufällig 1947, nicht zufällig in einem Brief an Thomas Mann griff der Bonner Althistoriker Friedrich Oertel auf die Leiden und kollektive Selbstverstümmelung dieses Krieges zurück, um die jüngste Vergangenheit besser zu verstehen: »Deutsche Eigenschaften bleiben allerdings das mangelnde Gefühl für die ›liberalitas‹ des von innen her souveränen Menschen und das mangelnde Gefühl für ›dignitas‹. Die Nachwirkungen des Dreißigjährigen Krieges lasten eben noch in tragischer Weise auf der Geschichte unseres Volkes und haben den Reifeprozess aufgehalten. Wann werden die Schatten endlich weichen, wird das Versäumte nachgeholt sein?«[105]

Zur Urerfahrung des Dreißigjährigen Krieges fügten sich 150 Jahre später die schweren Verluste infolge der Kriege zwischen dem revolutionären Frankreich und den anderen europäischen Mächten. Auch die napoleonische Neuordnung der deutschen Länder lief auf neuerliche Spaltung hinaus. Das siegreiche Frankreich spielte die widerstreitenden regionalen und dynastischen Interessen geschickt gegeneinander aus. Die Gewinner im Westen und Südwesten Deutschlands standen den preußischen und klerikalen Verlierern gegenüber. In den süddeutschen Ländern dauerten diese Kriege 20 Jahre. Napoleon verlangte unermessliche Kriegskontributionen, Quartierkosten, Lebens- und Futtermittellieferungen, requirierte Zehntausende Pferde, errichtete ein flächendeckendes Spitzelwesen; Schmiede, Weber, Schneider, Schuhmacher, Gerber, Kürschner und Sattler hatten fast ausschließlich für die Zwecke der Grande Armée zu arbeiten. Die Soldaten plünderten, vergewaltigten, brandschatzten Häuser, Städte und Dörfer. Hinrichtungen und Morde, Inflation und lange nachwirkende wirtschaftliche Zerrüttung prägten das Bild der Franzosenzeit für die große Mehrzahl der Deutschen. Nicht wenige Gemeinden zahlten die ihnen auferlegten Schulden noch bis in die zweite Hälfte des 19. Jahrhunderts ab, manche bis zur Inflation von 1923. Wobei das Einrücken antifranzösischer Truppen oft nichts Besseres bedeutete, aber am Ende wenigstens Frieden und Stabilität brachte.

Der französische Kaiser forderte in den besetzten deutschen Ländern unentwegt frische Soldaten für seine Heere. Hunderttausende junge Württemberger, Thüringer, Preußen, Bayern fanden als Zwangsrekrutierte den Tod in Napoleons Spanien- und Russlandfeldzügen. Bis heute hat es die Geschichtsschreibung unterlassen, die Toten zu summieren, die diesem zwanzigjährigen europäischen Krieg zum Opfer fielen. Mindestens werden es drei Millionen gewesen sein, aber es gibt Schätzungen, die fünf Millionen nennen, nicht eingerechnet Hunderttausende, die infolge von Verwüstung und Hunger starben und von Seuchen dahingerafft wurden, die den Truppen an vielen Orten Europas folgten.

Im Winter 1813/1814 starben in der Festungsstadt Mainz 18 000 Soldaten des napoleonischen Heeres an Fleckfieber und 2500 Mainzer – ein Zehntel der Stadtbevölkerung. Wie das so bezeichnete Festungsfieber infolge französischer Einquartierung wütete und den Überlebenden als böse Erinnerung im Gedächtnis haftete, referierte Rudolf Virchow 1868 am Beispiel von Torgau: »In der kleinen Stadt von 5100 Einwohnern waren 8000 Pferde und 35 000 Mann zusammengedrängt; in der Zeit vom 1. September 1813 bis zur Übergabe der Festung am 10. Januar 1814 starben darin 20 435 Menschen, und zwar 19 757 Soldaten und 680 Bürger. Die Gesamtsterblichkeit der Bürgerschaft in der Zeit vom 1. Januar 1813 bis Ende April 1814, demnach binnen 16 Monaten, betrug 1122, also fast ein Viertel. In Danzig erlagen in demselben Jahre zwei Drittteile der französischen Besatzung und der vierte Teil der Bevölkerung an Krankheiten.«[106] Im Januar 1814 starb Johann Gottlieb Fichte am Fleckfieber. Johanna, seine Frau, hatte verwundete Soldaten gepflegt, sich infiziert und ihren Mann angesteckt; sie überlebte.

Der 1794 aus Frankreich nach Deutschland ausgewanderte Philosoph Charles de Villers berichtete in einem 1807 nachgedruckten Brief detailliert, wie französische Soldaten die Stadt Lübeck eroberten und vom 5. bis 8. November 1806 den Einwohnern das Leben zur Hölle machten: »Die Menschen wurden angehalten, ausgezogen; und diejenigen, die sich in den Straßen zu zeigen wagten, misshandelt.« Der Ratsdiener wurde kurzerhand erstochen, die meisten Häuser wurden leergeplündert und das Inventar zerstört, dann folgten die offiziellen, von den Generälen angeordneten Requisitionen »Schlag auf Schlag« und »mit der bekannten französischen Schnelligkeit«: »›Im Namen des Kaisers gib mir deinen Beutel! – deine Uhr! – deine Hemden! – dein Weib! – all dein Geld her oder du stirbst!‹ – war die gewöhnliche Formel, mit auf die Brust halten einer Flinte, einer Säbelspitze, eines Pistolenlaufs unterstützt! Gar manche Unglückliche sind erwürgt worden, weil sie nicht schnell genug gehorchten.« Villers beschrieb, wie 22 Soldaten eine 18-Jährige vergewaltigten: »Das Haus, das ich selber gesehen habe, liegt nahe bei dem Teiche, den der Stadtwall mit einschließt; die Ungeheuer warfen die Unglückliche, soweit sie konnten hinein; aber weil niedrig Wasser war, blieb sie unter dem Schilfe im Schlamm des Ufers liegen, wo sie nach Verlauf einiger Stunden den Geist aufgegeben hat.«[107]

Derartige Gräuel ereigneten sich während der Franzosenzeit in Tausenden deutschen Gemeinden. Sie bildeten die Erfahrungsgrundlage, auf der republikanische, profranzösisch gesinnte Vereine zu antifranzösischen Geheimbünden wurden und sich weltoffene Reformer zu germanophilen Guerillastrategen wandelten. Diese Transformation beschreibt Heinrich von Kleists 1808 rasch hingeworfenes Agitpropdrama »Die Hermannsschlacht«. Nur schwach verhüllt bezeichnet der Dichter darin Paris als das antike Rom und lässt Hermann den Cherusker zur Vernichtung der Hauptstadt des romanischen Erzfeindes blasen: »Denn eh' doch, seh' ich ein, erschwingt der Kreis der Welt / Vor dieser Mordbrut keine Ruhe, / Als bis das Raubnest ganz zerstört, / Und nichts als eine schwarze Fahne, / Von seinem öden Trümmerhaufen weht.« Solange der Feind, diese »höhnische Dämonenbrut«, in Germanien steht, so lässt Kleist seinen Hermann ausrufen, »ist Hass mein Amt und meine Tugend Rache«.[108]

Napoleon kam nicht bloß als Modernisierer und als Träger westlicher Ideen, sondern für die Mehrheit der damals Lebenden als Zerstörer, als unerbittlicher Fronherr und, wie seine Feinde sagten, als Menschenfresser. Ganze Jahrgänge junger Männer verbluteten in den Schlachten. Just in dieser Epoche wurden den Juden dank der von Westen her induzierten Rechtsfortschritte vielerorts wirtschaftliche Freiheit und – freilich noch eingeschränkte – Bürgerrechte gewährt. In den Augen der meisten christlichen Deutschen zählten sie zu den Gewinnern einer Zeit, die so viele Verlierer kannte.

Als eine Ursache für die dem deutschen Nationalismus von Anfang an innewohnende Fremdenfeindlichkeit und Modernisierungsscheu sollten die Praktiken der bonapartistischen Militärdiktatur nicht übergangen werden. Sie düngten den Boden für das antiwestliche Ressentiment intellektueller Nationalisten mit Blut. Objektiv bahnte Napoleon dem Fortschritt den Weg. Subjektiv erlebten die meisten Deutschen die französische Herrschaft als gnadenlose Zerstörung, als Zeitalter des Schreckens. So gerieten die Werte der Gewaltenteilung, der individuellen Freiheit und der bürgerlichen Gleichheit früh in Misskredit. Den unermesslichen menschlichen und wirtschaftlichen Verlusten jener Zeit folgte die eigentümliche fortschrittsfeindliche Starre.[109]

Anders als die französischen Revolutionäre von 1789 konnten die deutschen Umstürzler nicht auf einem schon vorhandenen, national arrondierten Feudalstaat aufbauen. Sie schwankten zwischen Reformmonarchismus und Republikanertum hin und her. Vielfach gespalten lebten sie auf einem territorialherrschaftlichen Flickenteppich. Im Jahr 1806 bestand eine staatlich und geschichtlich vielfach zertrennte deutsche Völkerschaft, der Wunsch nach dem deutschen Volk entsprach einer längst nicht verwirklichten Hoffnung. Das mag den sprudelnden Überschuss an Ideen erklären. Jedenfalls mussten die deutschen Nationalrevolutionäre in ihren Programmen zwei unterschiedliche Ziele formulieren: den Umsturz einer nicht länger zweckmäßigen Rechtsordnung im Sinne sozialer und politischer Emanzipation und die grenzüberschreitende – insofern hochverräterische – nationale Einheitsidee. Deshalb beriefen sie sich – »soweit die deutsche Zunge klingt«, »von der Maas bis an die Memel, von der Etsch bis an den Belt« – auf die angebliche Gemeinsamkeit von Sprache und Geschichte, von deutschem Wesen und Blut.

Die Schwierigkeit, das deutsche Territorium mit seinen vielen, kulturell so reichen Grenz- und Übergangslandschaften eindeutig zu bestimmen, beförderte einerseits die Empfindlichkeit gegenüber Minderheiten und Fremden und andererseits die Obsession, dass Staat und Volk zur Einheit verschmelzen müssten. Die nicht vorhandenen gemeinsamen Mythen brachten den so lächerlich anmutenden Germanismus hervor: von der Hermannsschlacht über die Nibelungen zu Kaiser Barbarossa im Kyffhäuser, von Luthers Wartburg zu den Dichtern und Denkern bis zur Völkerschlacht. Fleißige Historiker und Germanisten mussten die nationale Geschichtssaga und die Volksmärchen erst »entdecken«, genauer gesagt: künstlich zusammenkonstruieren, und zwar in einer Zeit der Entmythologisierung und des Rationalismus. Das konnte leicht misslingen.

Den Deutschen fehlte es an nationaler Integration, am gemeinsamen Rückhalt, an gewachsenen und akzeptierten Institutionen, um die massiven Veränderungen aufzufangen und abzufedern, die Industrialisierung, Weltmarkt und Volksvermehrung im 19. Jahrhundert mit sich brachten. Die zwischen 1800 und 1945 so auffällige Überbetonung des Deutschen entsprach dem Mangel an Selbstbewusstsein und Freiheitswillen. Mit Recht bemerkte Ludwig Bamberger 1880, dass »die kaum vollzogene Emanzipation der deutschen Nation selbst auch die Hindernisse erklärt, mit welchen die Emanzipation der Juden zu kämpfen hat«.[110]

Vor 1945 lebten die Deutschen zwischen Kurischem Haff und Vogesen, zwischen Belt und Schelde, Böhmerwald und Salurner Klause und weit die Donau hinunter. Sie bildeten das größte Volk Europas. Genau in der Mitte gelegen, gingen über deutsches Territorium besonders viele Völkerverschiebungen, Kriege und Religionszerwürfnisse hinweg. Folglich wurden die Deutschen das am gründlichsten gemischte, in seinen Stämmen sehr verschiedenartige, an seinen Rändern am wenigsten klar definierte größere Volk Europas. Die seit 1800 immer wieder veranstaltete Suche nach der reinen deutschen Volksseele musste – an objektiven Kriterien gemessen – scheitern. Subjektiv scheiterte die großdeutsche Staatsidee an den transnationalen Feudalmächten des alten Europa. Doch überdauerte der einmal formulierte Kulturnationalismus die politische Niederlage und konnte als christlich-nationaler Dünkel ins Selbstverständnis des 1871 gegründeten Deutschen Reiches übernommen werden.

Mit seinen Landsmannschaften und regionalen Eigenheiten war Deutschland für eine föderale Republik geschaffen. Jedoch bedeutete Föderalismus im 19. Jahrhundert, die alten fürstlichen Landesherrlichkeiten anzuerkennen, also mussten die Republikaner den unitarischen Zentralstaat zum Programmpunkt erheben. Die Wirtschaftsliberalen fochten für einheitliche Maße, Gewichte und Zahlungsmittel und für das Ende territorialstaatlicher Zollhoheit; die politischen Liberalen verzehrten ihre Kräfte, indem sie nach dem Volksgeist, nach einer die vielen Völkerschaften verbindenden Idee suchten. Beiden Strömungen geriet dabei das Wesentliche aus dem Blick: die individuelle bürgerliche Freiheit und eine offene, vom Freisinn getragene Gesellschaft. So lässt sich verstehen, dass sich so viele Liberale 1866 für den zu Anfang freihändlerisch und antiprotektionistisch organisierten kleindeutschen Bismarckstaat entschieden.

Noch im Artikel 2 der Weimarer Verfassung hieß es: »Das Reichsgebiet besteht aus den Gebieten der deutschen Länder.« Ein ostjüdischer Zuwanderer wurde damals als Bayer oder Sachse eingebürgert, Albert Einstein 1934 als Preuße ausgebürgert. Erst der nationalsozialistische Innenminister Wilhelm Frick verfügte am 5. Februar 1934, dass seither die Staatsangehörigkeit »deutsch« in den Reisepässen steht.[111] Hitler verwirklichte den kulturnationalistischen Traum – als Albtraum. Am 12. März 1938 schloss er

Österreich und Deutschland zum Großdeutschen Reich zusammen und erklärte drei Tage später unter tosendem Jubel auf dem Wiener Heldenplatz: »Als Führer und Reichskanzler der deutschen Nation und des Reiches melde ich vor der Geschichte nunmehr den Eintritt meiner Heimat in das Deutsche Reich.« Wenig später präsentierte er sich in Frankfurt am Main, in der Stadt des Paulskirchen-Parlaments, als Vollender der Sehnsucht von 1848: »Das Werk, für das vor 90 Jahren unsere Vorfahren kämpften und bluteten, kann nunmehr als vollbracht angesehen werden.«[112]

Den von Hitler herbeigezwungenen Zusammenschluss von Österreich und Deutschland zu Großdeutschland begrüßte selbst der führende österreichische Sozialdemokrat Karl Renner als Erfüllung einer alten Sehnsucht. Er unterstützte das Referendum, das einen Monat nach dem deutschen Einmarsch, am 10. April 1938, in Österreich über den mit überwältigender Mehrheit angenommenen Anschluss veranstaltet wurde. Renner, der von 1918 bis 1920 die neuentstandene österreichische Republik als erster Staatskanzler geführt hatte, erklärte dazu am 2. April 1938 im Neuen Wiener Tagblatt: »Ich müsste meine ganze Vergangenheit als theoretischer Vorkämpfer des Selbstbestimmungsrechtes der Nationen wie als deutschösterreichischer Staatsmann verleugnen, wenn ich die große geschichtliche Tat des Wiederzusammenschlusses der deutschen Nation nicht freudigen Herzens begrüßte. (…) Als Sozialdemokrat und somit als Verfechter des Selbstbestimmungsrechtes der Nationen (…) werde ich mit Ja stimmen.«[113]

Träge Christen, rege Juden

Mit der Französischen Revolution waren die Massen zum Faktor der Politik geworden. Gleichgültig, ob die Bürger Parlamente wählen konnten oder nicht, hinfort mussten auch autokratische Regenten die Stimmungen ihrer Untertanen berücksichtigen.

Einerseits hatten die französischen Neuerungsideen seit 1789 den Willen eines Teils der deutschen Eliten zur Reform und damit zur bürgerlichen Integration der Juden bestärkt. Andererseits hemmte das plebiszitär-demokratische Element, das dieselbe revolutionäre Erschütterung hervorgebracht hatte, die praktischen Möglichkeiten, den Juden gleiche Bürgerrechte einzuräumen. Folglich mussten aufgeklärte Staatsmänner und Fürsten die Judenemanzipation von oben gegen das Volk durchsetzen. Gesellschaftlich gewollt war sie nicht. Ihr Fundament blieb schwach.

Auf dem Wiener Kongress 1814/15 arbeiteten die Abgesandten der Bürgerstädte Frankfurt, Hamburg, Bremen und Lübeck gegen die adeligen Befürworter der Judenemanzipation. Ebenso verhielten sich die Interessenvertreter der süddeutschen Städte. »Man stritt zwar für Rechtsgleichheit und Menschenwürde«, so schrieb der Historiker Franz Schnabel über die für Deutschland so typische Kümmerform der Begriffe Freiheit und Gleichheit, »man wollte die Schranken niederlegen, die der Freiheit des Erwerbes entgegenstanden: Aber den Hausiererhandel bekämpfte man, die Juden wollte man niedergehalten wissen, die Prügelstrafe hielt man in Kriminalsachen für unentbehrlich«.[114] Kaum war der französische Druck gewichen, wurden die Juden aus Bremen und Lübeck ausgewiesen und in Frankfurt am Main aus allen wichtigen Vereinigungen ausgeschlossen, sei es der Gelehrten-Verein, die Gesellschaft des Museums für Kunst und Wissenschaft, die Zusammenschlüsse der Ärzte und der Advokaten, die Lesegesellschaft, das Casino oder die Gesellschaft zur Beförderung nützlicher Künste.[115]

An den antijüdischen Unruhen, die 1819/20 in Süddeutschland unter dem Kampfruf »Hepp! Hepp!« um sich griffen, nahmen diejenigen teil, die um ihre sozialen Positionen bangten: Handwerksgesellen, Studenten, kleine Ladenbesitzer und Kaufleute. Philologen vertreten unterschiedliche Theorien über die Wurzeln des Hepp-Hepp-Rufs, unstrittig ist, was er praktisch bedeutete: Juden bedrohen, beschimpfen, verprügeln und mehr. Die Gründe für derartige Umtriebe stehen im »Judenspiegel«, den Hartwig von Hundt-Radowsky 1819 veröffentlichte: »Durch die Rechte, welche man in mehreren Ländern den Israeliten zuwandte, verletzte man die Pflichten gegen die christlichen Staatsbürger. Man legte dadurch den Grund zu der in vielen Gegenden herrschenden Armut und Nahrungslosigkeit, indem die Juden allen Handel und alle Gewerbe ihrer christlichen Miteinwohner erstickten.« Die Handelskammer der Stadt Köln beschrieb Juden zu jener Zeit als »üppiges Schlingkraut«, das sich allenthalben festsetze.[116] Aus solchen Gründen schlug Hundt-Radowsky vor, die Juden entweder »zu vertilgen« oder aber »zum Lande hinauszujagen« und bei dieser Gelegenheit vollständig zu enteignen: »Dazu sind wir Christen völlig befugt; denn alles, was die Hebräer besitzen, haben sie uns und anderen Völkern gekrimpelt.« Hundt-Radowsky prangerte die Erfolge an, die Juden »in allen gewinnbringenden Geschäften« verbuchten, »seit einige Staaten, verleitet durch missverstandene Humanität, für sie Gewerbe-, für die Christen Verderbe-Freiheit gegeben haben«. All das werde immer schlimmer, weil den Israeliten ein »ungezügelter kaninchenartiger Begattungs- und Fortpflanzungstrieb« eigen sei.[117]

Mit obsessiver Regelmäßigkeit schob Hundt-Radowsky seinem »Judenspiegel« antijüdische Hetzschriften nach. Ansonsten stritt er gegen adelige Zwingherrschaft, für das Ende der Pressezensur und für die Freiheit Polens. Er forderte die Deutschen zwischen Donau und Schelde, Ostsee und Rhein auf, ihr Leben für »Einheit und Freiheit« des Vaterlands einzusetzen. 1835 stand er zusammen mit anderen freiheitlich gesinnten Staatsfeinden auf der alphabetischen Fahndungsliste des Deutschen Bundes – drei Positionen hinter Heinrich Heine.[118]

Wohlanständig, politisch noch lange gehemmt und weit weniger aufmüpfig als der kämpferische Demokrat Hundt-Radowsky, fürchteten christliche Bürger allerorten die jüdische Konkurrenz. Mehrheitlich erkannten sie nicht, wie die kompromisslose Emanzipation der Juden dem eigenen Vorankommen hätte aufhelfen können. Dafür steht der Nationalökonom Friedrich List. Er wurde 1820 als für das württembergische Königtum zu gefährlicher Nationaldemokrat aus seiner Tübinger Professur gedrängt, stritt für das Niederreißen feudaler Zollschranken und später für den Eisenbahnbau. Dafür erhob ihn die Nation postum zum Schulbuchheroen und überblendet dessen Ausfälle gegen die Judenemanzipation. List trat mit Nachdruck dafür ein, endlich den Katholiken seiner lutherisch dominierten württembergischen Heimat die vollen Bürgerrechte zu gewähren. Daraus folge »aber nicht«, wie er im selben Atemzug eiferte, »dass man zum entgegengesetzten Extrem übergehen und z. B. jetzt den Gemeinden Bürger und Besitzer vom Stamme Israel aufdringen müsse«.[119] Während der schwäbische Reformökonom gegen die Zölle der deutschen Territorialherren wetterte, machte er sich für (zeitlich begrenzte) Außenzölle zum Schutz neuer Industrien stark; die Juden wollte er weiterhin unter Kuratel halten, um die christlichen Bürger, die immer stärker unter Zukunfts- und Konkurrenzangst litten, wenigstens für den Augenblick zu besänftigen.

List sah, um es mit Otto Dann zu sagen, die Einheit der Nation »in erster Linie als einen Vorgang der sozialen Integration«, und viele christliche Deutsche empfanden Juden »als mögliche Bedrohung« für das eigene Fortkommen.[120] Also hatte der Staat die christliche Mehrheit zu schützen. 1830 bemerkte List: »Auch können Leute aus solchen Menschenklassen, deren Religion oder allgemeiner Charakter sich mit der bürgerlichen Gesellschaft nicht verträgt, z. B. Juden, Separatisten usw., keiner Gemeinde aufgebürdet werden.« Da sind sie: Juden unter einer Decke mit bösen Elementen, die danach trachten, die rechtschaffenen, etwas verlangsamten Deutschen zu spalten, Spießgesellen von Revolutionären und Einheitsfeinden.

Berthold Auerbach hielt den deutschen Wirtschaftsliberalen Verrat an ihren ureigenen Idealen vor. Auf Lists langjährige Arbeit in den USA gemünzt, bezeichnete er dessen Liberalismus als

»Nordamerikanismus mit deutschen Elementen versetzt«. 1836 schrieb er: »Vereinfachung der Regierungsformen, Agrikulturverbesserung, Dampfmaschinen und Eisenbahnen beschäftigen mehr oder minder ihren Geist«, aber leider hätten die »Koryphäen dieser Richtung« den gerechten Forderungen der Juden nicht entsprochen, sondern den »Judenhass politischer Rationalisten« begründet und so »von verkehrter Popularitätssucht verblendet, den schändlichsten Meineid an ihrem Prinzipe begangen, der ewig auf ihrem Herzen brennen muss«.[121]

Einer der aktivsten Mitstreiter Lists, der gemäßigt linke schwäbische Abgeordnete Moritz Mohl, drängte 1848 in der Frankfurter Nationalversammlung darauf, die dort verabschiedeten Deutschen Grundrechte für die Juden zu beschneiden. Für die vom Verfassungsausschuss vorgeschlagene ausnahmslose Rechtsgleichheit aller wünschte Mohl den Zusatz: »Die eigentümlichen Verhältnisse des israelitischen Volksstammes sind Gegenstand besonderer Gesetzgebung und können vom Reiche geordnet werden.«[122] Dem Antragsteller blieb der Erfolg versagt, der Verfassung freilich auch.

Die jüdischen Gemeinden Preußens hatten 1845 Petitionen ausgearbeitet und den Abgeordneten der Provinzialstände vorgelegt, um die volle rechtliche Gleichheit zu erreichen. Die nach ständischen Regeln gewählten Regionalvertretungen berieten daraufhin über die Judenfrage, die sie schon vorher gelegentlich beschäftigt hatte, und kamen zu unterschiedlichen Ergebnissen. Im katholischen, westlich orientierten Rheinland stimmte die übergroße Mehrheit für die Emanzipation der jüdischen Minderheit, ebenso in Westfalen. Anders reagierten die Ständevertreter in der preußischen Provinz Sachsen, die ungefähr das heutige Sachsen-Anhalt und den Norden des heutigen Thüringen umfasste. Dort fürchtete man die jüdische Konkurrenz in den Städten und »die gewiss nicht wünschenswerte Übersiedlung aus dem benachbarten, mit Juden überfüllten Auslande«. Von 66 Stimmberechtigten votierten vier für die Emanzipation. In Ost- und Westpreußen wurde der entsprechende Antrag mit 57 gegen 30 Stimmen abgewiesen. Die schlesischen Deputierten verwarfen das Ansinnen mit dem Hinweis, »die Masse des Volkes sei noch keineswegs auf dem freisinnigen Standpunkte, um die Emanzipation der Juden zu wünschen«. Dagegen erschien sie den brandenburgischen und Berliner Vertretern mehrheitlich opportun. Die pommerschen Stände ignorierten die Petition.

Besondere Verhältnisse obwalteten in der Provinz Großherzogtum Posen. Dort lebten vergleichsweise viele noch an orthodoxe Traditionen gebundene Juden. Für sie galt das Emanzipationsedikt von 1812 nur eingeschränkt. Allerdings hatte die vorläufige Verordnung vom 1. Juni 1833 die besonderen Restriktionen gemildert. Nationalistische Streitigkeiten mit der polnischen Volksgruppe, der deutlich über 50 Prozent der Bevölkerung angehörten, belasteten das politische Klima. In der wirtschaftlich kaum entwickelten Provinz herrschten die größten Bedenken. Der zuständige Ausschuss gelangte zu der folgenden Meinung:

Nachdem die antijüdischen Gesetze 1833 gelockert worden waren, seien »die Juden aus den engen Schranken und Schlupfwinkeln, in welchen sie in den Städten und Flecken unseres Landes gehalten wurden, hervorgetreten«. Ihr »Hab und Gut« sei schnell gewachsen, und es habe nicht lange gedauert, bis sie »die Hauptstraßen und Marktplätze dieser Städte einnahmen, des Handels und der Industrie sich ganz bemächtigten«. Falls ihnen uneingeschränkte Bürgerrechte gewährt werden sollten, würden »fast alle Städte und Flecken des Großherzogtums alsbald unter der ausschließlichen Verwaltung der Juden stehen«. (Das passive Wahlrecht war damals an Grundbesitz und an die Zugehörigkeit zu einer der beiden christlichen Konfessionen geknüpft. Letztere Hürde stand zur Debatte.) Der Ausschussvorsitzende verwies auf das »Übergewicht des Reichtums und der Macht« der Juden in der Provinz Posen. Im Gegensatz zu dem in dieser Angelegenheit gespaltenen Landadel widersprachen die Vertreter der Städte der vollen Emanzipation geschlossen. Am Ende votierten die Deputierten für den möglichst langsamen Übergang. So sollten Juden individuell die ungeschmälerten Bürgerrechte erhalten können, sofern sie die dreijährige Militärzeit absolviert oder eine höhere Schule, einschließlich höherer technischer und kaufmännischer Bildungsanstalten, mit einem »guten Sitten- und Maturitätszeugnis« abgeschlossen hätten.[123]

Die unterschiedlichen Voten zeigen das für Deutschland bekannte Ost-West-Gefälle. Im Fall der Judenemanzipation werden drei Faktoren ausschlaggebend gewesen sein: der im Westen weit schnellere Wirtschaftsfortschritt kombiniert mit der im Osten sehr verhaltenen Wirkung der napoleonischen Reformen und schließlich die Nähe der östlichen Provinzen zum Russischen und zum Habsburgischen Reich, also zu den Grenzen, über die relativ viele osteuropäische Juden hätten zuwandern können. Ein ähnliches Ergebnis hatte schon die vorangegangene Umfrage zur Judenemanzipation erbracht, die zwischen 1824 und 1827 stattgefunden hatte, kurz nachdem die mit Hilfe eines stark eingeschränkten Wahlrechts 1823 gebildeten Provinziallandtage (Provinzialstände) in Preußen geschaffen worden waren. Damals hatte die preußische Regierung in reformerischer Absicht die Stände aufgefordert, sich zur Frage der Judenemanzipation zu äußern. Wegen der anhaltenden Wirtschaftskrise schoben diese das Vorhaben auf die lange Bank.[124]

Im Revolutionsjahr 1848 bezeichnete Israel Schwarz, Student der jüdischen Theologie in Heidelberg, den Einzug demokratischer Verfahrensweisen als Haupthemmnis für den überfälligen Rechtsfortschritt: »Wohl mancher (deutsche) Staat hätte längstens schon die Gleichstellung der Juden ausgesprochen, wenn er nicht die unaufgeklärte, rohe, fanatische Masse fürchtete.« Ähnliche Widerstände schilderte die Allgemeine Zeitung des Judenthums 1849 für Österreich: »Vergessen wir nicht Tirols, vergessen wir nicht Ungarns, wo die Machthaber die Gleichstellung wegen der Volksstimmung aufschieben mussten, Prags und seiner Judenverfolgung.«[125]

Die anschwellende soziale Unruhe im Vormärz, also in den Jahren vor der Märzrevolution 1848, begünstigte die Judenemanzipation nicht. Wie es in dieser Zeit zuging, zeigen die Beispiele Bayern und Sachsen. Als der konservative bayerische König Ludwig I. unter dem Druck der Märzereignisse 1848 abtrat, übernahm sein aufgeklärter Sohn Maximilian (Max) II. das Zepter. Unterstützt von seinem Minister Gustav von Lerchenfeld erklärte er die Judenemanzipation zum wichtigen Teil seines Regierungsprogramms. Bald darauf klebte an der Münchner Theatinerkirche, die auch als Hofkirche diente, das Plakat: »Maximilian, König der Juden!« Mit 600 Petitionen und fast 80 000 Unterschriften lief das bayerische Volk gegen König Max Sturm.[126]

Ähnlicher aus dem Volk aufsteigender Druck zur fortgesetzten Knebelung der Juden kennzeichnete die Verhältnisse im Königreich Sachsen. 1840 kamen dort auf 10 000 Christen fünf Juden, insgesamt gut 800. Sie wohnten zum kleineren Teil in Dresden, zum größeren in Leipzig, wo sie wichtige Fernhandels- und Finanzfunktionen für die Messen erfüllten. Buchhändler oder Bäcker durften sie jedoch nicht werden. Das sächsische Gesetz von 1838 über die Rechtsstellung der Juden steckte voller Schutzklauseln, auf denen die Innungen der Kaufleute und Handwerker bestanden hatten; beraten und verabschiedet hatten es die Abgeordneten der beiden Kammern des Parlaments. Für das früh industrialisierte Chemnitz und das flache Land erhielten Juden keine Gewerbeerlaubnis. Das Gesetz versagte ihnen die bürgerlichen Ehrenrechte und die Tätigkeit im Kleinhandel; jüdischen Meistern erlaubte es lediglich, jüdische Lehrlinge auszubilden, mit selbstgefertigten Waren zu handeln, und es gestattete nur die Anzahl von Meistern, die dem Bevölkerungsverhältnis zwischen Christen und Juden entsprach. Juden durften in Dresden oder Leipzig nicht mehr als ein Grundstück besitzen (woanders ohnehin nicht) und dieses erst nach zehnjähriger Sperrfrist veräußern. In Dresden waren damals »höchstens« vier jüdische Kaufleute zugelassen. Warum? Weil sonst binnen »Kurzem die ganze Schlossgasse von jüdischen Kaufleuten wimmeln und der Handel in die Hände der Juden kommen könnte«; den Honoratioren »schwebt(e) es schon vor, wie die Juden das ganze Land überschwemmen und kein Bauer ohne einen Juden ein Kalb verkaufen kann«. Auf die Bitte der Juden, die diskriminierenden Bestimmungen zu mäßigen, antwortete der Abgeordnete Dr. von Mayer: »Wir wollen nicht!« Der für das parlamentarische Verfahren zuständige Referent, von Gablenz, warf den jüdischen Bittstellern ihren Aufstiegswillen vor: »Sie möchten wohl gerne Generale, aber keine einfachen Soldaten sein.« Man finde »kein jüdisches Gesinde, keinen jüdischen Handarbeiter«. Das entsprach nicht den Tatsachen, jedoch allgemeiner Zukunftsangst.[127]

Kaum lockerten revolutionäre Schübe die öffentliche Ordnung, brachen Vorurteil und Wut gewalttätig gegen die Juden hervor. So verschaffte sich Ende Februar 1848 der von Paris aus angefachte Freiheitsdrang in Dresden »damit Luft«, dass »auf Anregung der verehrlichen Schneiderzunft ein Pöbelhaufen den Laden eines jüdischen Kleinhändlers stürmte, der durch seine Konfektionsware das legitime Gewerbe gegen sich erzürnt hatte«.[128] Zu den Judenhassern, die während des Maiaufstandes 1849 auf den Dresdener Barrikaden standen, gehörte neben Michail Bakunin auch dessen sächsischer Freund Richard Wagner. Er lieferte das klassische Beispiel für die im Neid begründete Judenfeindschaft deutscher Intellektueller und Künstler.

Hinter dem Pseudonym K. Freigedank versteckt, lancierte er 1850 die Polemik »Das Judentum in der Musik«. Der seinerzeit noch nicht anerkannte Komponist meinte: »Der Jude ist nach dem gegenwärtigen Stande der Dinge dieser Welt wirklich bereits mehr als emanzipiert: Er herrscht und wird so lange herrschen, als das Geld die Macht bleibt, vor welcher all unser Tun und Treiben seine Kraft verliert.« Wagner blies zum »Befreiungskampfe« gegen die »Verjüdung« unserer Musik, um die Konkurrenz abzuschütteln. Er behauptete, der früh verstorbene, noch immer gern gespielte

Felix Mendelssohn-Bartholdy verdanke seine Popularität der »unbegreiflich rohen Verwirrung des luxuriösen Musikgeschmacks unserer Zeit«. Wollte Mendelssohn »tiefe und markige menschliche Herzensempfindungen« vertonen, ließ ihn das, wie Wagner verbreitete, »ausdrucksunfähig« zum Plagiator werden, der »zum Stilmuster« seiner nichtjüdischen Vorgänger (»wahrhafter Musikheroen«) »greifen musste«.

Hauptsächlich zielte der Angriff auf Giacomo Meyerbeer – ein »weit und breit berühmter Tonsetzer unserer Tage«. Wagner wütete: »(Er) hat sich mit seinen Produktionen einem Teil unserer Öffentlichkeit zugewendet, in welchem die Verwirrung alles musikalischen Geschmacks von ihm weniger erst zu veranstalten, als nur noch auszubeuten war.« Demnach verunstaltete Meyerbeer die Opernhäuser zu »Unterhaltungslokalen«, und, »wie wir aus dem Erfolge ersehen können«, bediente er die Zerstreuungssucht seines Publikums mit Trivialitäten: »Er schreibt für Paris Opern und lässt diese dann leicht in der übrigen Welt aufführen, – heutzutage das sicherste Mittel, ohne Künstler zu sein, doch Kunstruhm sich zu verschaffen.« Und woran orientierten sich solche geldgierigen, ruhmsüchtigen Juden, die sich als »gänzlich fremdes Element« und in der »wimmelnden Viellebigkeit von Würmern« über den von ihnen »zersetzten« Körper der deutschen Tonkunst hermachten? An der »frechen Zerstreutheit und Gleichgültigkeit einer jüdischen Gemeinde in der Synagoge während ihres musikalisch ausgeführten Gottesdienstes«.[129] Wagner pflegte keineswegs einen später vornehm so bezeichneten »Erlösungsantisemitismus«. Er betrieb literarisches Hepp-Hepp-Geschrei im höchsteigenen Wirtschaftsinteresse.

In dem bei Brockhaus verlegten enzyklopädischen Serienwerk »Die Gegenwart« erschien im ersten Band (1848) ein ausführlicher Artikel über »Die bürgerlichen Verhältnisse der Juden in Deutschland«. Einleitend betrachtete der ungenannte Autor »die Ursache der neuesten Judenverfolgung«, die es in Teilen Deutschlands und auch anderwärts in jüngster Zeit gegeben hatte. Den religiösen

Fanatismus rechnete er nicht mehr dazu, er setzte den Akzent auf einen neuartigen, aus dem wirtschaftlichen Erfolg der Juden herrührenden Umstand: »In unserer Zeit (ist es) die teilweise Wohlhabenheit und besondere Erwerbsgeschäftigkeit der Juden, die ihnen die Angriffe dieser Stände auf den Hals zieht, welche sich durch solche Geschäftigkeit benachteiligt fühlen.« Der Autor bezeichnete dieses Motiv der Judengegnerschaft »als ein verzeihlicheres« als das religiöse, immerhin hätten nicht wenige Juden durch »wucherische Bedrückung und Aussaugung des Landvolks hauptsächlich den Grimm bei jenem angestachelt«. Christen verarmten während des großen wirtschaftlichen Umbruchs, wussten weder ein noch aus, verspekulierten sich, »Juden dagegen, welche noch vor zehn Jahren den Packen durch das Land trugen«, wurden, so wollte der Generalprokurator zu Köln wissen, »Besitzer ansehnlicher Güter«.[130]

Wegen seiner Religionszugehörigkeit konnte Gabriel Riesser in Heidelberg nicht Professor und in seiner Heimatstadt Hamburg weder Rechtsanwalt noch Nachtwächter werden. Folglich ergriff er den Beruf des politischen Schriftstellers und gründete 1832 die Zeitschrift Der Jude. Der Titel war Programm, gerichtet gegen jene Glaubensgenossen, »die alles Heil darin suchte, den Namen ›Jude‹ und alles, was damit in Verbindung steht, nur recht leise und immer leiser bis zur Unhörbarkeit auszusprechen, als würde so am Ende alles Leiden, aller Hass, die sich daran geknüpft (haben), vergessen werden. Vergebliches Streben!«

Riesser sah den Neid im Zentrum der christlichen Judenfeindschaft. Jeder Aufmerksame höre doch, dass »unter hundert Äußerungen des Unmuts gegen die Juden neunundneunzig auf diesem Boden gewachsen sind«: »Derjenige, der in seinem Erwerbszweige mit den Juden konkurriert, glaubt, es geschehe ihm Unrecht. (…) Der Neid, der sonst so gern sein hässliches Antlitz vor den Blicken der Menschen schamhaft verhüllt, zeigt sich hier in schamloser Nacktheit.« In solcher Schamlosigkeit nahmen die Mehrheitsdeutschen »Vergrößerungsgläser der Habsucht« zur Hand, um die wenigen Juden sichtbar zu machen, und griffen gleichzeitig »begierig nach jedem Vorwande«, um ihre niederen, materiell gesteuerten Motive zu verbergen. Zu diesem Zweck redeten sie viel von »öffentlichen Interessen, der Nationalität und der Aufklärung« – mit der alleinigen Absicht, ihren mosaischen Mitmenschen weiterhin die Bürgerrechte vorzuenthalten. Angeführt von einem Apotheker machte man in Schwaben allerdings keinen Hehl daraus, dass man »die ausschließenden Gesetze als ein Mittel der Hemmung der Konkurrenz betrachtete«.[131]

Im Jahr 1927 wunderte sich der Soziologe Julius Goldstein darüber, wie rasch das deutsche Bürgertum mit dem nationalsozialistischen Volkskollektivismus sympathisierte. Ihm blieb rätselhaft, warum »eine Klasse, die mit den Ideen der Gleichheit und Freiheit sich ihre Emanzipation erkämpft« hatte, umstandslos antirepublikanischen Ideen verfiel. An diesem Punkt irrte der sonst so hellsichtige Goldstein, dessen Berufung zum Professor während der 1920er-Jahre von antisemitischen Studentenrebellen aufgehalten worden war. Das deutsche Bürgertum musste nicht, wie Goldstein wähnte, der »eigenen Vergangenheit untreu« werden, um Hitler zu folgen. Es hatte die Grundrechte der individuellen Freiheit und der Gleichheit vor dem Gesetz seit jeher opportunistisch verbogen. Der frühe Verrat, den Männer wie Friedrich List an den Grundsätzen des Liberalismus begangen hatten, gehörte fortan zum ungeschriebenen politischen Konsens der Deutschen.[132]

Vom Sozialneid zum Antisemitismus

Dank des quantitativen und qualitativen Bildungsvorsprungs wandten sich immer mehr Juden gut bezahlter Kopfarbeit zu oder ergriffen die unternehmerische Initiative. 1895 gehörte jeder zweite erwerbstätige Jude zur Kategorie der Selbständigen, nur jeder vierte Christ. In dieser Grobstatistik sind Bauern als Selbständige eingerechnet, deshalb geben die Religionsverhältnisse für die städtische Sparte Handel und Verkehr besseren Aufschluss. Von 100 evangelischen Erwerbstätigen arbeiteten dort 1907 nur 4,5 Prozent als Selbständige, im Falle der Katholiken waren es drei Prozent, aber im Fall der Juden 37 Prozent. Die immer neuen Schübe der Rationalisierung, der Arbeitsteilung und des weit ausgreifenden Handels erforderten Büro- und Verwaltungskräfte, Logistiker, Abteilungsleiter und Revisoren. Um 1900 stiegen drei Prozent der Christen in die neue soziale Klasse der Angestellten auf, jedoch elf Prozent der Juden. Umgekehrt verdingten sich 25 Prozent der Christen als Hilfspersonal ohne Vorbildung, von den Juden nur drei Prozent.[133]

Juden betätigten sich zuhauf als Pioniere des Neuen. Sie setzten auf die Zukunft. »Der jüdische Gewerbetreibende«, so beobachtete ein Zeitgenosse, »vertritt vielfach dem Christen gegenüber den Fortschritt auf dem Gebiete des geschäftlichen Lebens.« Ersterer erkannte die Vorzüge neuer Errungenschaften schneller und machte sie seinen Kunden sofort dienstbar.[134] Folgerichtig warnte der Antisemit Adolf Stoecker, »dass Judentum und Fortschritt zusammenstehen«. Man könne »das Joch der Juden nur brechen, wenn man sich vom Fortschritt losmacht« und sich am Hergebrachten festhalte – sprich: am zum Untergang Verurteilten.[135]

Wohin der christliche Immobilismus führte, veranschaulicht das Steueraufkommen. Im frühen 20. Jahrhundert zahlten die Juden in Frankfurt am Main »viermal so viel Steuern wie der durchschnittliche protestantische Stadtbürger und achtmal so viel wie ein Katholik. In Berlin machten die Zahlungen 30 Prozent des städtischen Steueraufkommens aus, während die Juden nur 15 Prozent der Steuerzahler und knapp fünf Prozent der Stadtbevölkerung bildeten.« Im wirtschaftlich schwach entwickelten Posen trugen die Juden (4,2 Prozent) mit 24 Prozent zum Steueraufkommen bei; vergleichbare Relationen ergaben sich in Beuthen, Gleiwitz, Magdeburg, Breslau oder Bromberg. Ähnliche Bilder zeigen die Statistiken für das Großherzogtum Baden, für

Dänemark, Ungarn oder Italien. Andere Indikatoren weisen in dieselbe Richtung: In Preußen gehörten 1852 noch 22,5 Prozent aller Hausierer der jüdischen Religionsgemeinschaft an, 1895 noch 8,8 und 1925 noch 4,7 Prozent. Zu Recht bemerkte der Demograph Jakob Lestschinsky 1934, der »goldene Regen der ersten Blüteperiode des Kapitalismus« hatte den Juden, zumal in Deutschland, »vielfach mehr Vorteile gebracht als den entsprechenden Schichten der nichtjüdischen Bevölkerung«. Die Einkommens- und Vermögensstatistiken blieben zwischen einzelnen Autoren nicht unumstritten, doch ergaben kritische Nachprüfungen, dass deutsche Juden vor dem Ersten Weltkrieg im Durchschnitt das Fünffache des Einkommens eines Christen erzielten.[136]

Vielerorts mögen die Unterschiede nicht so deutlich ausgefallen sein, bemerkt wurden sie überall. Theodor Mommsen führte die Krankheit des Antisemitismus 1894 »auf den eigenen Neid, die schändlichsten Instinkte« zurück, auf den »wilden Hass gegen Bildung, Freiheit und Menschlichkeit«. Im Jahr 1918 resümierte der Central-Verein deutscher Staatsbürger jüdischen Glaubens im Rückblick auf seine 25-jährige Tätigkeit: Der »politische und der wissenschaftliche Antisemitismus wäre ohne den wirtschaftlichen wirkungslos geblieben. Der wirtschaftliche Aufschwung der Juden wurde der eigentliche Grund dafür, dass der Judenhass in den breiten Massen volkstümlich wurde.«[137]

In ländlichen Gebieten vollzogen sich ähnliche Umbrüche. Von 1870 bis 1884 leitete der jüdische Bürgermeister Leopold Guggenheim die Geschicke des südbadischen Gailingen. Das in dieser Hinsicht besondere Städtchen zählte 1875 rund 1700 Einwohner, darunter 700 Israeliten. Zum Verhältnis zwischen beiden Religionsgruppen hieß es im Inspektionsbericht des großherzoglichen Bezirksamts vom 12. September 1878: »Noch vor 40 bis 50 Jahren hatte die große Mehrzahl der Israeliten dem ärmeren Teil der Einwohnerschaft angehört«, doch überträfen sie jetzt die christlichen Bürger »bedeutend an Vermögen«. Als Grund für die unterschiedlichen Aufstiegsgeschwindigkeiten führte der Berichterstatter an: »Sie leben fast alle vom Handel (namentlich Viehhandel), während die christlichen Einwohner, mit wenigen Ausnahmen, auf die Landwirtschaft und auf den Taglohn angewiesen sind. Fast alle größeren Häuser sind im Besitz von Israeliten.« So war auch das Krankenhaus in einer Region, die noch streng auf konfessionelle Trennung achtete, als israelitische Anstalt errichtet worden – mit dem Geld jüdischer Bürger. Selbstverständlich fanden dort auch Christen Aufnahme, allerdings mäkelte der großherzogliche Inspektor: »Die israelitische Wohltätigkeit zieht auch viele ›Schnorrer‹ an.« Am Ende fasste er die Gailinger Verhältnisse so zusammen: »Aus dieser allmählich gewordenen Vermögensungleichheit dürfte es sich denn auch erklären, dass eine gewisse Spannung zwischen beiden Konfessionsteilen bemerklich ist.«[138]

In der Zeit zwischen 1870 und 1890 wurde der deutsche Antisemitismus rauer und fand zu organisierter Gestalt. Das geschah in dem Maße, wie die Christen ihr Manko erkannten und selbst in die neuen Mittelschichten drängten. Weil sie sich in ihrem Aufstiegswillen zudem von der nachrückenden Arbeiterschaft bedroht sahen, machte Constantin Frantz die Juden auch für den Klassenkampf haftbar. Mit der emporkommenden jüdischen Plutokratie entstehe, wie Frantz 1874 ausführte, auf der anderen Seite das Proletariat und folglich »der Kampf zwischen ›Arm‹ und ›Reich‹«. Dabei werde der seiner Natur nach harmonisierende Mittelstand herunterkommen und die Gesellschaft vollständig polarisiert werden: »Erhebt man hier das goldene Kalb«, werde man »dort die rote Fahne erheben«. Sobald »der Mammon« – sprich: der Jude – die moralischen Zügel zerstört habe, die den Massen von der christlichen Religion angelegt seien, würden die Besitzlosen beginnen, über die Reichen »herzufallen und den Mammon unter sich zu teilen«. Daraus folgt für Frantz die Perspektive: »Und wäre es nicht die gerechte Nemesis, wenn sich dann das Plünderungssystem der Massen zuallererst gegen diejenigen richtete, die am meisten dazu beitragen, ihnen den christlichen Glauben zu nehmen, und die doch andererseits den größten Mammon besitzen, und denselben am allerwenigsten durch produktive Arbeit erwarben, sodass er wirklich am allerwenigsten moralischen Respekt verdient?«

Im Anschluss an seine aufstachelnd formulierte »Frage« fasste Frantz die sozialistisch gesinnten Juden ins Auge. Diese hätten, so phantasierte er (und später Hitler), im geheimen Bund mit den Geldjuden nichts weiter zu besorgen, als die Proletarier von ihrer eigentlichen Aufgabe abzulenken: dem Einsatz für einen christlich-sozial ausgewogenen Gesellschaftsvertrag. Ewig werde das nicht so bleiben, weil die soziale Bewegung »in direktem Gegensatz zu der Judenherrschaft steht«. Frantz setzte darauf, dass den Deutschen in nicht allzu ferner Zeit die Augen aufgehen »und das Pseudodeutschtum des Nationalliberalismus dem wohlverdienten Gericht« verfallen werde. Falls nicht, werde ihr schönes Germanien bald »ein deutsches Reich jüdischer Nation«.[139]

Das zu verhindern, hatte sich auch Wilhelm Marr vorgenommen. Er gründete 1879 die Antisemitenliga. Wie die meisten seiner zeitgenössischen und späteren Gesinnungsgenossen stellte er das Volkswohl in den Mittelpunkt seiner Agitation und hetzte gegen »das soziale Übergewicht des Semitismus«. Ob am Beispiel von Wien, München oder Heilbronn, immer wieder verwies er auf Gymnasiasten- und Advokatenprozentsätze. Am Ende seiner in grobem, agitatorischem Ton gehaltenen Broschüren stand stets, dass die Christen dieser oder jener Stadt so und so viel Mal weniger imstande seien, »ihren Angehörigen eine gelehrte Bildung geben zu lassen«. Daraus folgerte er, wie vor ihm schon Arndt, Fries, Hundt-Radowsky und viele andere Judenhasser, die nichtjüdischen Bürger Deutschlands würden in absehbarer Zeit endgültig »auf die niederen Dienste verwiesen«.

Marr war 1819 geboren worden und hatte den Beruf des Handlungsgehilfen erlernt. Als 20-Jähriger schloss er sich dem republikanischen Lager an. Wegen Aufrührerei verschiedener Städte verwiesen, vollzog er einen Seitensprung ins Anarchistische. Im revolutionsseligen Herbst 1848 wurde er einer der drei Vorsitzenden der in Hamburg gebildeten Demokratischen Regierung und im Oktober als extrem linkes Mitglied der radikaldemokratischen Partei in die Hamburger Konstituante gewählt. Nach allerlei Parteienstreit und Richtungskämpfen übersiedelte er 1852 nach Costa Rica, um das Glück dort zu suchen. Seine Unternehmen misslangen. 1859 kehrte er nach Hamburg zurück. Er wurde abermals als Radikaldemokrat in die Bürgerschaft gewählt, aber 1862 wegen eines judenfeindlichen Artikels ausgeschlossen.

So begann die Karriere des ersten antisemitischen Vereinsgründers. Marr gilt als einer der Väter des Rassenantisemitismus. Doch zeigen seine Schriften vor allem einen Autor, der auf diejenigen schimpft, denen gelang, woran er scheiterte – am sozialen Aufstieg. Marr verkaufte seine Texte als »Schmerzensschrei Unterdrückter«. Längst sei es dahin gekommen, dass nicht von Judenhetze die Rede sein könne, sondern allein von Germanenhetze. Sie breche aus, »sobald nur ein nichtjüdisches Element sich hervorwagt«: »Wir sind diesem fremden Volksstamme nicht mehr gewachsen«, jammerte er im Namen der Gerechtigkeit und Chancengleichheit. Für Marr und seine Anhänger stand »das flinke, kluge Israel« gegen »die bärenhäutige germanische Indolenz«, standen die Juden, die mit ihren »Talenten wuchern«, gegen den »sittlichen Ernst« der christlichen Deutschen.[140] Konstantin Frantz sagte in etwas gehobener Diktion dasselbe: »So ist der Jude durch Schärfe des Blickes, gewandte Reflexion und kalte Berechnung dem Christen durchschnittlich weit überlegen.«[141]

Tatsächlich gehörten die jüdischen Deutschen bald überproportional häufig dem Bürgertum an. Viele ihrer christlichen Landsleute verspürten Minderwertigkeitsgefühle, beargwöhnten die Erfolgreichen. Der von ihnen propagierte Antisemitismus gehörte, wie Marrs Zeitgenosse Walter Pohlmann bemerkte, zu den Waffen, mit denen der Kampf der alten gegen die neue Zeit geführt wurde, um »den Schlendrian und die geringere Begabung gegen die größere Betriebsamkeit und Klugheit zu schützen«. Es war der Kampf »der Finsternis gegen das Licht – gegen dieses Licht, welches für blöde Augen zu hell und deshalb unerträglich ist«.[142]

Fortschritt, Krise, Antiliberalismus

Nachdem die wirtschaftliche und politische Entwicklung in Deutschland ein halbes Jahrhundert lang gemächlich verlaufen war, setzte der nachholende Aufschwung 1870 mit Wucht und seit 1893 mit schier atemberaubendem Tempo ein. Die Mobilisierung der Menschen und der Wirtschaft infolge der drei Bismarck'schen Kriege, die späte kleindeutsche Vereinigung 1870, die Wirtschafts- und Währungsunion der deutschen Länder, neue, insbesondere elektrotechnische Erfindungen und schließlich die französischen Reparationszahlungen nach dem Krieg von 1870/1871 bewirkten den plötzlichen und steilen Aufschwung der deutschen Industrien. Die gesellschaftlichen Umbrüche folgten jetzt in immer rasanteren, den meisten Deutschen zu harten, zu schnellen Rhythmen. Lebten 1885 nur rund 4,4 Millionen Menschen in Großstädten mit mehr als 100 000 Einwohnern, so waren es 1910 bereits 13,8 Millionen; die Quote sprang von 9,5 auf 21 Prozent der Gesamtbevölkerung. Im Jahr 1913 förderten Deutschland und England fast gleich viel Kohle, doch war die deutsche Förderung seit 1871 um 320 Prozent gestiegen, die britische nur noch um 150 Prozent. 1875 floss aus britischen Hochöfen dreimal so viel Roheisen wie aus deutschen, 1913 erzeugte das Reich 30 Prozent mehr als Großbritannien. In der Stahlproduktion verschob sich das Verhältnis noch stärker. Die Jahresumsätze der Reichsbank stiegen zwischen 1888 und 1913 von 79 auf 414 Milliarden Mark. Entsprechend legte der deutsche Außenhandel zu, überflügelte den französischen bei weitem und wurde dem britischen zur stärksten Konkurrenz.

Solche Indikatoren markieren enormen gesellschaftlichen Druck. Großbritannien hatte 60 Jahre – gut doppelt so lange wie Deutschland – Zeit gehabt, um die Folgen zu verkraften. Es konnte die sozialen Verwerfungen, die die industrielle Revolution hervorrief, mit Hilfe der kolonialen Ressourcen lindern und verfügte über lange erprobte politische Institutionen. Die deutschen Politiker und Ministerialbeamten mussten sich einem ungleich stärkeren Modernisierungssturm stellen und die dafür notwendigen institutionellen Instrumente erst noch schaffen. Koloniale Einnahmequellen fehlten. Gemessen an diesen Nachteilen leistete das Kaiserreich Beträchtliches in der Gesetzgebung, der allgemeinen Schul- und der Fachschulbildung, der Wissenschaft, der Sozialpolitik und im massiven Ausbau der Infrastruktur.

Zwischen 1881 und 1911 erhöhte sich die durchschnittliche Lebenserwartung von 37 auf 46,5 Jahre, das heißt um 25 Prozent. Die Anzahl der Menschen, die auf dem Gebiet des späteren Deutschen Reiches lebten, stieg von knapp 25 Millionen im Jahr 1813 auf 41 Millionen im Jahr 1870, bis 1913 sprang sie auf 69 Millionen. Trotz des enormen Bevölkerungszuwachses nahm die Zahl derer, die nach Übersee auswanderten, infolge des noch stärkeren Wirtschaftswachstums rapide ab. Hatten zwischen 1881 und 1890 noch 1,34 Millionen Deutsche ihrer Heimat den Rücken gekehrt, taten das im ersten Jahrzehnt des 20. Jahrhunderts nur noch 220 000 Personen; deutlich mehr Menschen wanderten in dieser Zeit nach Deutschland ein.

Die Zahlen spiegeln die positiven Zukunftserwartungen der wenig bemittelten Landeskinder jener Tage. Die Preise blieben ziemlich stabil, und die Arbeiter konnten im Kohlebergbau ihre Löhne in der Zeit zwischen 1888 und 1913 verdoppeln. Bei einer Besteuerungsgrenze von 900 Mark Jahreseinkommen war 1893 nur jede fünfte Familie steuerpflichtig, 1912 fast jede dritte. Die Gruppe derjenigen, die mit Jahreseinkünften zwischen 3000 und 6000 Mark zur unteren Mittelschicht gehörten, wuchs rasch. Langsam erfasste der Wunsch nach sozialem Aufstieg auch die christliche Mehrheitsbevölkerung.[143]

Doch dem aus Blut und Eisen geschaffenen Reich fehlte die

Integrationskraft. Die schnell fortschreitende Verweltlichung des Lebens hätte neuen Halt in einer als selbstverständlich begriffenen Nation erfordert. Daran haperte es. Auch das unterschied die Deutschen von Engländern, Franzosen, Niederländern oder Italienern. Ihr neuer Staatsname Deutsches Reich verwies auf das alte, untergegangene transnationale Heilige Römische Reich. Zwar verschaffte ihnen die Reichsverfassung von 1871 ein für damalige Verhältnisse sehr modernes – gleiches und geheimes – Wahlrecht (Artikel 20), dennoch leitete der Kaiser seine Legitimität aus dem Gottesgnadentum ab. Er konnte den Kanzler berufen und entlassen, ebenso die Reichsbeamten. So entstand ein Machtzentrum, das weder nach außen noch nach innen jene selbstsichere Gelassenheit ausstrahlte, die nötig gewesen wäre, um die Unsicherheiten abzufangen, die der Hochindustrialismus zwangsläufig erzeugte. Aus Bismarcks machtpolitisch verengter Sicht reichten für das neue Reich »ein möglichst großes Heer, ein militärischer Oberbefehl, eine leitende Hand, zu all' dem das nötige Geld und damit basta«.[144]

Die Juden wirkten als treibendes und organisierendes Ferment in diesem für den Einzelnen so bedrohlichen Prozess, in dem das »rückständige und politisch zerrissene Deutschland zu einem der fortgeschrittensten und wichtigsten kapitalistischen Länder der Welt« wurde, wie Jakob Lestschinsky in der Rückschau zusammenfasste. Die Hauruck-Modernisierung überdehnte die Möglichkeiten eines ohnehin schwierigen nationalen Konsenses erst recht. Zwischen technisch-wirtschaftlichem Fortschritt und den politischen und geistigen Fähigkeiten klaffte eine gefährliche Lücke: »Die kulturelle Basis der Volksmassen war zu schmal für den rasch gewachsenen kapitalistischen Überbau.«[145] In dieser geschichtlichen Situation entstand um 1880, am Ende der ersten Phase des deutschen Hochkapitalismus, der organisierte Antisemitismus, der von Anfang an gegen die liberale Wirtschaftspolitik, den Kapitalismus, speziell gegen das Finanzkapital und die Börsenspekulation gerichtet war.

Die wuchernden Städte erzwangen veränderte Lebensweisen. Zuziehende christliche Bauern- und Handwerkerfamilien brauchten zwei oder drei Jahrzehnte, um mit dem neuen Milieu und Tempo zurechtzukommen. Dem zum Trotz predigten die Würdenträger der desorientierten, aber unwiderruflich auf den Weg der säkularisierten Moderne geworfenen deutschen Christenheit umso entschlossener: Besinnt euch auf die Sitten eurer Vorväter! Wie zum Hohn auf den realen Zwang der einfachen Leute, von den Dörfern in die Großstädte zu ziehen und sich dort unter lauter Fremden zurechtzufinden, ihren Alltag zu beschleunigen, flexibel und geistesgegenwärtig zu handeln, beschloss die Generalversammlung der deutschen Katholiken 1879 in Breslau: »Pflicht der katholischen Jünglinge und Jungfrauen ist es, Bekanntschaften mit Andersgläubigen zu vermeiden, welche Mischehen vorbereiten können.«[146] Gemeint waren Protestanten.

Dagegen nahmen Juden den Zwang zur Migration und zum Aufbau neuer Existenzen gelassener. Oft genug hatten sie unfreiwillig von hier nach dort ziehen oder flüchten müssen. Sie kannten die Städte, lebten dort zum erheblichen Teil schon lange und konnten sich als Zuzügler auf Verwandte stützen. Ihnen gelang der Übergang ins Industriezeitalter vergleichsweise leicht. Der sozialdemokratische Theoretiker Karl Kautsky charakterisierte die Juden als »die auf die Spitze getriebene Eigenart des Städters«, und wenn man sie unbedingt als Rasse bezeichnen wolle, dann einfach als Spezies homo urbanus. Als Pioniere gingen sie auf den Wegen voran, die – trotz aller inneren Widerstände – die meisten Menschen der Industriestaaten einschlagen mussten.[147]

Die gemütlichen, schon verstörten Gestalten, die in jenen Tagen die Kleinstädte und Dörfer bevölkerten, karikierte der begnadete Zeitdiagnostiker Wilhelm Busch: Witwe Bolte, Lehrer Lämpel, Schneider Böck und, exterminatorisch aufgelegt, Bauer Mecke, der die bösen Buben – ricke, racke mit Geknacke – vom Müllermeister zu Gänsefutter verarbeiten lässt. In der Eingangsszene seines Sittengemäldes »Die fromme Helene« schilderte

Busch 1872, warum es die sorgende Verwandtschaft für ratsam hält, das Waisenmädchen Lenchen umgehend aufs Land zu verfrachten. Sie wird in eine hinterwäldlerische Gegend geschickt, »wo sanfte Schafe und fromme Lämmer sind«, und geht dort am Ende zugrunde. In schrillen Farben malt Busch die Gefahren aus, die Helenes Anverwandte in der Großstadt wähnen: Sittenstrolche, Antiklerikale und Liberale, Bälle, nächtliches Theatertreiben – »Und der Jud mit krummer Ferse, / Krummer Nas' und krummer Hos' / Schlängelt sich zur hohen Börse / Tiefverderbt und seelenlos.«

Der alte Immobilismus, fundamentiert in Haus und Hof, Wald und Flur, musste der neuen Regsamkeit weichen. Statt der bodenverhafteten Werte vermehrten sich die mobilen mit schier unglaublichem Tempo: Staatsobligationen, Aktien und Eisenbahnanleihen. Hypotheken ließen selbst den ererbten Boden mobil werden. Geld löste sich auf undurchsichtige Weise von der Hände Arbeit, machte weder an lokalen noch an staatlichen Grenzen halt. Die »Geldherrschaft«, der neuartige »finanzielle Feudalismus« eroberte die Macht.[148] Mit einem Wort: die Juden. Sie verkörperten aus der Sicht ihrer weniger beweglichen Feinde die umwälzenden, furchterregenden Kräfte. Angeblich zerrissen sie die Bande zum verklärten Alten. Sie opferten die geistige und menschliche Tiefe des christlichen Abendlandes auf den Altären der Massenproduktion und des angeblich schnöden Mammons, symbolisierten das bodenlose Raffen, nicht das bodenständige Schaffen. »Der jüdische Reichtum beruht auf Schacherei und Wucher« – »der deutsche Reichtum auf Werktätigkeit«, so hetzten die Antisemiten landauf, landab.[149]

Dem Wirtschaftsboom von 1870 folgte im Frühsommer 1873 die Krise. Sie verhalf dem Vorurteil zu Beispielen und scheinbarer Plausibilität. Tatsächlich handelte es sich nicht um eine deutsche, sondern um eine schwere weltweite Wirtschaftskrise. In Deutschland wurde der Rückschlag als besonders hart empfunden. Vorangegangen war der erste große Wirtschaftsaufschwung, der die Deutschen erstmals in einen allgemeinen Fortschrittstaumel gezogen hatte – und prompt erhielten sie die Quittung. Ihren Anfang hatte die Wirtschaftsdepression in Österreich-Ungarn genommen. Sie griff auf das Deutsche Reich, die Schweiz und Italien über und traf schließlich Amerika, England und Russland mit ungeheurer Wucht. Die Türkei, Ägypten und zahlreiche südamerikanische Länder mussten den Staatsbankrott erklären. In den USA gingen 83 Eisenbahngesellschaften pleite.

Im vorangegangenen Boom war der globale Handel in bis dahin unbekanntem Maße ausgeweitet worden. Zahllose Eisenbahnstrecken, künstliche Wasserstraßen, darunter der Suezkanal, und dampfgetriebene Stahlschiffe wurden gebaut, die Erdteile mit unterseeischen Telegraphenkabeln verbunden. Bahnbrechende Methoden zur Produktion von Gussstahl und technische Verfahren, Elektrizität in Maschinen- oder Leuchtkraft zu wandeln, hatten »gewissermaßen den Vorhang zu einer neuen, höher potenzierten Welt« gelüftet. Im Jahr 1872 wurden allein in Preußen 49 Banken gegründet, 61 Bau- und Immobiliengesellschaften, 65 Berg- und Hüttenwerke, 22 Zementfabriken, Tonwarenbetriebe und Ziegeleien, 15 chemische Fabriken und 12 Eisenbahnunternehmen. Im ersten Jahresdrittel 1873 stieg das Gründungsfieber abermals (22 Banken, 45 Bergwerksgesellschaften, 22 Baugesellschaften, 10 Ziegeleien). Zwischen 1871 und 1873 errichteten deutsche Unternehmer ebenso viele Hochöfen, Eisenhütten und Maschinenfabriken wie in den 70 Jahren zuvor.

Phantastische Dividenden von bis zu 20 Prozent lockten. Alle verdienten und streckten sich nach den neuen materiellen Möglichkeiten. Die Arbeitslöhne stiegen binnen weniger Jahre um 25 bis 30 Prozent; zugleich konnten die Arbeiter erhebliche Verkürzungen der Arbeitszeit durchsetzen. »Damals, 1871–1873«, so resümierte Max Wirth ein Jahr später, »wollten der hohe Adel und die Geheimen Räte ebenso mühelos verdienen wie die Kutscher und Dienstmänner, die Bankherren wie die Briefkopisten, die

Männer wie die Frauen. Man jobberte an der Börse wie zu Hause, im Hotel wie in der Kneipe, in politischen Versammlungen wie im Gesangverein.«[150] Bevor der Gründerkrach im September auf die Deutschen herniederbrach, hatten viele die Anzeichen der heraufziehenden Krise nicht sehen wollen, weder die Regierung noch die Wirtschaftswissenschaftler, weder die Bankdirektoren noch die Journalisten. Alle hatten es sich gutgehen lassen und mitgemacht, umso schneller fanden sie danach die Schuldigen: jüdische Spekulanten. In Wahrheit hatten sich Nichtjuden massenhaft im Börsengeschäft versucht. Ihre Experimente endeten, wie vermutet werden darf, häufiger als im Fall der wirtschaftlich erfahreneren Juden im selbstverschuldeten Spekulationsdesaster.

Zu den weiteren Gründen des neuartigen und Ende der 1870er-Jahre organisiert auftretenden Antisemitismus gehören der 1871 begonnene Kulturkampf gegen den Einfluss der katholischen Kirche und Bismarcks Ende der 1870er-Jahre vollzogener antiliberaler Schwenk. Beides hing unmittelbar zusammen. In politischer Kooperation mit den Nationalliberalen hatte Bismarck versucht, einen säkular-liberalen Verwaltungsstaat zu errichten. Dazu mussten die Zivilehe, die Standesämter und die staatliche Schulaufsicht gegen die Kirchen, insbesondere gegen katholische Würdenträger, durchgesetzt und damit der Kernbereich hoheitlicher Staatsaufgaben neu definiert werden. Papst Pius IX. ging im Jahr 1872 so weit, den Kulturkampf als einen Angriff des (liberalen) Judentums gegen das Christentum hinzustellen. Von da an schwenkte ein erheblicher Teil der katholischen deutschen Presse ins judenfeindliche Lager ein.

Zwischen 1876 und 1879 gestaltete Bismarck seine Innenpolitik grundlegend neu. Er richtete sie zum einen gegen die Liberalen, die den Kulturkampf mit ihm gemeinsam geführt hatten, zum anderen gegen die Sozialisten. Seither berücksichtigte er bei seinen Entscheidungen zunehmend die Wünsche der konservativen Fraktionen des Reichstags und beendete den Kulturkampf mit halbherzigen Kompromissen. Mit Hilfe der Konservativen führte er Schritt für Schritt Schutzzölle, Steuer- und Subventionsprivilegien zugunsten von Großagrariern und Stahlbaronen ein. Den neuen Protektionismus verkaufte er öffentlich als Schutz der »nationalen Arbeit«. Den neuberufenen preußischen Finanzminister Arthur Hobrecht ließ der Großgrundbesitzer Bismarck 1878 wissen, wie er künftig mit den Liberalen verfahren werde: »Die Gelehrten ohne Gewerbe, ohne Besitz, ohne Handel, ohne Industrie, die vom Gehalt, (von) Honoraren oder Coupons leben, werden sich im Laufe der Jahre den wirtschaftlichen Forderungen des produzierenden Volkes unterwerfen oder ihre parlamentarischen Plätze räumen.«[151]

In diesem politischen Kontext eröffnete Heinrich von Treitschke im November 1879 den Berliner Antisemitismusstreit mit dem Aufsatz »Unsere Aussichten«, den er in den Preußischen Jahrbüchern veröffentlichte. Er adressierte den berühmten Text an jene Söhne des deklassierten Handwerker- und Kaufmannsstandes, die, familiengeschichtlich gesehen, in der ersten Generation studierten. Sie fürchteten sich vor dem Morgen, scheiterten kraftlos an der politischen Aufgabe, die obrigkeitlichen Entwicklungshemmnisse aus dem Weg zu räumen und eine moderne Staatsverfassung durchzusetzen. Im Sinne seiner zutiefst unsicheren christlichen Studenten erhob Treitschke den Vorwurf, dass »in jüngster Zeit ein gefährlicher Geist der Überhebung in jüdischen Kreisen erwacht« sei. Er forderte von den vom Staats- und Offiziersdienst ferngehaltenen und damit an die interessanten Ränder des ökonomischen Fortschritts gedrängten Juden »mehr Toleranz«, »mehr Bescheidenheit«. Treitschke schrieb, »der Instinkt der Massen (habe) in den Juden eine schwere Gefahr, einen hochbedenklichen Schaden des neuen deutschen Lebens erkannt«, und selbst die Urteilsfähigsten des Landes riefen »wie aus einem Munde«: »Die Juden sind unser Unglück!«

In seiner wie immer in pompös geschliffenem Stil gehaltenen Polemik wetterte er zunächst generell gegen »Bildungsdünkel«,

»weichliche Philanthropie« und gegen die »Verhätschelung und Verzärtelung der Verbrecher«. Er forderte eine Politik des sittlichen Halts und unnachsichtiges staatliches Durchgreifen gegen die »Verwilderung« der Massen, die »Kräftigung der Reichsgewalt«, das Ende des Parlamentsgezänks und »treue Eintracht zwischen der Krone und dem Volke«.[152] Mit seiner Streitschrift plädierte Treitschke gegen den Liberalismus, für den nationalen Kollektivismus und einen machtvollen Staat – deshalb nahm er die weit überwiegend liberal gesinnten Juden aufs Korn.

Im Hintergrund der Attacke stand ein politischer Anlass. Treitschke gehörte der nationalliberalen Reichstagsfraktion an und betrieb damals die Spaltung der Partei, weil einige Abgeordnete der protektionistischen Politik Bismarcks nicht mehr folgen wollten. Eine Minderheit um die deutsch-jüdischen Abgeordneten Ludwig Bamberger und Eduard Lasker sah sich daraufhin gezwungen, die Partei zu verlassen und bildete eine eigene kleine Fraktion, weil sie die von Bismarck seit 1876 zunehmend betriebene Politik der Schutzzölle und Steuervergünstigungen zum Vorteil von Großgrundbesitz und Montanindustrie nicht länger mitverantworten wollte. Doch die Mehrheit der Nationalliberalen folgte Bismarcks verhängnisvollem Kurs, allen voran der Abgeordnete Treitschke. Es ging in dieser Auseinandersetzung nicht um die eine oder andere Zollgebühr, »sondern«, wie Bamberger mahnte, »um Leben und Tod auf dem Felde der freien, friedlichen, modernen Entwicklung« Deutschlands. In diesem Streit standen zwei Welten des Wirtschaftsdenkens einander gegenüber – »das kollektivistische und das individualistische«.[153]

Bis 1876 hatte Bismarck seine Politik im Wesentlichen auf die Nationalliberale Partei gestützt. Die liberalen jüdischen Abgeordneten und ihre Wähler gehörten bis 1876 zu seinen Mehrheitsbeschaffern. Mit der endgültigen Abkehr vom Liberalismus trieb Bismarck die Freisinnigen 1879 vorsätzlich zur Spaltung. Zum dauerhaften Unglück der Nation zerstörte er das ohnehin schwache freiheitliche Denken in Deutschland nachhaltig – und verhalf dem nationalen und staatlich organisierten Kollektivismus zum Durchbruch. Mit dieser politischen Weichenstellung begünstigte er das Erstarken des deutschen Antisemitismus in den folgenden 50 Jahren weit mehr als mit seinen durchaus seltenen, manchmal überbewerteten antijüdischen Äußerungen.

Volkskollektivismus im Vormarsch

Bitte, etwas mehr Gleichheit!

In seinem Aufsatz »Unsere Aussichten« charakterisierte Heinrich von Treitschke die ostjüdischen Zuwanderer als »Schar strebsamer hosenverkaufender Jünglinge«, deren »Kinder und Kindeskinder dereinst Deutschlands Börsen und Zeitungen beherrschen sollen«. Der prominente Nationalhistoriker geißelte das »hämische« Auftreten »der betriebsamen Schar der semitischen Talente dritten Ranges« und deren »verstockte Verachtung« christlicher Deutscher: »Und wie fest hängt dieser Literatenschwarm unter sich zusammen.« Der Großprofessor ereiferte sich über das »neujüdische Wesen«, die »gemütsrohe Kritik« und »Spottsucht«, den »eigentümlich schamlosen Ton«, die »schlagfertige Gewandtheit und Schärfe«, »vielgeschäftige Vordringlichkeit« und »beleidigende Selbstüberschätzung«. All das verletze die deutsch-christliche Mehrheit, ihre »bescheidene Frömmigkeit« und »alte gemütliche Arbeitsfreudigkeit«. Falls die Juden weiterhin ihre Eigenständigkeit pflegen wollten und es ablehnten, sich in die von Treitschke als protestantisch verstandene deutsche Kulturnation einzugliedern, »so gebe es nur ein Mittel: Auswanderung, Begründung eines jüdischen Staates irgendwo im Auslande.«[154]

Die seit 1879 hartnäckig zur Schau gestellte Judenfeindschaft Treitschkes ist für die weitere Entwicklung symptomatisch. Weniger zugespitzt hatte Treitschke ähnliche Thesen bereits 1870 in Heidelberg vorgetragen – ohne besonderes Echo.[155] Zehn Jahre später war die Zeit dafür reif geworden. Das lag neben den beschriebenen wirtschaftlichen und sozialen Turbulenzen des Kaiserreichs auch an den speziellen Verhältnissen und Aufgeregtheiten in der Reichshauptstadt. Während die Zahl der deutschen Juden zwischen 1871 und 1910 nur noch geringfügig zunahm und der Anteil der Juden an der Gesamtbevölkerung sank (auf unter ein Prozent), verhielt es sich in Berlin umgekehrt. Dort stieg in jenen 40 Jahren die absolute Zahl der Juden um das Dreifache auf 150 000, der Bevölkerungsanteil von gut drei auf mehr als fünf Prozent. Außerdem hob sich die Sozial-, Bildungs- und Einkommensstruktur der Juden sichtbar vom Durchschnitt ab. Hier setzten die Judengegner an und beklagten: Die Emanzipation ist zu weit gegangen; sie hat nicht zur Rechtsgleichheit, sondern zu erheblichen Vorrechten der Juden geführt, die schleunigst zurückgeschnitten werden müssen!

Am 20. und 22. November 1880 stand die Judenfrage auf der Tagesordnung des Preußischen Abgeordnetenhauses. Die dafür notwendige Anfrage hatte der freisinnige Abgeordnete Albert Hänel gestellt. Er wollte von der Königlichen Staatsregierung wissen, auf welche Weise sie den Tendenzen zur Entrechtung jüdischer Staatsbürger entgegenzutreten gedenke. Den Anlass bot eine an die preußische Regierung gerichtete Petition, in der Zuwanderungs- und Berufsbeschränkungen für Juden gefordert wurden. Die Petition kursierte noch, bald hatten sie mehr als 220 000 nichtjüdische Deutsche unterschrieben. Bismarcks Staatsministerium antwortete auf Hänels Anfrage unterkühlt, aber klar: Es beabsichtige nicht, an dem Rechtszustand religiöser Gleichberechtigung eine Änderung vornehmen zu lassen.

Während der zweitägigen Generaldebatte zur Judenfrage wies der freisinnige Abgeordnete Rudolf Virchow die Behauptung von den Besonderheiten der jüdischen Rasse als für jedes »normal organisierte Gehirn« unverständliches Geschwätz zurück. Es gehorche »in erster Linie dem Neid« darauf, dass viele Juden sich nach oben arbeiteten, »es zu Stande bringen«. Unter diesem Gesichtspunkt zerpflückte der Redner die soeben erschienene Broschüre »Das moderne Judenthum in Deutschland, besonders in Berlin«. Verfasst hatte sie Adolf Stoecker, ebenfalls Mitglied des Abgeordnetenhauses und einer der Dom- und Hofprediger in Berlin. Die Juden drängten unverhältnismäßig stark an höhere Schulen, so Stoeckers Hauptvorwurf: »Ein solcher Trieb nach sozialer Bevorzugung, nach höherer Ausbildung verdient an sich die höchste Anerkennung; nur bedeutet er für uns einen Kampf um das Dasein in der intensivsten Form. Wächst Israel in dieser Richtung weiter, so wächst es uns völlig über den Kopf.« Nachdem Virchow das Zitat verlesen hatte, wandte er sich direkt und mit Nachdruck an Stoecker: »Dann hört jede mögliche friedliche Entwicklung auf, da ist kein Friede mehr zu halten, wenn Sie so weit gehen, dass Sie dem Vater einen Vorwurf daraus machen, dass er seine Kinder in die höhere Schule schickt.«[156]

Ähnlich argumentierte der nationalliberale Abgeordnete Arthur Hobrecht. Er führte »ein gut Teil des hässlichsten Neides« gegen Juden auf den »beklagenswerten Mangel an ruhigem, festen Selbstvertrauen und an Energie« zurück. Wie solcher Neid daherkam, demonstrierte der konservative Abgeordnete Jordan von Kröcher. Er polterte gegen die »große geistige Überlegenheit« der freiheitlich-demokratischen Partei, die jüdische Abgeordnete in ihren Reihen zählte. Von Kröcher verabscheute das moderne Berlin als »Metropole der Intelligenz«, die sich über die rechtschaffene Provinz und das angeblich törichte Volk erhebe. Julius Bachem vom katholischen Zentrum erregte, dass in Berlin, Breslau und Frankfurt am Main »ein fortschrittlich-jüdischer Terrorismus wahrnehmbar« sei. Die Berliner Witzblätter – Kladderadatsch, Ulk, Wespen – erschienen ihm als die »nichtswürdige« und intolerable »Essenz des im schlimmen Sinne reformjüdischen Geistes«. Den Juden bescheinigte er ein »Übermaß an Frechheit«, der »ungläubigen reformjüdischen Presse« Übermut, Frivolität und Zynismus. Für die praktische Moral dieser Art von konservativ-bürgerlichem Antisemitismus bedeuteten solche Vorwürfe:

Der Übermütige bedarf kräftiger erzieherischer Maßnahmen, der frivole Zyniker härterer Hinweise.[157]

In der denkwürdigen Debatte kam der Freisinnige Albert Traeger auf die Wortkombination »christlich-sozial« zu sprechen, mit der sich die Stoecker-Leute schmückten. Er hielt ihnen vor, sie hätten die aller Ehre werten Worte aus unehrlichen Motiven in Beschlag genommen. Anders als die Sozialdemokraten kümmerten sie sich nicht um »die Not der wirklich Enterbten, der Armen und Elenden«, sondern um diejenigen, die sich zu den »nicht gut genug Situierten« rechneten: »Es wird, meine Herren, angefacht und angestachelt der Neid des weniger Besitzenden gegen den mehr Besitzenden, es wird ins Gefecht gerufen der Neid des Unbeholfenen gegen den Geschickteren.«[158]

Im deutlichen Gegensatz zu anderen katholischen Abgeordneten wollte Traegers Nachredner Ludwig Windthorst die »außerordentlich schwierige Frage« nach »der sozialen Stellung unserer jüdischen Mitbürger« nicht als politischen Konfliktstoff in die Öffentlichkeit tragen: »Sie ins Tagesleben hineinzuwerfen, halte ich bei den Stimmungen, welche (nun) einmal in den Massen der Bevölkerung obwalten, für im höchsten Grade misslich und bedenklich.«[159] Anders als Windthorst, der, obwohl Führer des Zentrums, ausdrücklich nicht für seine Partei, sondern nur im eigenen Namen sprechen konnte, nutzte dessen Fraktionskollege Bachem die Judenfrage agitatorisch. Seiner Meinung nach beförderte die soziale Aufstiegslust der Juden den Antisemitismus im Allgemeinen, besonders aber in den wirtschaftlich zurückgebliebenen Ländern Europas – in Russland, in den Donaustaaten, in den schwach entwickelten Landesteilen des Deutschen Reichs. Sie bewirke hier wie dort »eine ungeheure Verschiebung des mobilen und immobilen Besitzes zugunsten der Juden«.[160]

Die Haupttendenz der Debatte hatte der Berliner Korrespondent der Londoner Times schon einige Tage zuvor erkannt. Am 18. November 1880 richtete er »die Aufmerksamkeit auf einen der schimpflichsten Züge des modernen deutschen Lebens«. Nach seinem Eindruck entwickelte sich die Judenhetze in Deutschland deshalb sprunghaft, weil so viele christliche Deutsche »an eine kleinliche, krämerische Behandlung« wirtschaftlicher Fragen »gewöhnt« seien. Der britische Beobachter fand, dass der Deutsche »ein unfähiger Handelsmann« sei – nicht imstande, »sich die günstige Konjunktur zunutze zu machen, die durch die Schaffung der deutschen Einheit herbeigeführt« worden war: »Hier tritt der Jude an seine Stelle, und das erfüllt den Deutschen mit Hass und Neid.«[161]

Die Antisemiten verbanden die klassensoziologische Betrachtung des Judentums mit der Arbeiterfrage. Stoecker lastete den Juden »übertriebene Börsenspekulation« an, den »Hexentanz um das goldene Kalb«. Er machte sie dafür verantwortlich, dass plötzlich Arbeiter »an den Abgrund ihrer Existenz gestellt« und brotlos würden. Den Druck, den Juden auf das Geschäftsleben ausübten, nannte Stoecker als einen »der Gründe zur Verschärfung der sozialen Frage«.[162] Daraus folgte für ihn die Klassensolidarität jener, die der jüdische Hochkapitalismus an den gesellschaftlichen Rand dränge: »Die Isolierung, die Atomisierung hat uns in einen Zustand gebracht, in dem wir stehen, so suchen wir denn eine Organisation, in der die Arbeiter sich wieder fühlen als eine Schar von Brüdern, die zusammenstehen.«[163]

Ähnlich definierte auch Marr die Judenfrage als »sozial-politische Frage«. Er verstand den Antisemitismus als Antwort auf die »abstrakten«, schon deshalb jüdischen »Theorien von individueller sozialer Freiheit«, die nicht länger Freiheit, »sondern nur noch Frechheit genannt werden« dürften.[164] Es blieb nicht bei Wortgefechten. Zum Beispiel zogen in der Silvesternacht 1880/1881 antisemitisch aufgeheizte junge Leute in die Berliner Friedrichstadt, brüllten rhythmisch »Juden raus!«, verwehrten Juden oder für Juden Gehaltenen den Zutritt zu Cafés, prügelten Passanten, schlugen Scheiben ein und begingen »ähnliche Wüstheiten mehr« – »alles natürlich unter der Phrase der Verteidigung des deutschen Idealismus gegen den jüdischen Materialismus und des Schutzes der ehrlichen deutschen Arbeit gegen jüdische Ausbeutung«.[165]

Wie später Hitler offerierte Stoecker seinen Anhängern ein soziales Programm. Er forderte die gesetzliche Begrenzung der Arbeitszeit, progressive Einkommen- und Erbschaftsteuer, Börsen- und Luxussteuern, das Verbot der Kinderarbeit, die Einführung von Sozialversicherungen und Staatsbetrieben. »Die Christlich-Soziale Arbeiterpartei verfolgt das Ziel«, so hieß es in ihren Allgemeinen Grundsätzen, »der Verringerung der Kluft zwischen Reich und Arm und die Herbeiführung einer größeren ökonomischen Sicherheit.«[166] Im Januar und Februar 1881 hielt Stoecker zu folgenden Themen Großversammlungen mit jeweils etwa 3000 Zuhörern ab: »Das Handwerk einst und jetzt«, »Die Sünden der schlechten Presse«, »Die Judenfrage«, »Obligatorische Unfallversicherung«. Bismarck stellte bündig fest: Stoeckers Reden seien auf den Neid und die Begehrlichkeit der Besitzlosen gegenüber den Besitzenden gerichtet.[167]

Seit 1889 entwickelte die antisemitische Deutschsoziale Partei die Grundsätze der Stoecker-Partei weiter. Sie übernahm alle sozialen Forderungen, verlangte aber zudem allgemeine, direkte und geheime Wahlen für Preußen, damit der Unzufriedenheit weiter Kreise deutlich Ausdruck gegeben werden könne. Später sollte das parlamentarische System der berufsständisch organisierten Staatsordnung weichen, von der sich die Partei dauerhafte Sicherheit in überschaubaren, in sich harmonischen Interessen- und Lebenskollektiven versprach. Ferner trat die Partei für die Aufhebung des SPD-Verbots ein und verstand es als »Gebot der Gerechtigkeit«, die sozialdemokratischen Forderungen »unbefangener als bisher zu prüfen«. Christliche Handwerker, Kaufleute und Bauern sollten vor zügelloser Gewerbefreiheit bewahrt werden, ebenso vor in- und ausländischer Konkurrenz, vor verlogener Reklame, vor Wucher, Betrug, Zwischenhändlern und den »durch Börsenspiel bedingten Schwankungen der Getreidepreise«. Die Deutschsoziale Partei warb dafür, den zu wenig beachteten »Gegensatz zwischen Besitzesherrschaft und Besitzesabhängigkeit oder zwischen ›Kapital und Arbeit‹« in den Mittelpunkt der Politik zu rücken, um so den inneren Frieden zu fördern. Auf dem Weg zu solchen Fernzielen propagierte sie die immer gleiche Sofortmaßnahme: »Wir fordern Beschränkung aller derjenigen Freiheiten, die dem aussaugenden, nicht wertschaffenden Judentum Vorschub leisten und den schaffenden, ehrlich arbeitenden Deutschen schwer schädigen.«[168]

Zu einer einheitlichen und starken Bewegung fanden die Antisemitenparteien und -vereine im Kaiserreich nicht. Sie wurden gegründet und gespalten, kamen über regionale Bedeutung nicht hinaus, und ihre Führer beschimpften einander wüst als Scharlatane oder Wichtigtuer. Auf die Dauer bedeutsamer wurden zahlreiche berufsständische Verbände, die Juden ausgrenzten – vom Reichsdeutschen Mittelstandsverein über den Bund der Landwirte, dem Deutschnationalen Handlungsgehilfenverband bis zur Vereinigung Christlicher Bauernvereine und den studentischen Verbindungen. Hinzu kamen alte und neue antisemitische Gruppen wie der Deutschbund, die Wagner- und Gobineau-Vereine oder der Reichshammerbund und schließlich der Alldeutsche Verband mit seinem Vorsitzenden Heinrich Claß.

Die Manifeste der antisemitischen Deutschsozialen Partei und der Alldeutschen bildeten inhaltlich die Grundlage für die entsprechende Programmatik der späteren NSDAP. So hieß es 1912 bei Claß, schon um bürokratische Details angereichert: »Stellung der ansässigen Juden unter Fremdenrecht, Sperrung jeder jüdischen Einwanderung. Jude ist jeder, der am 18. Januar 1871 der jüdischen Religionsgemeinschaft angehört hat sowie alle Nachkommen von Personen, die damals Juden waren, wenn auch nur ein Elternteil jüdisch war oder ist; Ausschluss von Ämtern und Heeresdienst, Verbot der Leitung oder Mitarbeit an deutschen Zeitungen, öffentlichen Banken, des Landbesitzes und der Belastung mit jüdischen Hypotheken. Als Entgelt für den Schutz, den sie als Volksfremde genießen, entrichten sie doppelte Steuern.«

Auch Claß nannte als Gründe für seine Forderungen »den Vorteil der Erziehung« und die »Begabung«, die den Juden im Vergleich zur christlichen Mehrheit den schnellen Aufstieg ermöglicht hätten: »Die Masse aber fand sich schwer und langsam zurecht, ja man kann sagen, dass ganze Schichten bis heute noch nicht den Anschluss gefunden haben.«[169]

Wie die Führer anderer antisemitischer Zusammenschlüsse behandelte auch der protestantische Pastor Stoecker die Judenfrage nicht als »Zankapfel konfessioneller Unduldsamkeit« und nicht als Rassenfrage, sondern als »Gegenstand sozialer Besorgnis«. Er richtete seine Angriffe nicht gegen altgläubige, sondern gegen moderne säkulare Juden. Er bezichtigte sie der Klugheit. Er nahm ihnen den »unheilvollen« Aufstiegswillen übel. Halb bewundernd, halb verabscheuend beanstandete er, wie selbst »arme Juden Hab und Gut hingaben, um ihren Kindern eine gute Bildung zu geben«. Stattdessen sollten sie endlich »dieselbe Arbeit tun wie ein Deutscher«, sich nicht länger »von der groben Arbeit fernhalten«, sollten »Schneider und Schuhmacher, Fabrikarbeiter und Diener, Mägde und Arbeiterinnen werden«. Gelinge das nicht, würden sie, »je länger, je mehr Arbeitgeber werden, dagegen die Christen in ihrem Dienste arbeiten und von ihnen ausgebeutet werden«. Ähnlich wie Stoecker polemisierte die katholische, der Zentrumspartei nahestehende Tageszeitung Germania: »Die Fortschritte des Judentums in den letzten Dezennien an geistiger und finanzieller Macht sind geradezu horrend, unerhört in der Geschichte der alten, mittleren und neueren Zeit, und immer ausreichender werden die Mittel der Judenschaft zur geistigen und finanziellen Unterjochung der Völker!« Seine Vorwürfe stützte der Redakteur der Germania ebenfalls auf den Eifer, mit dem junge Juden auf die Universitäten strebten. Mehr noch: Selbst aus Waisenhäusern der Juden »gehen fast nur Kaufleute und Studenten hervor, während christliche Waisen aus Mangel an Mitteln sich nur dem Stande der Handwerker, Arbeiter, Dienstboten und dergleichen zuwenden«.[170]

Die Antisemiten verbargen ihr individuelles Unvermögen oder ihre Enttäuschung über die eigenen, nur mäßig erfolgreichen Versuche, sich hochzuarbeiten. Statt selber nach oben zu streben und die geistige Entwicklung ihrer Kinder zu fördern, hockten sie im Hinterzimmer der Gaststätte »Deutsches Haus« und schimpften auf die Juden. Der Schlachtruf des hessischen Antisemiten Otto Boeckel lautete »Gegen Juden und Großgrundbesitzer!«, der des Antisemiten Hermann Ahlwardt »Wider Juden und Junker!«. In ihrer praktischen Arbeit versuchten die Boeckel-Leute den jüdischen Händlern das Wasser abzugraben, »indem sie Dorf auf, Dorf ab wanderten, um Konsumvereine zu gründen«.[171]

Einer meiner Ururgroßväter mütterlicherseits war der preußische Gardesoldat Friedrich-Wilhelm Kosnik (1837–1910). Er stammte aus armen, frommen Verhältnissen. Nach dem Willen seiner Mutter sollte er die Bibel zweimal pro Jahr durchlesen. 1861 hielt Friedrich-Wilhelm Kosnik am Sarg des preußischen Königs Friedrich Wilhelm IV. Totenwache; 1863 rückte er als einer von 60 000 Mann an die Ostgrenze aus, um den polnischen Aufständischen, die gegen die russische Herrschaft aufbegehrten, jede Rückzugsmöglichkeit abzuschneiden. Von seiner Soldatenzeit erzählte er gern. Nach der Entlassung aus dem Militärdienst wurde er Eisenbahnbeamter der untersten Stufe und arbeitete sich vom Schaffner zum Stationsvorsteher 3. Klasse hoch. Friedrich, sein einziger Sohn, der das Erwachsenenalter erreichte, brachte es bis zum Studiendirektor. Er hinterließ einen Lebenslauf, in dem es heißt, seine Familie stamme unverkennbar aus Polen. Sein Vater sei in der Volksschule einer der Besten gewesen und habe es oft bedauert, »dass er nicht hat studieren können«. Immerhin wurde Friedrich-Wilhelm Kosnik, kaum dass er die Volksschule abgeschlossen hatte, Stadtschreiber von Schlawe. Die letzte und höchste berufliche Stufe erreichte er als Vorsteher der Station Leipzig-Neustadt. In Leipzig trat er dem antisemitischen Reichshammerbund bei und soll mit dessen Führer Theodor Fritsch befreundet gewesen sein.[172]

Als aktives Vereinsmitglied hielt mein Ururgroßvater dort öffentliche Reden. Was er vortrug, ist nicht überliefert. Jedenfalls lobte der Sohn sein rhetorisches Talent. Der Versammlungsredner Kosnik wird vor seinesgleichen, vor den kleinen Leuten, gesprochen haben. Ähnlich seinem Lehrmeister Fritsch wird er an ein »sittliches Staatswesen« Ansprüche wie diese gestellt haben: »Die Achtung und Schonung des wirtschaftlich Schwachen, der recht wohl zugleich der physisch und moralisch Starke sein kann.« Zu diesem Zweck sollte der Staat »eine gute Verteilung des Wohlstandes und ein frohes Gesamtgedeihen« garantieren, die Judenherrschaft brechen und das Tempo des wirtschaftlichen Fortschritts mäßigen: »Der ganze, in den Dienst ungezügelter Gewinnsucht gestellte Erwerbs-Mechanismus hat die Gesundheit, Sicherheit und das Glück der menschlichen Individuen nicht erhöht.« Die Agitation zielte auf die Millionen frisch vom Land, namentlich von den östlichen Reichsgrenzen her in die industriellen Zentren Zugezogenen, auf die Entwurzelten und Verwirrten: »In den Großstädten regieren Juden und Judensinn, und der naturgewohnte Mensch fühlte sich darin als ein Fremdling, als ein ratloses Kind, das allerwegen in die Fallen der Juden tappt.«[173]

Wer heute aus guten Gründen herabsetzend von Theodor Fritsch spricht, sollte nicht vergessen, dass er zu den Vorkämpfern der modernen Gartenstadt und einer sorgfältigen urbanen Infrastruktur gehörte. Sämtliche, vielfach an englischen Vorbildern orientierten Ideen, die er in seinem mit Musterplänen reichhaltig ausgestatteten Buch »Die Stadt der Zukunft« 1896 entwickelte, sind im 20. Jahrhundert von den Reformern des Städtebaus aufgenommen worden: Kleingärten für die Arbeiter, Parks, Tummelplätze für die Kinder in weitläufigen und sonnigen Innenhöfen, lichtdurchflutete Schulgebäude, Ringbahnen, radiale Straßensysteme, getrennte Industrie- und Wohnzonen – das Ganze sozialistisch gedacht auf der Basis von Boden-Gemeinschaft, Erbpacht, ohne jeden Bodenwucher, ohne Hypotheken und Zinstribut. So wollte Fritsch erreichen, dass die »heimatliche Scholle« nicht

»zum Spielball des Leichtsinns und der Gewinnsucht«, sondern zum Boden glücklicher menschlicher Existenz würde.[174]

Werner Sombart bezeichnete die Judenfeindschaft, wie sie Fritsch, Böckel, Stoecker oder Marr vertraten, als sozialen Antisemitismus. Dahinter verbarg sich Konkurrenzneid, allerdings einer, der sich gegen Kohn richtete, nicht gegen Müller. Sombart ging davon aus, dass Juden im damaligen Berlin die Klippen des sozialen Aufstiegs drei- bis viermal so schnell überwanden wie die christlichen Mitaufsteiger. Stoecker hatte gut 20 Jahre vorher eine ähnliche Rechnung präsentiert. Nach dem Ergebnis der Berliner Volkszählung von 1867 stellten die Juden vier Prozent der Berliner Bevölkerung, jedoch 30 Prozent derjenigen Familien, die Erziehungspersonal für ihre Kinder beschäftigten. 35 Jahre vor dem Ersten Weltkrieg, gut 70 Jahre vor Hitler formulierten die christlich-sozialen Antisemiten die Judenfrage als Frage der Benachteiligung von Christen, als Gerechtigkeitslücke, wie man heute sagen würde. »Eine halbe Million jüdischer Mitbürger«, so Stoecker 1880 im Preußischen Abgeordnetenhaus, nehmen »in unserem Volke eine Stellung ein, welche ihrem Zahlenverhältnis durchaus nicht entspricht. Ausgerüstet mit einer starken Kapitalkraft, auch mit vielem Talent, drückt dieser Bevölkerungsteil auf unser öffentliches Leben.« Daraus folgte am Ende der politischen Programmschrift »Das moderne Judenthum«, die Stoecker für seine Christlich-Soziale Arbeiterpartei verfasst hatte, die zentrale und fett gedruckte Parole aller modernen Antisemiten: »Bitte, etwas mehr Gleichheit!«[175]

Rassenkunde, eine neue Wissenschaft

Die Rassenkunde entstand im Grenzbereich zwischen Biologie, Medizin, Anthropologie und Ethnologie. Seit der Mitte des 19. Jahrhunderts folgten ihre Vertreter zunehmend dem Paradigma von unabänderlichen Rangunterschieden zwischen einzelnen menschlichen Großgruppen. Vielen Bürgern europäischer Kolonialmächte und vielen weißen Bürgern Nordamerikas kam diese Theorie politisch und wirtschaftlich gelegen. Konnten Menschengruppen aufgrund biologischer, also naturwissenschaftlich nachgewiesener Gesetzmäßigkeiten der Anspruch auf gleiche Behandlung abgesprochen werden, gelang es staatsrechtlich zwanglos, die »Eingeborenen«, die »Wilden« in den Kolonien und die verschleppten »Neger« in den USA weiterhin von den universell gedachten Menschenrechten fernzuhalten. Insoweit verfolgte die Rassenlehre einen klaren Zweck. Sie legitimierte die schon lange ausgeübte Diskriminierung mehr oder weniger versklavter Nicht-Europäer.

Mangels nennenswerter Kolonien konnte das deutsche Kaiserreich die Rassenkunde zu solchen Zwecken nicht gebrauchen. Der Franzose Gobineau hatte sein vierbändiges Werk »Essai sur l'inégalité des races humaines« zwischen 1853 bis 1855 in Paris herausgebracht. Darin sprach er allein der weißen Rasse schöpferische Begabung zu, speziell deren germanischem Zweig. Das Buch wurde sofort ins Amerikanische übersetzt, den Sklavenhaltern in den Südstaaten kam es wie gerufen. Die deutsche Übersetzung erschien 1897 – mehr als 40 Jahre später. Die zweite Auflage aller vier Bände folgte 1902. Selbst noch in der zögerlichen Übernahme des Rassenparadigmas offenbarte sich die Rückständigkeit der verspäteten Nation.[176]

Die Deutschen konnten mit dem Begriff von den universellen Menschenrechten ohnehin wenig anfangen. Er spielte in der öffentlichen Debatte nur selten eine Rolle. Folglich brauchten sie keine fein ersponnenen Theorien, um die individuellen Freiheitsrechte anderen vorzuenthalten. Stattdessen veränderten sie die in Frankreich, England und den USA erfolgreiche Rassentheorie zum eigenen Hausgebrauch. Sie richteten sie von Anfang an gegen europäische Völker und Minderheiten, die als gleich starke oder stärkere Konkurrenten erschienen. Im Sinne des nationalen Minderwertigkeitskomplexes betonten deutsche Rassenforscher die Überlegenheit und seelisch-geistige Besonderheit des eigenen Volks.

Die Rassenlehre fand in ihrer deutschen Variante auch in anderen Ländern Anhänger. Freilich blieb sie dort in ihrer politischen Wirkung begrenzt. Beispielsweise absolvierte von 1925 bis 1927 Hans F. K. Günther, bald einer der eifrigsten Rassengelehrten des Dritten Reichs, einige Gastaufenthalte im Staatlichen Institut für Rassenbiologie im schwedischen Uppsala.[177] Wie weit der Rassenglauben im späten 19. Jahrhundert zum Bestandteil abendländischer Bildung gehörte, dokumentiert jener offizielle Protest, den albanische Abgesandte 1883 bei den europäischen Regierungen gegen die Abtretung des Epirus an Griechenland vortrugen. In einem unter eigennütziger italienischer Supervision abgefassten Memorandum führten die Emissäre aus, »dass Griechen und Albaner nicht unter ein und derselben Herrschaft leben« könnten, weil die beiden Volksgruppen einen unterschiedlichen Schädelindex aufwiesen: »Die Griechen sind Breitschädel, die Albaner Langschädel.«[178]

Heute lacht man darüber. Damals vermaß selbst Rudolf Virchow Schädel, um Differenzen zwischen arischen und nichtarischen Formen zu finden. Er griff dafür auf die von Zentralasiaten abstammenden Ungarn zurück, entdeckte jedoch, das sei zu seiner Ehre gesagt, keine signifikanten Unterschiede. Die anthropologische Untersuchung von 6,8 Millionen deutschen Schulkindern – darunter 75 000 jüdischen –, in der Virchow nach Augen- und Haarfarbe fragen ließ, erbrachte keine Ergebnisse, mit der sich eine germanische von einer jüdischen Rasse hätte scheiden lassen. Von den jüdischen Kindern hatten 32 Prozent helles Haar und 46 Prozent helle Augen.[179] Davon unbeeindruckt verherrlichte der einflussreiche britische Rassenhistoriker, Wahldeutsche, Richard-Wagner-Freund und -Schwiegersohn Houston Stewart Chamberlain den germanischen Langschädel als »ein ewig schlagendes, von Sehnsucht gequältes Gehirn – aus der Kreislinie des tierischen Wohlbehagens hinaus gehämmert«.[180]

Auf den rabenschwarz ausgemalten Hintergrund der »ewig-bestialischen« Judenrasse projizierte er das »arisch-germanische Lichtvolk«.

Das derart hämmernde Hirn Chamberlains machte das Rassendenken populär und buchstäblich hoffähig. Kaiser Wilhelm II. höchstselbst schwärmte für derlei germanophilen Unsinn. Er verehrte Chamberlain als »Streitkumpan und Bundesgenossen im Kampf für Germanen gegen Rom, Jerusalem usw.«, wie er ihm schrieb. Chamberlains Hauptwerk über die rassischen »Grundlagen des 19. Jahrhunderts« empfahl er den preußischen Offizieren zur Lektüre, las seinen Söhnen daraus vor und dröhnte 1922 in seinen Lebenserinnerungen, »das Germanentum in seiner Herrlichkeit« sei »dem erstaunten deutschen Volk erst durch Chamberlain klargemacht und gepredigt worden«. Allerdings, so fügte er, ähnlich wie später Hitler in seinem politischen Testament, hinzu: »Aber, wie der Zusammenbruch des deutschen Volkes zeigt, erfolglos.«[181]

Zunächst fehlten dem Rassendenken die Systematik und klare biopolitische Forderungen. Das änderte sich kurz vor dem Ersten Weltkrieg, und für diese Wende steht Eugen Fischer (1874–1967), der spätere Nestor der deutschen Erb- und Rassenhygiene. Er publizierte 1913 die Studie »Die Rehobother Bastards und das Bastardisierungsproblem bei Menschen«. Anhand von allerlei Messungen untersuchte er die von niederländischen und deutschen Männern mit einheimischen Nama-Frauen (»Hottentottinnen«) in Deutsch-Südwestafrika (Namibia) gezeugten Kinder und deren Nachfahren. Gefördert von der Humboldt-Stiftung der Königlich Preußischen Akademie der Wissenschaften und mit deutschem Forscherfleiß nahm sich Fischer 2567 Menschen des »Bastardvolks« vor.

Hatte Anthropologen bis dahin der einzelne Mensch interessiert – Gesichtsausdruck, Auftreten, Verhalten in der Gemeinschaft, in Glück und Unglück –, so wurde die Anthropologie jetzt zur quantitativ gestützten Typenlehre. Körperliche Messungen, Erbgänge und Ahnenreihen, Klassifizierung und von außen gesetzte Wertmaßstäbe lösten den individuell beobachtenden Zugang ab. Die Ergebnisse wurden jetzt nach Volkstyp, Körpertyp, Rassentyp geordnet. Diesen Paradigmenwechsel setzten Eugen Fischer und seine Schüler durch. Sie reduzierten das Fach zur Sparte der für die Landwirtschaft so wichtigen pflanzlichen und tierischen Züchtungsforschung. Dem entsprach das Ziel der neuen Disziplin: geordnete Menschenwirtschaft.

Im Ton hielt Fischer seine Bastardstudie wissenschaftlich abwägend. In vorsichtigen Formulierungen stufte er die südwestafrikanisch-europäischen »Rassenmischlinge« als Träger minderen Erbgutes ein, die an inneren Unausgewogenheiten und Disharmonien litten, weil sie »selber die zwei Seelen in ihrer Brust« fühlten. Später verallgemeinerte er die empirischen Daten seiner Feldforschung zu dem »Ergebnis«, dass das »normale Seelenleben« und die »geistigen Eigenschaften« eines Menschen »rassenerblich« seien und Rassenmischung (»Bastardierung«) zu erheblichen genetischen Qualitätseinbußen führe.

Das für die künftige Biopolitik Wesentliche steht im emphatischen letzten Satz des Buchs über die »Bastards«. Fischer forderte dort den sofortigen Ausbau des neuen Faches Anthropobiologie: »Dann erst dürfen wir – und müssen wir – praktische Eugenik – Rassenhygiene – treiben.«[182] Schon während seiner Forschungen in Südwestafrika hatte er mit Verweis auf Gobineau ausgerufen: »Dem Studium der Rasse und nachher der Pflege bestimmter Rassen gehört die Zukunft.«[183] Die deutsche Rassenbiologie drängte von Anfang an zur Maßnahme.

Was Fischer 1913 wissenschaftlich verklausuliert ausdrückte, posaunte der Führer der Alldeutschen Bewegung Heinrich Claß zur selben Zeit in derberen Worten heraus. Er lehnte die Idee des universellen Humanismus ab und fragte demagogisch: »Wo fängt das an und wo hört es auf, was uns zugemutet werden soll, als zur Menschheit gehörig zu lieben und in unser Streben einzuschließen? Ist der verkommene oder halbtierische russische Bauer des Mir, der Schwarze in Ostafrika, das Halbblut Deutsch-Südwests oder der unerträgliche Jude Galiziens oder Rumäniens ein Glied dieser Menschheit?« Claß hatte übrigens im Sommer 1887 bei Treitschke studiert und einen Gelehrten erlebt, der im »Judentum einen Feind, eine Gefahr für sein Volk« erblickte.[184] Hitler übernahm von Claß den »zoologischen Patriotismus«[185] in gleichfalls derber Sprache und von Fischer das wissenschaftliche Gerüst. Er behauptete, »Blutsvermischung« führe meistens zu »Rassensenkung« und lasse »jene eitrigen Herde« entstehen, »in denen die internationale jüdische Volksmade gedeiht und die weitere Zersetzung endgültig besorgt«. In »Mein Kampf« forderte Hitler die Reinerhaltung des Blutes mittels staatlicher Kontrollorgane, das Ende der »andauernden Rassenschande«, also die Ächtung der Ehe zwischen Juden und Nichtjuden, und »eigens gebildete Rassenkommissionen« mit der Aufgabe, »die Besiedlung gewonnener Neuländer« zu überwachen. Am Ende sollte »höhergezüchtetes Rassengut« erzeugt und zum Heil der Blutsdeutschen fortgezeugt werden.[186]

Im Sommer 1933 begrüßte Fischer die »neue Zeit« und den »Volkskanzler« Hitler überschwänglich und erinnerte an die eigene Vorarbeit: »Ohne den Siegeszug der Erbkunde keine Lehre vom eugenisch-rassenhygienisch-völkischen Staat.«[187] Er bejubelte das Sterilisierungsgesetz und die »Verwaltungsmaßregeln«, um »volksfremde Elemente abzulehnen«. Als er im Mai 1933 Rektor der Berliner Universität wurde, schritt er zur Tat und entließ Hunderte jüdische Wissenschaftler und Studierende. 1937 gehörte er zu den Professoren, die als Gutachter die gesetzlich nicht gedeckte Zwangssterilisierung jener Kinder durchsetzten, die in den 1920er-Jahren aus Verbindungen zwischen nichtweißen französischen Besatzungssoldaten und deutschen Frauen entstanden waren, genannt: die Rheinlandbastarde.[188] Fischer förderte die Verfolgung der Zigeuner und Juden und gab sich dabei als professoraler Mahner, der sich gegen den Volkstod und für Rassenrettung engagierte.

Zwecks erbhygienischer Verbesserung der Deutschen empfahl Fischer die Praxis des Viehzüchters, dergemäß zum Rassenerhalt ungeeignete Tiere »nicht zur Zucht, sondern zum Schlächter« kommen. Er prangerte die »biedere Bürgerlichkeit« an und die »Welt des Marxismus«, gemeint war hier insbesondere die Sozialdemokratie, die das Volk für sein höchstes Gut, sein Erbe, blind gemacht habe – bis »im letzten Augenblick« die Wende von 1933 erfolgt sei: »Und heute erleben wir eine leidenschaftliche Aufrüttelung von Millionen von Menschen durch den Ruf und die Tat des einen Mannes, der als Führer ein Volk rettet.«[189]

Sozialdemokratie und Judenfrage

Seit ihrer Gründung gehörten der SPD jüdische Mitglieder und Funktionäre in beachtlicher Zahl an. Besonders zu würdigen ist der Berliner Textilunternehmer Paul Singer. Er zog 1884 und 1887 mit glänzendem Erfolg in den Reichstag ein. 1885 wählten ihn seine Genossen zum Vorsitzenden der SPD-Reichstagsfraktion und 1890 zu einem der beiden gleichberechtigten Parteivorsitzenden. Von 1892 an füllte Singer neben August Bebel dieses Amt bis zu seinem Tode aus – mit beeindruckender Stimm- und Ausdruckskraft. Eine von Max Osborn überlieferte Szene aus der Hochzeit des Berliner Antisemitismus veranschaulicht den starken Rückhalt, den dieser Mann im Proletariat der Reichshauptstadt genoss.

Singer sprach auf einer großen Arbeiterversammlung. Plötzlich rief eine fast zärtlich klingende Stimme vom oberen Rang herab »Hoch, Judenpaule!«. Die Versammelten stimmten ein: »Hunderte, Tausende wiederholten ›Judenpaule! Judenpaule!‹. Es umbrauste die mächtige Gestalt des Gefeierten, der noch am Rednerpult stand und, zuerst erstaunt und sprachlos, dann bis ins Innerste ergriffen, die eigenartige Huldigung entgegennahm. Die Arbeiter konnten sich gar nicht beruhigen. Sie stürmten auf das

Podium und holten Singer herunter. Sie hoben ihn hoch und trugen ihn im Triumph durch das Gebäude auf die Straße.« Als Singer im Februar 1911 fast 75-jährig starb, stand Berlin still. Die Arbeiter machten sein Begräbnis zur Massendemonstration. Sie begann frühmorgens und endete tief in der Nacht. »Keiner der Mächtigen dieser Erde könnte je eine schönere Bestattung finden«, schrieb das Berliner Tageblatt.[190]

Freilich finden sich in den Quellen auch Hinweise, dass trotz der äußerlich klaren Haltung der SPD unter einem Teil ihrer Mitglieder und Funktionsträger der Antisemitismus schwelte. Zum Berliner Antisemitismusstreit und zu der Debatte über die Judenfrage im Preußischen Abgeordnetenhaus äußerten sich die Funktionäre der seit 1878 in Deutschland verbotenen SPD entweder nicht oder indirekt. In ihrer in der Schweiz für Deutschland gedruckten Wochenschrift Der Sozialdemokrat erschien im Januar 1881 eine eigentümliche, für die spätere Einordnung des Antisemitismus richtungweisende Stellungnahme: »Im Reich der Gottesfurcht und frommen Sitte klagt man jetzt über die immer mehr um sich greifende ›Verjudung‹«, meinten die verbotenen Sozialdemokraten und bejammerten, dass »der Jude Bleichröder« geadelt, »alles käuflich, alles verjudet« und »in der Tat das Schachern zum Grundprinzip des deutschen Reiches geworden« sei. Daraus folgte für die sozialdemokratischen Vordenker eine zwar nicht wohlwollende, doch verständnisvolle Haltung gegenüber den Antisemiten: »Wir könnten es als ein Zeichen allmählicher Besserung betrachten, dass sich der Widerwille gegen den Schachergeist Luft macht, wenn das nur nicht bloß gegen die kleinen Schacherer geschähe. So aber bekämpft man nur die beschnittenen Juden, während man das am Ruder sitzende Judentum verherrlicht und ihm in tiefer Devotion huldigt.«[191] Der Verfasser meinte mit dem am Ruder sitzenden – nicht beschnittenen – Judentum offenbar die kapitalistische Herrschaft überhaupt.

Ein Jahr darauf, 1882, fand Heinrich von Treitschke in dem später der SPD beigetretenen und dann prominenten Parteimitglied Franz Mehring einen engagierten Verteidiger. Der Biograph von Karl Marx und Herausgeber der Schriften von Marx und Engels lobte den Urheber des Berliner Antisemitismusstreits enthusiastisch dafür, die negativen Folgen der Judenemanzipation in der »einzig würdigen Weise« und »mit männlichem Freimute« dargelegt zu haben. Mehring missfiel das ständige Geschrei, »wenn einmal ein derbes Wort gegen die Juden laut« werde. Seiner Meinung nach beuteten die liberalen Parteien die damaligen Krawalle gegen Juden in Pommern »gewissenlos« aus; und als Pommer wies er darauf hin, »dass in mehr als einem Städtchen der Unfug erst dadurch entstand, dass so viel Lärm von der Sache gemacht wurde«. Unerwähnt ließ Mehring, dass Christen in Neustettin die Synagoge niedergebrannt hatten, stattdessen feierte er Treitschkes fortwährende antisemitische Agitation als »sittlich-soziale Luftreinigung«.

Nicht allen, aber den meisten Protagonisten der Gegenseite bescheinigte er »jammervollen Gesinnungsterrorismus«, Treitschke hingegen dankenswerten Erfolg: »Denn wer will es leugnen, dass eine lange Reihe jüdischer Unarten und Unsitten heute in unserem nationalen Leben nicht mehr entfernt so stark um sich wuchert wie noch vor zwei Jahren?« Mehring fürchtete am Antisemitismus durchaus die »Entfesselung der Bestie«, weil in die Judenfrage die drei mächtigsten Triebfedern menschlichen Hasses hineinspielten: der Religions-, der Rassen- und der Klassengegensatz. Um dieser Gefahr zu begegnen, müsse eben »mit äußerster, schärfster Bestimmtheit« darüber gesprochen werden, wie welche jüdischen Übel bekämpft werden sollten.[192]

Der SPD trat Mehring 1891 bei und stieg schnell zu einem ihrer wichtigsten intellektuellen Repräsentanten auf. Als Chefredakteur der Neuen Zeit und der Leipziger Volkszeitung und als zeitweiliger Leiter der Parteischule gewann er erheblichen Einfluss. Später stimmte er gegen die Kriegskredite und schloss sich dem Kreis um

Rosa Luxemburg und Karl Liebknecht an. In den Monaten vor seinem Tod 1919 betrieb Mehring die Gründung der KPD. Seine in der Verteidigungsschrift für Treitschke vertretene Meinung, dass ein dringlich zu erörterndes jüdisches Problem bestehe, behielt er als leitender SPD-Funktionär bei. Er änderte nur die Stoßrichtung, agitierte gegen die wenigen verbliebenen liberalen Politiker, die er kurzerhand zu »Philosemiten« stempelte. Vordergründig stritt er nicht gegen die Juden, sondern gegen die Judenfreunde. Doch wählten Juden vorwiegend den Freisinn, und Mehring meinte diesen, wenn er schrieb: »Anti- und Philosemitismus stehen sich so trutzig gegenüber und gehören so unlöslich zusammen wie Pol und Gegenpol des Kapitalismus.«

Der so charakterisierte und zur handelnden Person erhobene »Philosemitismus« rede nach Mehring doppelzüngig und »verschlagen«, behaupte, »die Juden zu schützen, indem er den Kapitalismus durch dick und dünn verteidigt«, und stehe mit den »Antisemiten in derselben Schlachtordnung gegen die klassenbewussten Arbeiter«. Antijüdische Unruhen verharmloste Mehring, ähnlich wie er das 1882 getan hatte: »Über die Brutalitäten, welche der Antisemitismus mehr in Worten als in Taten gegen die Juden begeht, darf man die Brutalitäten nicht übersehen, welche der Philosemitismus, mehr in Taten als in Worten, gegen jeden begeht, der, sei er nun Jude oder Türke, Christ oder Heide, dem Sozialismus« zustrebe. Wortreich und ausgeklügelt verfocht Mehring die Lehre vom jüdischen Wesen, das hinter allerlei ideologischen Masken die »Religion des praktischen Egoismus« pflege: »Das wirkliche weltliche und darum auch religiöse Judentum wird fortwährend von dem heutigen bürgerlichen Leben erzeugt und erhält im Geldsystem seine letzte Ausbildung.« Den Antisemiten hielt Mehring zugute, dass sie in den philosemitischen Freunden weltweiter Wirtschaftsfreiheit den ausbeuterischen Kapitalismus am Werk sähen, der ihnen »seit Jahrzehnten die Haut über die Ohren gezogen« habe und versuche, das fernerhin zu tun. Unter Hinweis auf Marx kündigte Mehring immer wieder »die Emanzipation der Gesellschaft vom Judentum« an, sobald die geschichtliche Voraussetzung des Judentums, der Schacher, dank der sozialen Revolution »aufgehoben« sei.[193] Die NSDAP verkehrte diesen Satz 1933 in ihrer Weise: Sobald die nationalsoziale Revolution das Judentum beseitigt hat, sind der Schacher überwunden und das Reich der Gerechtigkeit nahe.

In seiner Einleitung zu Marx' Schrift »Über die Judenfrage« ging Mehring 1902 einen Schritt weiter. Er sprach vom »Judentum als Klasse«, das infolge der modernen Wirtschaft »viel zu sehr an Macht« gewonnen habe, »um nicht aus eigener Kraft an den Schranken zu rütteln, die seine tatsächliche Herrschaft noch einengten«. Er unterstellte dem Judentum, dass es sich lediglich demokratisch geriere, jedoch in Wahrheit dazu neige, »Demokratie und Liberalismus sofort zu verraten, wenn sie seiner eigenen Herrschaft hinderlich werden sollten«. Die Juden würden nämlich dann »zu fauchenden Reaktionären« werden, sobald »die Konsequenz eines bürgerlichen Rechts irgendein spezifisch jüdisches Interesse verletzt«.[194]

Über verdeckten und offenen Antisemitismus in den Reihen der deutschen Sozialdemokratie ließe sich noch einiges mehr sagen. Zweifellos enthielt das populäre Witzblatt Der wahre Jakob, das die SPD während der Verbotszeit gegründet hatte, Karikaturen von Kapitalisten mit als typisch geltenden jüdischen Physiognomien. Doch steht solchen Erscheinungen und den Mehring'schen Obsessionen das hohe Verantwortungsbewusstsein Tausender sozialdemokratischer Funktionäre, Redner und Redakteure entgegen, die antijüdische Umtriebe bekämpften und ihre tägliche antikapitalistische Agitation nur selten mit antijüdischen Ressentiments würzten.

Wichtiger erscheint mir, dass die SPD-Führer in der politischen Frage des Antisemitismus zu Gefangenen ihrer eigenen Theorielastigkeit wurden. Sie bewerteten die besondere Rolle von Juden in Handel und Wandel als Erscheinung der bürgerlich-kapitalistischen Ordnung, die mit der sozialen Revolution ohnehin überwunden werde. Soziologisch verorteten sie den Antisemitismus als »ein Stück Klassenkampf (...), ein Produkt des Verzweiflungskampfes niedergehender Volksschichten«[195], kurz: als Mittelschichtenphänomen, das die Arbeiterpartei kaum berühre. Dem fügten die Vordenker der SPD die Annahme hinzu, die herrschende Klasse stachle den Judenhass an, um die Arbeitermassen vom eigentlichen Kampfesziel abzulenken und zu spalten. Jenseits solcher Theorien behandelten fast alle führenden Sozialdemokraten die Judenfrage konsequent als religiöse und insofern private Angelegenheit. Schon deshalb konnte sie nicht Teil programmatischer Erklärungen werden. Anders verhielt es sich mit dem Zionismus, den die deutsche Sozialdemokratie zur nationalistischen Fehlentwicklung erklärte.[196]

Die historische Verbindungslinie zwischen sozialdemokratischer Massenmobilisierung in der Kaiserzeit und späteren Erfolgen der NSDAP ergibt sich nicht aus dem Antisemitismus einiger Funktionäre und eines Teils der Anhängerschaft. Das Problem liegt anders. Gewiss ungewollt und in historisch tragischer Verkettung förderten die überaus starke deutsche Sozialdemokratie und Gewerkschaftsbewegung, später auch die 1919 gegründete Kommunistische Partei indirekt die innere Bereitschaft von Millionen deutschen Arbeitern, die Partei Hitlers zu wählen, sich ihr gegenüber abwartend interessiert oder neutral zu verhalten. Ich sehe dafür sechs Gründe:

1. Zwar engagierten sich die meisten deutschen Sozialdemokraten nicht unmittelbar antisemitisch, doch förderten die Zwischentöne ihrer antikapitalistischen Programmatik das Gefühl, dass die Juden als besonders agiler Teil der bürgerlichen Klasse (erstens) stark genug seien, sich selber gegen Angriffe zu wehren, und (zweitens) einen mehr oder weniger kräftigen Dämpfer seitens der »kleinbürgerlichen« Antisemiten durchaus vertragen könnten, weil sie ganz überwiegend Agenten des Kapitalismus seien.

2. Mit ihren Parteien oder Massenorganisationen verfolgte die Linke einen zentralen, angesichts des damaligen Arbeiterelends respektablen Programmpunkt: den geistigen und materiellen Aufstieg ihrer Anhänger. Daran arbeiteten SPD und Gewerkschaften mit beachtlichen und achtenswerten Ergebnissen. In der historischen Rückschau wird deutlich, dass deutsche Proletarier, die sich auf den Weg des sozialen Aufstieges gemacht hatten, wenn nicht sofort, so doch in der Generation ihrer Kinder zu Anhängern der NSDAP werden konnten – einer Partei der Aufsteiger.

3. Sozialdemokraten und Gewerkschafter begründeten die Umverteilung von Reichtum der Bemittelten zugunsten der Unbemittelten glückstheoretisch nach dem Doppelprinzip: Ich kann mich nicht freuen, wenn andere nichts haben – ich kann mich nicht freuen, wenn andere mehr haben. So respektabel auch dieser Programmpunkt eingedenk des damals obwaltenden Massenelends war, er stachelte zum Neid auf und machte ihn zum Bestandteil eines politischen Programms. Folglich förderten Sozialdemokraten einen Faktor, der, wie im Vorangegangenen gezeigt, das Entstehen der modernen Judenfeindschaft und des organisierten Antisemitismus in Deutschland angeheizt hatte und immer wieder aufs Neue befeuerte.

4. Sozialisten verstanden sich als antibürgerliche Kraft. Sie pflegten die grundsätzliche Gegnerschaft zum Liberalismus. Wenn überhaupt, akzeptierten sie den wilhelminischen Staat wegen seiner protektionistischen Politik. Sozialisten verherrlichten die Stärke der Massen (»Alle Räder stehen still …«) und lehrten, dass nur die Masse im Sinne gleichgerichteter, gut durchorganisierter Individuen genügend Stoßkraft gewinnen werde, um die Macht zu erobern. Der starke proletarische Staat sollte dem Volkswohl dienen. Weil sozialistische Parteien vorrangig für Gleichheit und für soziale Gerechtigkeit eintraten, relativierten sie notwendigerweise die Werte der individuellen Freiheit. Mit den kollektivistischen Begriffen Klasse, Klassenkampf, Klassenhass und Klassenfeind gewöhnten Sozialisten ihre Anhänger an ein politisches

Denken und Handeln, das die Eindeutigkeit der Freund-Feind-Optik bevorzugte.

5. Ersetzte man die Vorstellung vom entrechteten Proletariat durch die Vorstellung vom entrechteten und bedrohten deutschen Volk, wie sie nach 1918 Gemeingut wurde, dann war der Weg zur nationalsozialistischen Utopie nicht weit. Sozialistische und nazistische Zukunftsentwürfe glichen sich in zwei Punkten: Erstens stellten sie die Verhältnisse der Gegenwart als derart schlecht dar, dass sie an der Wurzel bekämpft, revolutionär überwunden und durch eine endgültige und gerechte Ordnung ersetzt werden müssten; zweitens verkörperten in beiden Weltanschauungen die Angehörigen der eigenen Gruppe das rundweg Gute, die gegnerischen Gruppen das grundsätzlich Schlechte. In diesen Denkgebäuden konnte es keinen stufenweisen Fortschritt, keinen sinnvollen Ausgleich, keinen Kompromiss geben. »Der Erfolg, der nicht Endsieg ist, ist ihm der Sieg des gegnerischen Prinzips, also Verlust«, wie der linke Sozialdemokrat Curt Geyer 1923 angesichts des kommunistischen Radikalismus schrieb, um dann fortzufahren: »Sein Glaube ist der Glaube an eine Schöpfung eines neuen Reiches, und der Schöpfer, an den er glaubt, sind die metaphysisch aufgefassten irrationalen Kräfte der Massen, die mit pathetischen Mitteln, mit materieller Gewalt, den Akt der Geburt herbeiführen werden.«[197] Diese Art politischer Romantik bedurfte des griffigen Feindbildes.

6. Helmuth Plessner hat 1936 darauf hingewiesen, wie offen die von Marx entwickelte Theorie vom sozialen Unterbau und vom kulturellen, rechtlichen und moralischen Überbau für andere Inhalte sein kann, zumal in ihrer vulgärmarxistischen, von der Sozialdemokratie weithin popularisierten Vereinfachung. In diesem Gedankengebäude bildet eine wie auch immer geartete gesellschaftliche Basis (Volk, Schicht, Klasse, Berufsgruppe) den Unterbau. Sie schafft den ihr entsprechenden Überbau, der so lange schief (»ideologisch«) bleiben muss, wie im Unterbau die falsche Menschengruppe (Klasse) das Regiment führt. Die Lösung erfolgt

mit naturhafter Notwendigkeit: Die nach »den materialistischen Gesetzen der Geschichte« dafür bestimmte Klasse erringt die Herrschaft, »destruiert« den falschen Unter- und Überbau und lässt aus den Trümmern der alten Gesellschaft die – ein für alle Mal – richtige, wahrhaft menschliche soziale Ordnung erstehen. Setzte man in den 1920er-Jahren anstelle der geschichtlichen Rückführung auf die Klasse jene auf die Rasse, erhielt der Unterbau plötzlich »ein sehr deutlich biologisches Gesicht«: Er bekam »auf einmal Rasseeigenschaften, die für die besondere Gestaltung des Überbaus verantwortlich gemacht« wurden.[198] Aus dem falschen »bürgerlichen« Überbau wurde der »verjudete« – ein heilbares Übel, sofern die menschheitsgeschichtlich dafür bestimmte Rasse im Gehäuse des Unterbaus walten und entsprechende Maßnahmen ergreifen würde. Das geschieht dann – in den Kategorien des marxistischen Geschichtsdeterminismus gesprochen – mit historischer Notwendigkeit, also außerhalb der Verantwortung eines jeden Einzelnen.

An alle sechs der hier aufgeführten Grundelemente sozialdemokratischer und gewerkschaftlicher (seit 1919 auch kommunistischer) Sichtweisen knüpften in der Weimarer Zeit rechtsnationalistische Bewegungen an, teils mit veränderten Inhalten, teils mit verwandten. Sie konnten das eingeschliffene Freund-Feind-Schema nutzen, die Vorstellung, dass der Einzelne nichts, das Kollektiv alles sei und dass man gemeinsam für ein großes, erlösendes Ziel kämpfe, das einen grundlegenden Umbau der Gesellschaft und neues Denken vorsah. Auf solchen Wegen beförderten fast immer reformerisch gesinnte Sozialisten und verantwortungsvolle Sozialpolitiker der Kaiserzeit Denk- und Politikstile, die in den Weimarer Jahren – neu gemischt, um Kriegserfahrung und nationalistische Ingredienzen ergänzt – gesellschaftliche Sprengkräfte entwickelten. Zugespitzt formuliert: SPD und Gewerkschaften wollten das Gute und trugen auf eine für die Verantwortlichen kaum überschaubare Weise zum Bösen bei.

Das Gesagte gilt im Fall der SPD nicht für ihre Praxis, wohl aber für die Geisteshaltung, die sie ihren Anhängern vermittelte. Während die SPD in den 14 Jahren der Weimarer Republik die staatstragende, pragmatische Mitte repräsentierte, zielte deren linke Abspaltung, die KPD, – ebenso wie die NSDAP – entschlossen darauf, die Demokratie und ihre Institutionen zu zerstören. Hier stehen jedoch die indirekt wirksamen mentalen Faktoren, die politischen Vorprägungen zur Debatte, die es vielen Anhängern aller linken Parteien und Gruppierungen seit 1928 ermöglichten, den nationalen Sozialismus dem internationalistischen vorzuziehen.

Wie solche Übergänge von der Klassen- zur Rassenideologie sich vollziehen könnten, sahen die sozialdemokratischen Führer früh, interpretierten sie allerdings falsch. Seit den 1880er-Jahren verniedlichten sie die Anhänger der antisemitisch-nationalistisch-sozialen Bewegungen als irregeleitete Schäfchen, die über kurz oder lang zur guten gemeinsamen Sache zurücktrotten würden. Das geflügelte Wort »Der Antisemitismus ist der Sozialismus der dummen Kerle« weist darauf hin. Die Spuren des Urhebers verlieren sich im Dunkeln; fest steht, dass die Formel im SPD-Vorstand immer wieder gebraucht wurde. Dort unterschied man zwischen dem antisemitischen »Gelehrtenpöbel« und dem gelegentlich antisemitisch infiltrierten kleinen Mann. Letzterer zeige mit seinen Ressentiments »doch einen hohen Grad sozialer Unzufriedenheit, der«, gemäß 1880 in Kraft gesetzter sozialdemokratischer Lehrmeinung, »heute zwar in die falschen Bahnen gelenkt ist, aber den ganzen Antisemitenschwindel überdauern und schließlich uns zugutekommen wird«. Ebenso deuteten Sozialdemokraten die russischen Pogrome von 1881. »Einmal entfesselt« werde die Unzufriedenheit des Volkes »nicht bei den Juden stehen bleiben«, sondern im Aufruhr gegen den Zaren enden.

In seiner Rede »Sozialdemokratie und Antisemitismus« im November 1893 folgte August Bebel demselben Gedanken. Vorausgegangen waren die Reichstagswahlen im Juni, bei denen die antisemitischen Parteien – unter den Bedingungen des Mehrheitswahlrechts – überraschend 16 von 397 Wahlkreisen erobert hatten. Eben weil die unappetitliche Hetze soziale Not anspreche, so führte Bebel aus, letztlich aber keine Lösung biete, würden die sozialdemokratischen Lehren am Ende bei den Antisemiten auf »fruchtbaren Boden« fallen, werde die SPD dann die Ernte einfahren und neuen Anhang gewinnen. Marxisten nannten das »die List der Geschichte«, folglich fand Wilhelm Liebknecht den Antisemitismus »keineswegs unwillkommen«.

Nach Bebels Rede 1893 verabschiedete der Parteitag ohne Diskussion eine Resolution. Demgemäß richteten die Antisemiten ihren Kampf gegen eine Teilerscheinung des Kapitalismus, nämlich »das jüdische Ausbeutertum«, und sie würden »zu der Erkenntnis kommen müssen, dass nicht bloß der jüdische Kapitalist, sondern die Kapitalistenklasse überhaupt ihr Feind« sei. Im Vorwärts konnten die SPD-Leute lesen: »So kulturwidrig (der Antisemitismus) ist, so ist er doch Kulturträger wider Willen – im wahrsten Sinn des Wortes Kulturdünger für die Sozialdemokratie.« Im Theorieorgan der SPD meinte Franz Mehring 1893, die ökonomisch depravierten Kleinbürger würden »in der antisemitischen Schule einen sehr lehrreichen Vorkurs zur Sozialdemokratie« durchlaufen, und schon bald würden »Antisemitismus und Sozialismus« gemeinsam gegen die »gehäuften Sünden« des bürgerlichen Liberalismus Front machen. Zwischen den Zeilen riet Mehring in diesem Artikel dazu, in einer anstehenden Stichwahl den antisemitischen Kandidaten Paul Förster (»ein geistig befähigter und persönlich ehrenwerter Mann«) gegen den freisinnigen Konkurrenten zu unterstützen. Er fragte rhetorisch: »Aber darf (die SPD) den brutal-nackten Kapitalismus, dessen politische Organisation der heutige Freisinn ist, gegen den Antisemitismus unterstützen, der in seiner Art auch eine soziale Revolution darstellt?«

Ende 1893 analysierte der österreichische Sozialist Heinrich Braun die antijüdischen Gruppierungen in Deutschland. Auch er bemäntelte den Antisemitismus als politische Strömung, mit der

»eine radikale antikapitalistische Tendenz immer klarer und bewusster nach Geltung ringt«. Als Kronzeugen zitierte er den konservativen Reichskanzler Leo von Caprivi, der die Antisemiten 1893 »mit Fug und Recht eine Vorfrucht der Sozialdemokratie genannt« habe. Braun ging so weit, die Antisemiten als politische Erwecker im ideellen Dienste der Sozialdemokratie anzusehen, um die »für die sozialdemokratische Propaganda noch nicht herangereiften Bevölkerungsschichten zu erfassen und aus ihrer Lethargie aufzurütteln«. Braun fuhr fort: »Die sozialpolitische Arbeit, die der Antisemitismus heute leistet, indem er den jahrhundertealten Stumpfsinn der Bauern überwindet und diese trägste Schicht der Bevölkerung in eine leidenschaftliche Bewegung versetzt, seine Propaganda bei den kleinen Handwerkern, in den Kreisen der Subalternbeamten und anderen der Sozialdemokratie schwer zugänglichen Schichten, ist unter dem Gesichtspunkt einer revolutionären Gesellschaftsentwicklung von einer nicht leicht zu überschätzenden Tragweite.« Am Ende müsse der Antisemitismus »sehr wahrscheinlich« und »sozusagen nach dem Gesetz der sozialen Gravitation in die größere und mächtigere sozialdemokratische Bewegung münden«.[199] In ihren theoretischen Trugbildern erwartete die SPD die Proletarisierung der antisemitischen Kleinbürger und bemühte sich in ihrer Praxis um das materielle und gesellschaftliche Vorankommen ihrer Anhänger. Die Nachgeborenen wissen es besser als Heinrich Braun: Die Deutschen folgten nicht dem vermeintlichen »Gesetz der sozialen Gravitation«, sondern dem der national-sozialen Gravitation.

Naumanns nationaler Sozialismus

Für die vielen Abwege der Deutschen im 19. und 20. Jahrhundert fällt eine häufig ungenügend bedachte, im Vorangegangenen bereits mehrfach erwähnte Ursache ins Gewicht: die mangelnde Lebenskraft des politischen Liberalismus. Dieser wurde im letzten

Viertel des 19. Jahrhunderts zwischen Konservativen, Christsozialen und Sozialisten derart zerrieben, dass selbst das schöne deutsche Wort für Liberalismus – Freisinn – aus dem nationalen Sprachgebrauch getilgt wurde. Der mit nationalen und sozialen Akzenten propagierte Kollektivismus obsiegte über die Idee der persönlichen Freiheit. Schließlich passten sich viele der unter dem liberalen Fähnlein versammelten Politiker dem Zeitgeist an, entstellten den Freisinn zur Unkenntlichkeit und vollzogen die Wende zur nationalistischen Macht- und Volkswohlpolitik.

Für diesen unheilvollen Prozess steht Friedrich Naumann. Er wurde 1860 als Sohn eines Pfarrers geboren, studierte Theologie, wurde Pfarrer und wechselte 1894 in die Politik. Zunächst war er sozialpolitisch in der Christlich-Sozialen Partei Stoeckers tätig, wandte sich bald von dieser ab, weil ihm der ausgeprägte Antisemitismus verfehlt erschien, und gründete 1897 den National-Sozialen Verein. 1897 verfasste Naumann dessen politisches Manifest »National-Sozialer Katechismus – Erklärung der Grundlinien des National-Sozialen Vereins«. Der Verein fusionierte später mit den Linksliberalen, seit 1912 nannte er sich Fortschrittliche Volkspartei. Von 1906 an war Naumann mit einer kleinen Unterbrechung bis zum Tode 1919 Reichstagsabgeordneter. 1915 erschien sein Buch »Mitteleuropa«, das nach Meyers Lexikon von 1940 »ein wertvolles Kriegsziel aufstellte«, nämlich weitreichende deutsche Annexionen und Einflusssphären für die Zeit nach dem erhofften Siegfrieden.

1918 gehörte Naumann zu den Mitbegründern der Deutschen Demokratischen Partei, die nationale, (längst degenerierte) liberale und soziale Positionen vereinigte, und empfahl das Zusammengehen mit der SPD. Dieses Bündnis kam zustande und bildete mit der katholischen Zentrumspartei die Weimarer Koalition der politischen Mitte. Seit 1958 besteht die Friedrich-Naumann-Stiftung als eine der Freien Demokratischen Partei Deutschlands verbundene, an vielen Orten der Welt tätige Organisation. Da Naumann zu Recht als einer der Väter der Weimarer Demokratie gilt, wird heute über seinen 1897 ausgearbeiteten »National-sozialen Katechismus« nicht mehr gesprochen. In gut protestantisch belehrender Art kommt dieses politische Programm als Abfolge von 268 Fragen und Antworten daher. Weil es so wenig bekannt ist, zitiere ich daraus ausführlich und jeweils ungekürzt die Nummern 1–3, 7, 9, 11, 21–23, 26, 30, 31, 34, 37, 38, 50, 55, 56, 59, 66–68, 104, 105, 119–128, 264, 268:

»*Warum nennt ihr euch nationalsozial?* Weil wir überzeugt sind, dass das Nationale und das Soziale zusammengehören.

Was ist das Nationale? Es ist der Trieb des deutschen Volkes, seinen Einfluss auf der Erdkugel auszudehnen.

Was ist das Soziale? Es ist der Trieb der arbeitenden Menge, ihren Einfluss innerhalb des Volkes auszudehnen.

Ist es wahrscheinlich, dass der Einfluss der arbeitenden Menge steigen wird? Es ist nicht nur wahrscheinlich, sondern sogar gewiss, denn die Zahl und die Bildung der arbeitenden Bevölkerung wachsen unaufhörlich.

Sind also noch große Kriege zu erwarten? Ja, sehr große. England, Russland und China sind die drei großen Mächte, deren Zusammenstoß unvermeidlich ist.

Können wir Deutschen uns nicht in den großen Kämpfen der Zukunft neutral verhalten? Wir können es, wenn wir wollen, dass unser Volk untergeht.

Warum ist ein internationaler Sozialismus aussichtslos? Weil die Kulturstufe der verschiedenen Völker sehr verschieden und der Fortschritt eines Volkes vom Rückgang eines anderen abhängig ist.

Kann man den Einfluss aller Kulturvölker nicht gemeinsam ausdehnen? Nein, denn dazu ist der Absatzmarkt für diese Völker nicht groß genug. Dieser Markt wächst langsamer als das Streben nach Ausdehnung in den Kulturvölkern. Der Kampf um den Weltmarkt ist ein Kampf ums Dasein.

Ist es nicht richtiger, den Markt im eigenen Volke auszudehnen? Dieses soll so viel als möglich geschehen, aber es wird an der Tatsache nichts ändern, dass wir immer mehr Getreide, Petroleum, Baumwolle und andere Lebensbedürfnisse vom Ausland beziehen müssen, wenn wir leben wollen.

Was ist der Staat? Der Staat ist das Volksleben selbst, soweit es in Gesetzgebung und Verwaltung zutage tritt. Er ist nicht eine Einrichtung der herrschenden Klasse, obwohl er von dieser missbraucht wird.

Lässt sich die wirtschaftliche Abhängigkeit der Volksmenge nicht vermindern? Ja, dieses ist das Ziel der sozialen Reform. Der Erfolg der Reform hängt vom Gedeihen des Volkskörpers im Ganzen ab.

Inwiefern hängt die soziale Reform vom Gedeihen des ganzen Volkskörpers ab? Weil in einem sinkenden Volk keine neuen wirtschaftlichen Schichten sich emporarbeiten können, wie man in Spanien und Italien sieht.

Hat also die Sozialreform in Deutschland gute Aussichten? Ja, sobald sie in Zusammenhang mit der Machterweiterung des deutschen Volkes betrieben wird.

Aus welchem Grund muss also die arbeitende Menge national sein? Aus Selbsterhaltungstrieb.

Was für eine Politik ist demnach zu fordern? Eine Politik der Macht nach außen und der Reform nach innen.

Was ist also die Aufgabe einer festen und stetigen auswärtigen Politik? Die Ausdehnung deutscher Wirtschaftskraft und deutschen Geistes.

Welcher Art können solche Grundsätze (vaterländischer Politik) sein? Es muss festgestellt werden, ob wir uns für einen großen Kampf gegen die erste Seehandelsmacht der Erde, d. h. gegen England, vorzubereiten haben, wenn wir unseren wirtschaftlichen Einfluss ausdehnen wollen, und ob bei der Gegnerschaft gegen England nicht der alte Gegensatz gegen Frankreich geringer werden und die politische Freundschaft mit Russland nötig sein wird.

Welche Folgen müsste ein solcher Plan der äußeren Politik haben? Er müsste dazu veranlassen, die Kampfmittel daraufhin anzusehen, wie sie sich zur Durchführung eines Streites mit England eignen.

Was fordert ihr hinsichtlich der Flotte? Angemessene Vermehrung der deutschen Kriegsflotte.

Genügen die bisherigen deutschen Kolonien euren Anforderungen? Nein, aber sie sind besser als gar keine Kolonien und müssen deshalb festgehalten werden.

Was für Kolonien sind zu erstreben? Kolonien in gemäßigtem Klima, wo deutsche Ansiedlungen möglich sind.

Bei welchen Gelegenheiten können solche Kolonien gewonnen werden? Bei Friedensschlüssen nach glücklichen Seekriegen.

Welches ist der Hauptgegensatz in städtischen Vertretungen? Der Gegensatz von Grundstücksbesitzern und Mietern.

Auf wessen Seite werdet ihr stehen? Auf Seite der Mieter.

Besteht eine Judenfrage? Ja.

Worin besteht sie? Darin, dass die Israeliten ein anderer Stamm sind als die Deutschen.

Befinden sich in Deutschland noch andere nichtdeutsche Stämme? Die Wenden, Litauer, Polen, Dänen, Franzosen.

Lässt sich ein Staat herstellen, der nur germanische Staatsbürger hat? Das ist völlig unmöglich.

Lässt sich erreichen, dass die Israeliten allein die Staatsbürgerrechte verlieren? Es lässt sich nicht erreichen, aber selbst wenn es erreichbar wäre, würde es ein Unglück sein.

Inwiefern würde es ein Unglück sein? Die geeinigte Kraft des Judentums würde dann staatsfeindlich werden. Es gibt nichts Unklügeres, als eine einflussreiche Minorität in die Staatsfeindschaft zu treiben, ohne sie entkräften zu können.

Ist aber nicht der Gegensatz zwischen Deutschen und Israeliten durch ihre Verschiedenheit begreiflich? Er ist begreiflich und wird als gesellschaftlicher Gegensatz nur insoweit überwunden werden, als die Israeliten deutsche und christliche Denkweise annehmen. Der gesellschaftliche Gegensatz hat aber nichts mit Politik zu tun. Er gehört zu den Privatangelegenheiten der einzelnen Staatsbürger.

Inwieweit ist die soziale Frage eine Judenfrage? Sie ist es nur in einzelnen Gegenden und Berufszweigen und wird in diesen nicht durch politischen Antisemitismus, sondern durch wirtschaftliche Maßregeln der Lösung näher geführt.

Wird sich nicht eine Schließung der Ostgrenze gegen nichtdeutsche Elemente überhaupt empfehlen? Wenn es möglich ist, den Wandertrieb von Osten nach Westen durch staatliche Mittel einzuschränken, so werden wir ohne Zweifel zustimmen.

Was für ein Geist soll im deutschen Reiche walten? Ein gerechter, freier, deutscher, christlicher Geist.

Wollt ihr auch Israeliten zur Mitarbeit heranziehen? Wir wollen es tun, sobald sie nationalsozial denken und dem Christentum nicht feindlich gegenüberstehen.

Was ist also euer Grundbekenntnis? Nationaler Sozialismus auf christlicher Grundlage.«[200]

Als angeblich Linksliberaler predigte Friedrich Naumann ein imperiales, nationales und soziales Programm. Mit seinem »National-sozialen Katechismus« tilgte er 1897 die letzen noch sichtbaren Schemen individuellen Freiheitsdenkens aus dem Programm deutscher Liberaler. Stattdessen redete er staatlich-militärischer Handlungsfreiheit, kolonialpolitischen Abenteuern und sozialstaatlichen Wohltaten das Wort. Zu Beginn des Krieges, 1915, konkretisierte Naumann mit seinem vielgelesenen Buch »Mitteleuropa« die von ihm seit 20 Jahren verfochtene Grundlinie. Darin verlieh er den blutigen Massenschlachten sozialen und imperialen Zukunftssinn. Der Autor sah im kaiserlichen Kriegssozialismus die kommende Staats- und Gesellschaftsform, in der »Staatsorgane, Unternehmersyndikate und Arbeitergewerkschaften nur Organe eines gemeinsamen Lebewesens sind«.

Naumann vergoldete den Krieg zum »Schöpfer einer mitteleuropäischen Seele«. Hatte er im »National-sozialen Katechismus« hauptsächlich gegen Großbritannien Front gemacht, verwarf er im Ersten Weltkrieg jeglichen Versuch zum friedlichen Nebeneinander mit Russland, England oder Frankreich und forderte die Unterwerfung wirtschaftlicher Ergänzungsräume in Ost- und Südosteuropa: »Solange uns also die Sonne noch leuchtet, müssen wir den Gedanken haben, in die Reihe der Weltwirtschaftsmächte erster Klasse einzutreten. Dazu gehört die Angliederung der anderen mitteleuropäischen Staaten und Nationen.« Mit hartem, namentlich wirtschaftlichem Zwang sollten diese zwischen Ostsee und Schwarzem Meer dem neuen Großraum einverleibt und zu dessen wohlfunktionierenden Gliedern geformt werden.

Besondere Bedeutung maß Naumann den tüchtigen, gewerkschaftlich gebildeten und disziplinierten deutschen Arbeitern bei: »Diese Arbeiterschaft, zusammengebunden mit unseren geschulten Unternehmern, mit unseren Syndikatsleitern, mit unseren Geheimräten und Offizieren, ergibt nicht die anmutigste und amüsanteste Gesellschaft, die es geben kann, aber die wirksamste, sicherste, ausdauerndste menschliche Maschinerie. Diese lebendige Volksmaschine geht ihren Gang, ob der Einzelmensch lebt oder stirbt, sie ist unpersönlich oder überpersönlich, hat ihre Reibungen und Störungen, ist aber als Ganzes etwas, was gerade vorher nie vorhanden sein konnte, unser geschichtlich gewordener Charakter.« So wuchs, wie der Autor freudig beobachtete, im Krieg »von allen Seiten der Staats- und Nationalsozialismus«.[201]

Dreizehn Jahre später, 1928, schrieb Hitler sein »Zweites Buch«, das damals aus taktischer Vorsicht unveröffentlicht blieb. Es handelt von der Außenpolitik und von einem künftigen, unter deutscher Vorherrschaft umzugestaltenden Europa. Zentrale Gedanken hatte sich Hitler bei Naumann abgeschaut und einige Exkurse zum Rassengedanken, zur Zukunft des Automobilbaus und der neuentstehenden Großmacht USA hinzugefügt.[202]

Friedrich Naumann rückte die deutschen Liberalen zum einen nach rechts, indem er sie zu Vorkämpfern des Imperialismus machte, gleichzeitig aber rückte er sie nach links: Er warb dafür, die Ideen der persönlichen und wirtschaftlichen Freiheit zugunsten des nationalsozialen Kollektivismus zu relativieren. Naumann kann nicht als Vordenker von Hitlers Antisemitismus gelten; aber er vermengte soziale, imperiale und nationale Gedanken zu einer geschlossenen Geistesströmung, die sich am Ende mit dem Gedankengut der NSDAP vermischen konnte.

Die von Naumann 1919 mitgegründete Deutsche Demokratische Partei gab sich 1930 den Namen Deutsche Staatspartei, nachdem sie mit der antisemitischen Volksnationalen Reichsvereinigung zusammengegangen war. Nach den Märzwahlen 1933 verfügte sie noch über fünf Reichstagsabgeordnete, darunter Theodor Heuss und Ernst Lemmer. Alle fünf stimmten am 24. März für das Ermächtigungsgesetz, das der neuernannte Reichskanzler Hitler eingebracht hatte. Für die Staatspartei erklärte der spätere baden-württembergische Ministerpräsident Reinhold Maier im Plenum, warum er und seine Fraktionsgenossen, trotz einiger Bedenken, mit Ja votieren würden: »Wir fühlen uns in den großen nationalen Zielen durchaus mit der Auffassung verbunden, wie sie heute vom Herrn Reichskanzler hier vorgetragen wurde.«[203]

Krieg, Niedergang und Judenhass

1916: Das Menetekel der Judenzählung

Als Reaktion auf den wachsenden Antisemitismus konstituierte sich 1893 der Central-Verein deutscher Staatsbürger jüdischen Glaubens (C.V.) mit dem Zweck, selbige Staatsbürger »in der tatkräftigen Wahrung ihrer staatsbürgerlichen und gesellschaftlichen Gleichstellung sowie in der unbeirrbaren Pflege deutscher Gesinnung zu bestärken«. Das schloss deutschnationalen Patriotismus ein und zionistische Ideen aus. Letztere hatten um die Jahrhundertwende organisierte Formen angenommen, fanden jedoch im deutsch-jüdischen Bürgertum kein nennenswertes Echo. Soweit sich junge Leute dafür begeisterten, bekämpfte der Central-Verein die nationaljüdischen Tendenzen. Zum Beispiel erwirkte der Vorsitzende der Königsberger Stadtverordnetenversammlung, Max Arendt, den Beschluss, dass dem zionistisch gesinnten Turnverein Makkabi keine städtische Turnhalle zur Verfügung gestellt werde. Hannah Arendts Großvater bezichtigte die Makkabi-Jugend deutschfeindlicher Umtriebe. Der Bonner Geograph Alfred Philippson trat dem Projekt der jungzionistischen Heißsporne, den Judenstaat auf dem historischen Boden Palästinas wiederzuerrichten, mit fachkundiger Kühle entgegen: »Wo es Wasser gibt, sterben die Menschen an Malaria; und wo es kein Wasser gibt, verhungern sie, weil nichts wächst.«

Einige Honoratioren wiesen die jungen Leute nicht ohne hintergründige Sympathie zurecht, zum Beispiel Ludwig Holländer,

Syndikus des Central-Vereins: »Die deutschen Juden sind Stiefkinder, und Stiefkinder müssen sich artig benehmen.«[204] Die unternehmungslustigen jüdischen Jungnationalisten interessierte solches Altherrengeschwätz herzlich wenig. Wer so leisetreterisch redete, verkannte aus ihrer Sicht die Gefahr, verstieß gegen die eigenen Volksinteressen und ließ wertvolle Zeit verstreichen. Von einem schwärmerischen Sozialismus und der deutschen Turn- und Jugendbewegung inspiriert, von der nationaljüdischen Utopie beseelt, arbeiteten sie daran, die »jüdische Volkskultur« wiederzubeleben. Jedem einzelnen Assimilierten warfen sie lautstark vor: »(Er) zerschneidet das Band, das ihn mit seinen Vorfahren verbindet. Er entzieht sich einer eminent jüdischen Verpflichtung, der Verpflichtung des Blutes.«[205]

In ihrer übergroßen Mehrheit standen die deutschen Juden jedoch zu Kaiser und Reich, manche ihrer Dichter besangen das Großmachtstreben. So verfasste Berthold Auerbach in den Anfangstagen des Krieges gegen Frankreich 1870 das deutsch-innigliche, eisern auf Annexion gerichtete Lied »Im Elsass über dem Rheine, da wohnt ein Bruder mein«; später verherrlichte Robert Lindner Deutschlands Seegeltung in dem populären Flottenlied »Stolz weht die Flagge schwarz-weiß-rot« (»In Afrika, in Kamerun, / Der wilde Feind sich zeigt, / Der deutsche Seemann mutig ficht …«); im Ersten Weltkrieg reimte Ernst Lissauer den Hassgesang gegen England: »Wir haben nur einen einzigen Hass, wir lieben vereint, wir hassen vereint, wir haben nur einen einzigen Feind.« Kaiser Wilhelm II. verlieh ihm dafür den Roten Adlerorden. Aus Lissauers Englandlied entnahmen deutsche Soldaten ein spezielles Frontritual. Kreuzten sich ihre Wege, grüßte der eine: »Gott strafe England«, der andere erwiderte dumpf: »Er strafe es.«

Der Arzt Magnus Hirschfeld beschwor 1915 die deutsche Ordnung, Kampfentschlossenheit und »den Prachtbau des neuen deutschen Reiches«. Der 20-jährige Nachum Goldmann, der 1936 den Jüdischen Weltkongress gründen sollte, verteidigte Deutschland und seinen »Geist des Militarismus« als Träger »der modernen Zivilisation«. Paul Nathan feierte im Herbst 1914 die 70 Millionen Deutschen »jeder Parteirichtung«, die »Protestanten, Katholiken, Juden«, die gemeinsam das Ziel verfolgten, »dass der uns aufgedrängte Kampf geführt werde, um Deutschland vor politischer und wirtschaftlicher Vernichtung zu bewahren«. Zuhauf steckten Juden ihr Geld in Kriegsanleihen, als Soldaten standen sie ihren Mann. 1918 gab der Straßburger Oberrabbiner, ein gebürtiger Altelsässer, sein Amt auf, um beim Einzug der französischen Truppen keinen Gruß entbieten zu müssen.[206]

Die Hoffnung so vieler deutscher Juden, der Krieg werde sie endgültig zu vollwertigen Mitgliedern der deutschen Gesellschaft machen, blieb unerfüllt. Im Sommer des Jahres 1916 beförderte Matthias Erzberger als Reichstagsabgeordneter des katholischen Zentrums – unterstützt von Nationalliberalen und selbst von einigen Sozialdemokraten – die parlamentarische Anfrage: »Wie viele Personen jüdischen Stammes stehen an der Front? Wie viele in den Etappen? Wie viele in Garnisonsverwaltungen, Intendanturen usw.? Wie viele Juden sind reklamiert bzw. als unabkömmlich bezeichnet worden?«

Den Anlass für diese merkwürdige statistische Erhebung bildeten zumeist anonyme Denunziationen. Die Oberste Heeresleitung, die damals in die Hände von General Erich Ludendorff überging, reagierte darauf positiv. In der einmal geschaffenen Atmosphäre der üblen Nachrede und des Verdachts veranlasste der preußische Kriegsminister zum Stichtag 1. November 1916 eine Erhebung über die Einsatzfreudigkeit jüdischer Soldaten im Heer. Gefragt wurde nach den Gefallenen- und Verwundetenzahlen, ebenso nach der Verwendung der Soldaten: Front oder Etappe? Das demütigte die deutschen Juden in ihrer Gesamtheit auf unerwartete Weise. Der Central-Verein sprach von »Anordnungen, von denen wir nicht geglaubt hätten, dass sie in diesem heiligen Kampfe ergehen könnten«. Tatsächlich stellte die jüdische Minderheit im Verhältnis zu ihrem Anteil an der Gesamtbevölkerung ebenso viele Soldaten wie die christliche Mehrheit. Auch der jeweilige Anteil der Gefallenen unterschied sich kaum. Auf Drängen des Central-Vereins wurden die Ergebnisse der Zählung nicht bekanntgegeben. An der gezielten Diskreditierung änderte das nichts mehr.

Die Wirklichkeit wird differenzierter gewesen sein. Juden sahen den Kriegsdienst einerseits als Ehrenschuld gegenüber dem Vaterland an, die sie in besonderer Weise zu erbringen hatten, und andererseits als Anzahlung auf eine bessere Zukunft. Neben solchen aus dem Antisemitismus herrührenden Motiven zum soldatischen Extraeifer enthält die vergleichende Statistik Verzerrungen, die das tatsächliche patriotische Engagement der jüdischen Soldaten eher verdecken als erhellen. Weil die Juden auch hinsichtlich des Geburtenrückgangs in verstädterten Gesellschaften vorangeschritten und zudem viele der Jüngeren zum Christentum übertraten, waren sie gemessen an ihren christlichen Landsleuten im Durchschnitt älter, konnten also weniger junge Männer stellen. Außerdem hatten sie vor dem Krieg nicht Offiziere werden können, waren jedoch überdurchschnittlich gut gebildet. Entsprechend häufiger stellten sie Ärzte, Zahlmeister, Magazinverwalter, Dolmetscher und Organisatoren des Nachschubs. Juden, die vor dem Krieg ihren Militärdienst geleistet hatten, waren sehr viel seltener befördert worden als ihre christlichen Kameraden: Von den Rekruten mit höherer als Volksschulbildung waren 2,9 Prozent der Protestanten und 2,1 Prozent der Katholiken gemeine Soldaten geblieben, jedoch 45,8 Prozent der Juden.[207] Nimmt man diese Besonderheiten zusammen, dann werden relativ viele Juden in der Etappe Dienst getan, aber auch relativ viele als einfache Schützen in den vordersten Linien gekämpft haben, weil sie seltener befördert wurden und eifriger als andere Mut und Vaterlandsliebe unter Beweis stellen wollten.

Der Schriftsteller Jakob Wassermann schilderte 1921, wie er die christlichen Vorgesetzten während seiner Rekrutenzeit erlebt hatte. »Obwohl ich meine Ehre und ganze Kraft darein setzte, als Soldat meine Pflicht zu tun und das geforderte Maß der Leistung zu erfüllen, gelang es mir nicht, die Anerkennung meiner Vorgesetzten zu erringen.« Wassermann spürte die verächtliche Haltung der Offiziere und deren »unverhehlte Tendenz, die befriedigende Leistung selbstverständlich zu finden, die unbefriedigende an den Pranger zu stellen«. »Von gesellschaftlicher Annäherung konnte nicht die Rede sein, menschliche Qualität wurde nicht einmal erwogen, Geist oder auch nur jede originelle Form der Äußerung erweckte sofort Argwohn, Beförderung über eine zugestandene Grenze hinaus kam nicht in Frage, alles, weil die bürgerliche Legitimation unter der Rubrik Glaubensbekenntnis die Bezeichnung Jude trug.«[208]

Ein solcher Vorgesetzter war gewiss mein Großvater gewesen, der Altphilologe und Reserveleutnant Wolfgang Aly (1881–1962). Seine auf die eigenen Kriegsbriefe gestützten Erinnerungen über den Ersten Weltkrieg geben einen Eindruck davon, wie und auf wessen Gerede hin die Judenzählung veranlasst wurde. Über seinen im Sommer 1916 vorgesetzten Hauptmann schreibt Aly: »Er soff und war dann unberechenbar. Er war ein Schlemmer und verlangte an der Front Genüsse, die ich kaum dem Namen nach kannte. Und er war in der Hand von Juden. Der Gefreite Kohn (Mannheimer Bankier) regierte den Stab. Er sorgte dafür, dass noch mehr Juden untergebracht wurden und kaufte in Deutschland ein. Mit Ingrimm sah ich, welche Mengen von Nahrungsmitteln der hungernden Heimat auf diese Weise entzogen wurden. Dass ich Frau und fünf Kinder zu versorgen hatte, wurde beim Stabe nur verlacht. Jedesmal, wenn Kohn schwer beladen aus der Heimat zurückkam, war ein großes Fest.« Im Herbst 1917 schrieb mein Großvater zu den ersten Streiks der deutschen Munitionsarbeiter: »Für die Gesamtlage ist bezeichnend, dass während dieser ruhigen und erfolgreichen Frontarbeit, zum ersten Mal von einem ›Kampf im Inneren‹, d. h. in der Heimat gesprochen wird, wobei auch die Juden erwähnt werden.«[209]

Auf der Hauptversammlung des Central-Vereins am 4. Februar 1917 bestimmte die Zählung der jüdischen Soldaten die Debatte. Den Bericht gab der stellvertretende Vorsitzende, der demokratische Politiker und – seit 1914 – Ehrenbürger der Stadt Berlin, Geheimrat Oskar Cassel. Er hatte dem mittlerweile neu ernannten preußischen Kriegsminister die Erklärung abgerungen, dass die Zählung nichts Negatives über die vaterländische Zuverlässigkeit der Juden besage. In seiner Stellungnahme versicherte Cassel, »dass wir unsererseits trotz allem frei, als freie deutsche Männer, als glaubenstreue und ihrem Glauben ergebene Juden auch in Zukunft während der ganzen Dauer dieses heiligen Kampfes unsere Pflicht tun werden bis ans Ende. (...) In dieser Gesinnung möge uns dereinst auch im Frieden Freiheit und volle Einigkeit unter allen Deutschen beschieden sein, denn: ›Einigkeit und Recht und Freiheit sind des Glückes Unterpfand. Blüh' im Glanze dieses Glückes, blühe deutsches Vaterland‹ (Stürmischer Beifall).« Drei Resolutionsentwürfe, mit denen die Zählung als tiefe Kränkung verurteilt werden sollte, verwarf die große Mehrheit der Versammelten mit dem Hinweis »nicht mehr nötig«.[210]

Unausgesprochen, aber deutlich drang während der turbulenten Sitzung des Central-Vereins ein Grundton schwerer Enttäuschung durch die Diskussionsbeiträge: Die erhoffte, von manchen schon erreicht geglaubte Anerkennung blieb der unerfüllte Wunsch assimilierter Juden. Auch in anderen kriegführenden Staaten mussten sich Juden mit antisemitischen Affekten herumschlagen, aber »in keinem Lande der Welt war die Hetze gegen die jüdischen Soldaten so aufdringlich wie in Deutschland«.[211] Eine Ausnahme ist allerdings hervorzuheben – Friedrich Naumann. Er feierte 1915 die tapferen Juden und meinte, nach dem Krieg müsse mit aller »gegenseitigen« Verhetzung Schluss sein, schließlich sei die soldatische Integration im Schützengraben »politisch ebenso viel wert als die Taufe«.[212]

Die Zählung erbrachte einen für die Initiatoren niederschmetternden, den Hass weiter aufreizenden Befund: Die in so vieler

Hinsicht geistig beweglicheren Juden erwiesen sich selbst als Soldaten den deutschen Christen zumindest ebenbürtig. Schließlich kam es so, wie Walther Rathenau im Sommer 1916 vorhergesagt hatte: »Je mehr Juden in diesem Kriege fallen, desto nachhaltiger werden ihre Gegner beweisen, dass sie alle hinter der Front gesessen haben, um Kriegswucher zu betreiben.«[213]

Kriegssozialismus, Niederlage, Chaos

Vor 1914 hatte die SPD dem Nationalismus den Gedanken des proletarischen Internationalismus entgegengesetzt. Das geschah nicht ohne Kompromisse. Unausgesprochen verfolgten alle sozialistischen Parteien konkrete, im nationalen Rahmen gedachte Ziele. Die stete Spannung zwischen einer auf grundlegenden sozialen Umbau gerichteten SPD und der reformerischen, kompromissbereiten Gewerkschaftsbewegung entsprach der Tatsache, dass die Masse der organisierten Arbeiter nicht die Revolution erwartete, sondern sozialen Aufstieg und dauerhafte Garantie des einmal erreichten Lebensstandards. Dieses Ziel konnte im 20. Jahrhundert vielfach verwirklicht werden – selten auf dem Weg, den die Revolutionstheoretiker für den richtigen erklärt hatten.

Der oft beschworene sozialistische Internationalismus verpuffte in den ersten Augusttagen 1914. Überall marschierten proletarische und bürgerliche Soldaten begeistert, Seite an Seite, dem jeweiligen nationalen Feind entgegen und führten viereinhalb bitterlange Jahre Krieg. Die Reichsregierung verzichtete 1914 auf die im Mobilmachungsplan vorgesehene Verhaftung sozialdemokratischer Führer, und Wilhelm II. sprach: »Ich kenne keine Parteien mehr, ich kenne nur noch Deutsche.« Zur Beglaubigung ziert den Deutschen Reichstag in Berlin seit 1916 die großflächige Inschrift »Dem deutschen Volke«. Im Gegenzug stimmten die Abgeordneten der SPD fast geschlossen den Kriegskrediten zu. Ihre französischen, belgischen und britischen Klassenbrüder traten in die jeweiligen bürgerlichen Regierungen ein und entfalteten ihre höchst nationalistische Kriegspropaganda gegen die deutschen »Boches« und »Hunnen«. In jedem Land entwickelten Sozialdemokraten »sozialistische« Theorien, warum das jeweils andere Volk im Sinne höherer Wahrheit und Kultur zu bekriegen war.

Allenthalben galt dieselbe Devise: Der proletarische Internationalismus ist tot! Es lebe der nationale Kriegssozialismus. Dieses Denken blieb nach Kriegsende lebendig und prägte nicht allein Deutschland. 1931, im Angesicht des Unheils, beklagte Wilhelm Röpke den ständig verfeinerten Wirtschaftsprotektionismus aller europäischen Staaten: »In der Tat kann man nicht oft genug auf dieses unfreundliche Produkt des Nationalismus und des Kollektivismus hinweisen, zweier beunruhigender Tendenzen, die durch den Krieg außerordentlich gefördert worden sind.«[214]

Der sozialdemokratische Reichstagsabgeordnete Paul Lensch feierte den Krieg 1917 mit dem Buch »Drei Jahre Weltrevolution«.[215] Demnach hatte Bismarcks endgültiger Bruch mit dem Liberalismus im Jahr 1879 den Reichskanzler »entwicklungsgeschichtlich in die Rolle des Revolutionärs« hineingeschoben und »einer höheren, reiferen Wirtschaftsform« den Weg gebahnt. »Da hätten wir denn die Einsicht gewonnen«, so Lensch über den seit drei Jahren tobenden Krieg, »dass in der heutigen Weltrevolution Deutschland die revolutionäre, sein großer Gegenspieler England die konterrevolutionäre Seite vertritt.« Und warum? Weil der »englische Individualismus« die Ideen von schwacher Staatsgewalt und starker persönlicher Freiheit hochhalte, während Deutschland über das »reifere Gesellschaftsprinzip« verfüge, nämlich »das der sozialen Organisation oder Vergesellschaftung«.

Der seit Kriegsbeginn von der SPD vertretene nationale Sozialismus liest sich so: »Der Staat hat einen Sozialisierungsprozess und die Sozialdemokratie einen Nationalisierungsprozess durchgemacht.« Aus der sich verschränkenden Doppelbewegung hin zum Kollektivismus folgte Deutschlands »geschichtliche Sendung«, den von Lensch zur Weltrevolution stilisierten Weltkrieg zu führen. Ziel war nicht die Freiheit, die auf die möglichst ungehemmte Entfaltung des Einzelnen setzt, sondern jenes »Freiheitsideal«, das auf gebundener Disziplin, straffer Organisation und damit »gesicherter Freiheit« beruht.[216]

So entstand unter sozialdemokratischer Miturheberschaft in der belagerten Festung Deutschland die Vorform des totalen Staates; unter der Hand wurde anstelle des Proletariats das Volk zum »historischen Subjekt« revolutionären Willens. Folgerichtig erklärte Lenin damals die deutsche Kriegswirtschaft zum Muster für kommunistischen Wirtschaftsaufbau in Russland, und Lensch sah darin »einen kleinen Vorgeschmack von den Gewalten, die eine vollkommen durchorganisierte Gesellschaft einstmals zu entfalten in der Lage sein« wird.[217]

Der Erste Weltkrieg zerstörte die alten herrschaftlichen und gesellschaftlichen Strukturen Mittel- und Osteuropas. Am Ende standen Hunger, Niedergang, Chaos und Not, Dumpfheit und Hass. Auf deutscher Seite waren zwei Millionen zumeist junge Männer gefallen, ein Viertel von ihnen während der letzten Kriegsmonate. Millionen Menschen fristeten ihr Leben als Kriegskrüppel, Witwen und Halbwaisen. Infolge der britischen Seeblockade waren 500 000 Deutsche verhungert. 1917 standen pro Einwohner in den Städten durchschnittlich 1400 Kalorien pro Tag zur Verfügung. »Das Schlangestehen vor den Lebensmittelgeschäften der Städte machte die Zermürbten wild und aufsässig und vor allem grimmig gegen die Reichen, die sich ›hinten herum‹ besser ernährten.«[218] Hunderttausende starben an Tuberkulose, an Grippeepidemien und allgemeiner Entkräftung vor ihrer Zeit. Kinder litten an Unterernährung und Rachitis. Demobilisierte Soldaten, verzweifelte, ausgemergelte Frauen irrten durch ihr schwieriges Leben.

Die deutschen Männer hatten umsonst gelitten. »Wie soll man weiterleben«, fragten sie sich, »wenn alles vergeblich war.«[219] Ihre Frauen hatten umsonst gehungert. Mit den Kriegsanleihen, die das Bürgertum in vaterländischem Pflichtgefühl gezeichnet hatte, verloren die gehobenen Mittel- und Oberschichten erhebliche Teile ihres Vermögens. Das kaiserliche Feldheer war geschlagen. Folglich konnten die Schrecken der Front, konnten die schweren psychischen Verletzungen der elf Millionen heimkehrenden Soldaten nicht in Siegesfeiern gewürdigt, abgebaut und verarbeitet werden. Trommelfeuer, Giftgasalarm, Granatsplitter und Tod, kurz: die Kriegstraumata fraßen in ihnen. »Wir jungen Männer, die wir durch den Krieg gegangen sind, haben viel mit uns selbst auszumachen«, heißt es in dem Roman »Michael«, den Joseph Goebbels 1929 veröffentlichte. »Dass der Arm zerschossen ist bei dem und dem, das ist nicht das Schlimmste, aber die Wunden, die wir nach innen tragen aus Krieg und Zerstörung.«[220]

Mein 1912 geborener Vater erzählte immer wieder, wie grauenhaft es für ihn und seine Geschwister gewesen war, als sein Vater als Geschlagener aus dem Krieg nach Hause kam. Bis dahin war das Leben mit Mutter, Großmutter und schwäbischem Dienstmädchen schön gewesen, dann nicht mehr. Der Artillerieoffizier Wolfgang Aly hatte als Batteriechef an der Westfront gedient. Mit verlängerten Haubitzrohren (Kaliber 10,5) erzielte er »fabelhafte« Schussleistungen (»In einer Nacht 1000 Granaten hinübergejagt!«) und lag dabei unter gleichfalls gutsitzendem französischen Gegenfeuer – so bezeichneten Scheitelreißern – bei Verdun und in anderen hart umkämpften Frontabschnitten. Über einen zweiwöchigen Heimaturlaub, den er im Juli 1917 nach einem glimpflich überstandenen Gasangriff erhielt, notierte mein damals 36-jähriger Großvater: »Ich war zum ersten Mal wirklich erledigt, konnte den Kinderlärm nicht aushalten und musste weiter nichts als gepflegt werden.« Vier Monate nach Kriegsende schrieb seine »erschreckend abgemagerte« Frau, meine damals 35-jährige Großmutter, ihrer Mutter: »Wolfgang ist so angegriffen, dass er, wo er sitzt, auf jeder Bank einschläft.« Über sich selbst berichtete sie: »Mit meinen Nerven ist es wieder schlimmer denn je. Ach, bete mit mir zu Gott, dass ich den Meinen kein Unglück bringe.« Nach dem Ende des Krieges sah sie, was sie vier Jahre lang aus Vaterlandsliebe von sich ferngehalten hatte: »... wie schlecht es uns eigentlich geht. Wer kann absehen, ob unsere Jugend nicht einen dauerhaften Schaden fürs Leben behält.«[221] Bald erkrankte ihr ältester Sohn an Tuberkulose. Trotz teurer, kaum bezahlbarer Kuren in Davos starb er einige Jahre später.

Unter äußerster Anstrengung hatten die Deutschen viereinhalb Jahre lang Gegner bekriegt, die über die ökonomischen Ressourcen beinahe der gesamten übrigen Welt verfügten. Deutschland musste überdies seine wirtschaftlich schwachen Verbündeten Österreich und Ungarn finanziell und materiell unterstützen und in Zeiten großer Bedrängnis im Westen Truppen an die österreichischen Fronten im Osten und Süden werfen. Subjektiv hatten die kaiserlichen Soldaten alles gegeben, sich ehrenhaft geschlagen. So hatte General Paul von Hindenburg unmittelbar nach der gewaltigen deutsch-russischen Schlacht von Tannenberg seine Soldaten und Offiziere zu einer Haltung ermahnt, die »in dem gefangenen Gegner den gewesenen Feind vergisst«, und die Kampfeswut wandelte sich »überraschend schnell zu rücksichtsvollem Mitgefühl« mit den Unterlegenen.[222] Die gefallenen deutschen und russischen Krieger dieser Schlacht und der nachfolgenden Wintergefechte in Masuren ließ Hindenburg stets zusammen und mit einem gemeinsamen Zeremoniell bestatten. Eine humane soldatische Geste, die sich im Zeitalter der Weltanschauungskriege schnell verlor, aber bewirkte, dass viele dieser Friedhöfe bis heute erhalten blieben.

Der Krieg endete nicht überall gleichzeitig. Im Osten erzwangen die Mittelmächte Anfang 1918 den Frieden, im Westen die Ententemächte im November. Die Waffenstillstände und Friedensschlüsse setzten extreme gesellschaftliche Fliehkräfte in jenen Staaten frei, die auf den Schlachtfeldern verloren hatten, und führten zu einer Serie nachfolgender Grenz- und Bürgerkriege. Mit Russland, Rumänien, Österreich, Ungarn und Deutschland waren nacheinander die Staaten geschlagen worden, die über wenig innere Festigkeit, Elastizität und über keine allgemein anerkannte staatliche Zentralgewalt verfügten. Den Krieg gewonnen hatten die in ihrem gesellschaftlichen und staatlichen Gefüge liberal organisierten westlichen Demokratien. Selbstsichere, in sich ruhende Völker verkraften Niederlagen relativ leicht – so wie Frankreich 1813/15 und 1870. Anders verhält es sich im Fall von Völkern, die mit sich selbst nicht im Reinen sind. »Für Deutschland war die Niederlage untragbar«, schrieb Helmuth Plessner 1936, »weil sie sinnlos war wie der Krieg und sinnlos blieb. Aus einer Entwicklung, die nationale Festigung und politische Reifung (spät genug) versprach, wurde Deutschland in einen Kampf hineingerissen gegen eine Weltordnung, der es eine andere Ordnung nicht entgegenzusetzen hatte.«[223] Voller Wut und Gram mochten die meisten der geschlagenen Soldaten die Sinnlosigkeit ihres Kampfes nicht einsehen. Stattdessen vergruben sie sich in dem Gefühl, ihr – seit dem 9. November 1918 demokratisch regiertes – Vaterland behandle sie mit »maßloser Undankbarkeit«.[224]

Vom Waffenstillstand zum Friedensdiktat

Den Friedensvertrag von Versailles, den die deutschen Abgesandten im Sommer 1919 ohne jede Diskussion und unter Androhung militärischer Gewalt unterzeichnen mussten, empfanden die Besiegten als ungeheuerliche Ungerechtigkeit. Sie vergaßen dabei freilich, was sie – nach einem vergleichsweise kleinen Krieg von 1870/1871 mit 120 000 gefallenen deutschen und französischen Soldaten – Frankreich an Gebietsverlusten und Kontributionen zugemutet und dass sie im Januar 1918 der jungen Sowjetunion einen Frieden diktiert hatten, der die Härten des Versailler Vertrags deutlich übertraf.

Abgesehen davon demütigten die Sieger die Besiegten 1919 in verhängnisvoller Weise. Sie provozierten kollektive Abwehr und stützten damit indirekt die alten, reaktionären Eliten. In mehr als einer Hinsicht verletzte das Friedensdiktat den Waffenstillstandsvertrag vom November 1918. Diesen hatten die Deutschen auf der Grundlage der 14-Punkte-Erklärung des US-Präsidenten Wilson geschlossen. Die darin vorgesehene »volle Öffentlichkeit« (Punkt 1) der Friedensverhandlungen verdrehten die Sieger ins Gegenteil, ebenso »die Freiheit der Meere« (2) und die »Beseitigung der wirtschaftlichen Schranken« (3); die allgemeine Abrüstung (4) gestalteten sie zur einseitigen Zwangsabrüstung der Besiegten; statt koloniale Streitigkeiten »unparteiisch« zu regeln, verteilten die Siegerstaaten die deutschen Kolonien nach Gutdünken untereinander (5). Die Zwangsverwaltung des Saarlandes und Danzigs verstieß gegen die Punkte 8 und 13 der von Wilson gegebenen Zusicherungen.[225]

Den von Wilson verkündeten und von Deutschland im Oktober 1918 akzeptierten Kerngedanken eines »Friedens ohne Sieger« verletzte insbesondere Artikel 231 des Versailler Vertrages. Er schob den Deutschen die alleinige Kriegsschuld zu und bildete die Grundlage für die Reparationsforderungen. Diese sollten nicht – wie bis dahin bei Friedensverträgen üblich – als gewissermaßen natürliche Folge der Niederlage bezahlt werden, sondern aufgrund einer zuvor anerkannten schweren Schuld. Französische und britische Staatsmänner hatten den neuartigen moralisch eingekleideten Schuldmechanismus erdacht, weil sie unter dem Druck ihrer Wähler standen, die verlangten, Deutschland müsse die Zeche zahlen. Der Krieg hatte 17 Millionen Tote gefordert; die Massen demokratisch regierter Staaten riefen nach Vergeltung und schränkten den Verhandlungsspielraum der Pragmatiker ein.[226]

Der Kriegsschuldparagraph führte dazu, dass sich die Deutschen bald mehrheitlich darauf verständigten, jede Mitschuld am Krieg zu leugnen. So konnte die NSDAP später erfolgreich die Mär verbreiten: »Die Unschuld Deutschlands am Weltkrieg ist heute urkundlich nach jeder Richtung hin erhärtet.«[227] Eine gleichfalls ungute psychologische Wirkung entfalteten die extrem hohen Reparationsforderungen. Sie erlaubten den Deutschen, jede Mitverantwortung für Kriegsfolgen, Inflation, Arbeitslosigkeit und Wirtschaftskrise von sich zu weisen und die Misere fremden, nicht zuletzt angeblich weltweit vernetzten jüdischen Kräften anzulasten.

Kaum war 1919 die Tinte der Unterschriften getrocknet, milderten die Sieger den Vertrag ab. So verzichteten sie auf die Auslieferung der Kriegsverbrecher (Artikel 228), insbesondere die britische Regierung wollte den Vertrag schon bald »nicht zu wörtlich« nehmen, und seit 1920 mussten die Sieger immer wieder die Fälligkeitstermine für die Reparationsleistungen strecken.[228] Doch verlängerten solche Zugeständnisse den Zahlungszeitraum und erhöhten die Zinslast. Psychologisch bewirkten sie nur eines: Die Deutschen fühlten sich in die zeitlich unbegrenzte Knechtschaft gestoßen und wurden einer Möglichkeit beraubt, die Frankreich nach dem Krieg von 1870/71 mit souveränem Stolz hatte nutzen können, nämlich die (deutschen) Tributforderungen von fünf Milliarden Goldfranc sogar vorzeitig zu bezahlen. So hatte die französische Nation das trübe Kapitel der Niederlage schnell überwunden und ihr Selbstwertgefühl wiederhergestellt.

Die Propaganda gegen den Schandfrieden trieb Hitler seit 1929, als die Reparationslasten mit der Krise unerträglich zu werden schienen, die Wähler in Scharen zu. Nicht ohne Grund bemerkte Theodor Heuss im Dezember 1931, »die Geburtsstätte der nationalsozialistischen Bewegung ist nicht München, sondern Versailles«.[229] Nach seinem Regierungsantritt 1933 festigte Hitler seine Macht, indem er alle paar Monate einen der Versailler Knebelparagraphen für nichtig erklärte und mit ostentativer Lust und unter allgemeinem, die Anhängerschaft der NSDAP weit überschreitendem öffentlichen Beifall dagegen verstieß. Die Siegermächte schauten diesem Treiben bis 1939 zu, weil sie längst nicht mehr an die Weisheit des von ihnen im Zeichen der Rache gezimmerten Vertrages glaubten. Das schlechte Gewissen trieb sie in die Politik des Appeasements.

Die Bestimmungen des Versailler Vertrags, die gegen die 14-Punkte-Erklärung Wilsons verstießen, hatten alten Hass verfestigt und neuen gestiftet. Vor allem verbauten sie den Deutschen die Einsicht, dass der Friedensvertrag eine Reihe gerechtfertigter Bestimmungen enthielt. Es führte kein Weg an der Gründung eines polnischen Staates vorbei, folglich musste Deutschland polnisch besiedelte Gebiete abtreten. Da im Krieg nicht deutsche Gebiete, sondern erhebliche Teile Belgiens und Nordfrankreichs verwüstet worden waren, musste Deutschland selbstverständlich am dortigen Wiederaufbau mitwirken; das 1870 von Deutschland annektierte Elsass-Lothringen musste herausgegeben werden; die Belgien von Deutschland auferlegten Besatzungskosten von sechs Milliarden Goldmark mussten erstattet, geraubte Güter, Maschinen und Transportmittel zurückgegeben werden.

Das Hauptproblem lag jedoch woanders. Der Friedensvertrag blockierte den wirtschaftlichen Wiederaufschwung Europas. Er verhinderte das Ausheilen der materiellen Kriegswunden und erschwerte neuen Optimismus – auch zum Schaden der Sieger. Darauf wies der Ökonom John Maynard Keynes bereits während der Pariser Verhandlungen hin. Er gehörte der britischen Delegation als Vertreter des Schatzamtes an, verließ jedoch die Verhandlungen nach einigen Monaten unter Protest, weil der Vertrag Deutschland und Europa in den wirtschaftlichen und politischen Ruin treiben müsse. Im Herbst 1919 verfasste er seine Kritik an den (auch gegen Österreich und Ungarn gerichteten) Friedensdiktaten. Er warf den Siegern vor, Deutschland für ein Menschenalter zu versklaven, aus wüstem Egoismus die »Erniedrigung von Millionen lebendiger Menschen und die Beraubung eines ganzen Volkes« in Kauf zu nehmen. Die Kritik galt speziell Frankreich. Sie blieb ungehört. Erst am 2. August 1932 bezeichnete US-Präsident Herbert Hoover den Vertrag als »vergiftete Quelle der Unsicherheit«. Kurz vorher hatte ihn André Tardieu, mehrfach Ministerpräsident und Außenminister Frankreichs, ein wirklichkeitsfernes und nutzloses Werk genannt.[230] Zu spät.

Keynes hatte es schon 1919 gewusst. Damals sagte er voraus, der oktroyierte Frieden werde in Deutschland binnen weniger Jahre unvermeidlich zur massiven Geldentwertung führen. Er benannte die ökonomischen Gesetze und politischen Konsequenzen, nach denen die vier Jahre später folgende deutsche Hyperinflation tatsächlich verlaufen sollte: »Es gibt kein feineres und kein sichereres Mittel, die bestehenden Grundlagen der Gesellschaft umzustürzen, als die Vernichtung der Währung.« Wenn die Preise fortwährend steigen, dann »macht jeder Händler, der Vorräte eingekauft hat oder Vermögen und Anlagen besitzt, unvermeidlich Gewinn«. In einem solchen inflationären Prozess musste nach Keynes die Figur des »Kriegsgewinnlers« entstehen, die dem verarmten Bürgertum »nicht weniger verhasst als dem Proletariat« sein werde. Mit der auf diese Weise erzeugten »Erschütterung gesellschaftlicher Sicherheit« entstünden dann »Volkshass gegen die Unternehmerklasse« und eine revolutionäre Situation, die »das Weiterbestehen der gesellschaftlichen und wirtschaftlichen Ordnung des 19. Jahrhunderts rasch unmöglich« machen werde. So weit Keynes im Jahr 1919.

Auch beeinträchtigte die Inflation das moralische Denken nachhaltig. Sie brachte die beiden wichtigsten Stützen der bürgerlich-kapitalistischen Welt in Misskredit: den Respekt vor dem einmal erworbenen Eigentum und das Vertrauen in die Funktion des Geldes. Am 1. Oktober 1923 stand der Dollar bei 1 zu 240 Millionen Reichsmark, am 1. November bei 1 zu 130 Milliarden. Als Hitler und seine Nationalsozialisten neun Tage später in München ihren Putschversuch unternahmen, lag der Kurs über einer halben Billion. Damals konnte ein Fortschrittsglaube, der auf dem Funktionieren von Warenproduktion und Geldwirtschaft beruhte, leicht von einer Idee abgelöst werden, die angebliche Urkräfte des menschlichen Lebens zum politischen Fixpunkt machte. Während der Mammon wirklich schnöde wurde, rief Ernst Jünger in Hitlers Völkischem Beobachter zur »echten« Revolution auf: »Nicht das Geld wird die bewegende Kraft darstellen, sondern das Blut. (... Es) soll die Freiheit des Ganzen unter Opferung des Einzelnen entstehen lassen, es soll seine Wellen werfen bis an die Grenzen, die uns zukommen, es soll alle Stoffe ausscheiden, die uns schädlich sind.«[231]

Die Geldentwertung brachte den internationalen Warenverkehr zum Erliegen, trieb die europäischen Staaten in die wirtschaftliche Isolation und Deutschland in Dumpfheit und Verzweiflung. Aus Keynes' Sicht hatte der Krieg die Volkswirtschaften des Kontinents zwar empfindlich erschüttert, aber die Art des Friedensschlusses das Wiedererwachen der »natürlichen Kräfte des Wirtschaftslebens« lahmgelegt: »Vor uns steht ein leistungsunfähiges, arbeitsloses, desorganisiertes Europa, zerrissen vom Hass der Völker und von innerem Aufruhr, kämpfend, hungernd, plündernd und schwindelnd.«

Mit seherischer Bestimmtheit warnte Keynes 1919 vor einem Deutschland, das konsequent unterdrückt, wirtschaftlich gelähmt und politisch eingekesselt werde: »Wenn wir absichtlich auf den Ruin Mitteleuropas aus sind, dann wird, das wage ich zu prophezeien, die Vergeltung nicht ausbleiben. Nichts kann dann auf längere Zeit den letzten inneren Kampf zwischen den Kräften des Rückschritts und den verzweifelnden Zuckungen des Umsturzes aufschieben, vor dem die Schrecken des letzten deutschen Krieges in nichts verschwinden werden und der, wer auch immer Sieger bleiben mag, die Kultur und den Fortschritt des bestehenden Geschlechts vernichten wird.«

Der Vertrag verpflichtete Deutschland nach den Paragraphen 240 und 241 bis auf weiteres, sich den Anordnungen eines Ständigen Ausschusses der Siegermächte zu unterwerfen. Damit wurde die junge Republik faktisch unter ausländische Konkursverwaltung gestellt und hinsichtlich eigener »Zielsetzung in der Wirtschaft und selbst in der Volkserziehung mehr beraubt als je ein Volk in der Zeit des Absolutismus«. So jedenfalls kommentierte ein deutscher Unterhändler in Paris diese Klausel und fügte hinzu: »Dann ist allerdings die deutsche Demokratie in dem Augenblick vernichtet, in dem das deutsche Volk sie nach schwerem Ringen aufzurichten im Begriffe war.«[232]

Zunächst legten die Sieger die Höhe der Kontributionen, die Deutschland zu leisten hatte, nicht fest. Die Rechnung präsentierten sie erst 1921. Sie erreichte den für damalige Verhältnisse absurd hohen Betrag von 138 Milliarden Goldmark, der im Laufe von 50 Jahren plus Zinsen zu bezahlen sei. Im Sinne eines klugen, auf das wirtschaftliche Funktionieren Europas bedachten Insolvenzverwalters trat Keynes Anfang 1922 mit dem Vorschlag hervor, die Reparationen und Ersatzleistungen für Belgien auf 28 Milliarden Goldmark zu senken – also die vorgesehene Summe von 138 Milliarden Goldmark um 80 Prozent zu kürzen. Die Anregung fand ebenso wenig Gehör wie die, eine Milliarde davon als Aufbauhilfe für die besonders notleidenden Staaten Polen und Österreich zu verwenden. Keynes wollte erreichen, dass nicht »das Mögliche dem Unausführbaren« geopfert und den Deutschen eine Schuld in der Höhe auferlegt werde, die diese »selbst nicht als ungerecht« empfinden würden und ihnen »Ansporn zu Arbeit und Tilgung« gebe.[233]

Auch diese Warnungen verhallten ungehört. Die deutsche Regierung setzte viel daran, die Raten pünktlich zu entrichten. Doch – wie von Keynes 1919 prophezeit – wankte die deutsche Währung unter den eigenen Kriegsschulden und der zusätzlichen Reparationslast. Im Januar 1923 besetzten Frankreich und Belgien das Ruhrgebiet unter fadenscheinigen Gründen, um ausstehende Kohlelieferungen mit Gewalt zu holen. Dabei war Deutschland nur mit einem kleinen Teil im Verzug – wegen der inflationsbedingten Lähmung seiner Wirtschaft. Der Gewaltakt provozierte eine nationalistische Untergrundbewegung und Sprengstoffattentate. Die Besatzer antworteten mit der Hinrichtung des Saboteurs Albert Leo Schlageter, schufen einen Märtyrer und stärkten damit erbitterten passiven und aktiven Widerstand. Paris unterstützte rheinische Separatisten; Berlin fürchtete um die Einheit des Reiches. Das französisch-belgische Ruhrabenteuer desavouierte den

Versailler Friedensvertrag endgültig, und es stempelte diejenigen demokratischen Parteien, Staatsmänner und Bürger der deutschen Republik, die bereit waren, trotz aller Demütigungen vertragstreu zu handeln, ein für alle Mal zu vaterlandsvergessenen »Erfüllungspolitikern«.

Dabei waren die Voraussetzungen für ein demokratisch-republikanisches Deutschland nicht ausschließlich schlecht gewesen. Am 19. Januar 1919 erbrachten die freien, gleichen und geheimen Wahlen zur Nationalversammlung 163 Sitze für die Mehrheitssozialdemokraten, 22 für die USPD (die unabhängige, linke Abspaltung der SPD), 91 für das Zentrum und 75 für die liberalen Demokraten; die monarchistischen Rechtsparteien erhielten zusammen 63 Mandate. Die Parteien der Mitte verfügten über eine Mehrheit von 327 Sitzen, bei insgesamt 421 Abgeordneten. Sieben Tage später erbrachten die Wahlen zum Preußischen Landtag ein ähnliches Ergebnis. Damit zeigten die Deutschen ihren Willen zur Demokratie und republikanischen Mäßigung. Der neu geschaffene demokratische Staat überstand den rechtsradikalen Kapp-Lüttwitz-Putsch (1920) und kommunistisch gesteuerte Massenaufstände, die weit mehr als tausend Tote forderten. Seine Repräsentanten regierten gegen das Chaos und gegen die antirepublikanisch durchseuchte Reichswehr, sie hatte die politischen Morde an Finanzminister Matthias Erzberger (1921) und an Außenminister Walther Rathenau (1922) zu verkraften, ebenso die Demütigungen für einen Krieg, den nicht sie, sondern die still entschwundene kaiserliche Regierung zu verantworten hatte. Ausweichend oder zupackend wurde die staatliche Autorität der Republik mit sehr schwierigen Lagen fertig.

Mit der Ruhrbesetzung untergrub Frankreich die Autorität der vielfach bedrängten Regierung und erreichte, gemessen an den wirtschaftlichen Zielen, nichts. Die Hochöfen Lothringens erkalteten, weil die deutsche Kohle wegen des gewaltsamen Vorgehens ausblieb. Das französische Witzblatt Le Rire druckte eine Karikatur, die einen in Pelze eingemummelten, schlotternden französischen General an der Ruhr zeigte, der nach Paris meldete: »Hier ist alles in unseren Händen; es fehlt uns nur an Kohle; schickt uns schleunigst welche!«[234]

Selbst unter derart misslichen Verhältnissen gelang es den Politikern der Weimarer Republik, das Land zu erneuern und zu gestalten. Sie verschafften der Zentralregierung zum ersten Mal in der deutschen Geschichte eine eigene Finanzverwaltung und Steuergesetzgebung (Bismarck hatte das nie vermocht); sie stabilisierten die Reichsmark nach der Inflation mit Erfolg; stärkten das Bildungssystem und verbesserten die Chancen für Kinder aus den unteren Klassen der Gesellschaft; mittels einer Sondersteuer für die (von der Inflation verschonten) Hausbesitzer ließen die republikanischen Regierungen Hunderte von Wohnsiedlungen bauen, die heute zum Weltkulturerbe gehören; Juden wurden zu Tausenden in den höheren Staatsdienst aufgenommen, illegale Zuwanderer naturalisiert. In Städten wie Heidelberg, Köln, Berlin oder Leipzig standen demokratisch gesinnte Oberbürgermeister, Polizeipräsidenten und Richter ihren Mann. In Berlin verboten die Stadtpolitiker 1925 den Bau von Hinterhäusern, planten und errichteten Gartenstädte, das Strandbad Wannsee, Hallenbäder, Schulen, Elektrizitäts- und Wasserwerke, schufen die Parkanlagen in den Rehbergen und in der Jungfernheide, erweiterten das S- und U-Bahn-System mit einer Geschwindigkeit wie vorher und nachher nie wieder.

Wer die Weimarer Republik unter den Stichwörtern »Unfähigkeit« und »Agonie« beschreibt, der irrt. Das Problem liegt umgekehrt: Mit ihren Leistungen beförderte die Weimarer Republik den sozialen Aufstieg. Sie weckte Erwartungen für ein besseres Leben, die sie am Ende – infolge des inneren und äußeren Drucks – nicht mehr erfüllen konnte.

Rassenkrieg statt Klassenkampf

Der republikanische Umsturz vom 9. November 1918 folgte der Niederlage und massenhafter Befehlsverweigerung, nicht einem positiven, vom allgemeinen Willen getragenen Programm, wie Deutschland künftig politisch verfasst sein sollte. Demobilisierte, beschäftigungslose Soldaten, anhaltender Hunger, Flüchtlinge aus den Gebieten, die nach dem Friedensvertrag abgetreten werden mussten, linke wie rechte Putschversuche und Nationalitätenkämpfe an den Osträndern des Reiches brachten den Typus der militärisch organisierten Partei hervor – mit Gleichschritt, Uniform und Paukenschlag, voranflatternder Fahne, Feindbild, Führer und Gefolgschaft. Jenseits ihrer jeweiligen Weltanschauung verband solche Parteien und Männerbünde soldatische Rücksichtslosigkeit: »Die Massen hatten im Kriege gelernt, den Wert des menschlichen Lebens zu verachten, Menschenleben als Mittel zum Zweck rücksichtslos zu opfern.« Sie sahen in der Gewalt das wichtigste Element zur Lösung von Problemen. Mit solchen Worten charakterisierte der linke Sozialdemokrat Curt Geyer 1923 die Gefahren, die er aus der Radikalisierung eines Teils der deutschen Arbeiterbewegung ableitete.[235]

Die ziellos gewordenen, aus der Zucht von Befehl und Gehorsam in die freiheitliche Republik entlassenen Männer fluktuierten zu Millionen zwischen den politischen Lagern, strömten »bald dahin, bald dorthin«. Sie wandten »sich von einer Partei zur anderen«, zunächst zur SPD, suchten dann ihr Heil bei deren linker Abspaltung USPD und schließlich bei den Kommunisten – »und jetzt stehen wir vor der Gefahr, dass sie sich dem Antisemitismus ergeben oder an der Politik verzweifeln«. Derart beurteilte der gleichfalls linke Sozialdemokrat Karl Kautsky die Lage im Frühjahr 1920.

Das veranlasste ihn, seine Schrift »Rasse und Judentum« neu aufzulegen. Die erste Auflage hatte er im Herbst 1914 drucken lassen, verbunden mit der Hoffnung, dass mit einem vernünftigen Frieden die Judenfrage aufhören werde, »die Kulturvölker zu beschäftigen«. Ganz anders, pessimistisch, der Ton im Vorwort zur Neuauflage von 1920. Jetzt hielt es der Autor für »dringender als je notwendig«, die Proletarier gegenüber Nationalismus und Rassenhass »kritisch zu stimmen« und »immun zu machen«.[236] Kautsky ängstigte das Hin-und-her-Rollen haltlos gewordener Massen im Rumpf der neuen Republik, das zur Manövrierunfähigkeit führen konnte. Wenig später beobachtete Curt Geyer, wie schnell der linke in rechten Radikalismus umschlagen konnte. 1923 resümierte er, wie die Mansfelder Bergarbeiter »vom Anfangserfolg der Revolution fortgerissen, bald zu einer der radikalsten Gruppen in der deutschen Arbeiterschaft wurden«, im März 1921 zum bewaffneten Aufstand schritten und »unmittelbar nach ihrem radikalsten Unternehmen in Massen sich deutschnationalen Organisationen zuwandten«. Gleichgültig, in welche Richtung die erst kriegerisch, dann revolutionär entfesselten Massen schwankten, es blieb ihnen die moralische Bedenkenlosigkeit, die Lust auf Meuterei und politische Abenteuer.[237]

Auch Jakob Wassermann machte sich 1921 Gedanken über den Volkshass gegen die Juden. Er war als Kind eines wenig erfolgreichen Fürther Spielzeugfabrikanten aufgewachsen. Erst während seines noch vor dem Krieg absolvierten Rekrutenjahrs hatte er den Antisemitismus von jungen Männern kennengelernt, die aus einfachen Verhältnissen stammten. »Zum ersten Mal begegnete ich jenem in den Volkskörper gedrungenen dumpfen, starren, fast sprachlosen Hass, von dem der Name Antisemitismus fast nichts aussagt, weil er weder die Art, noch die Quelle, noch die Tiefe, noch das Ziel zu erkennen gibt.« Er empfand das boshafte, zugleich verdruckste Auftreten der einfachen Soldaten »auffallender, weitaus quälender« als das gleichfalls ressentimentbeladene Betragen der Offiziere. Ähnlich beschrieb Leo Löwenthal seine Eindrücke im Eisenbahn-Regiment in Hanau während des letzten Kriegsjahres: »Da habe ich den dumpfen, antiintellektuellen Antisemitismus der Arbeiter- und Bauernsöhne am eigenen Leib erfahren.« Wassermann beobachtete die Elemente »pfäffischer

Verstocktheit, der Rankünе des Benachteiligten, Betrogenen ebenso wie der Unwissenheit, der Lüge und Gewissenlosigkeit«, nicht zuletzt fühlte er die »Niedrigkeit der Selbsteinschätzung« in diesem Hass: »Er ist in solcher Verquickung und Hintergründigkeit ein besonderes deutsches Phänomen. Es ist ein deutscher Hass.« Zwölf Jahre vor dem Dritten Reich stellte Wassermann klar: »Leider steht es so, dass der Jude heute vogelfrei ist. Wenn auch nicht im juristischen Sinn, so doch im Gefühl des Volkes.«[238]

Wie neue lokalgeschichtliche Forschungen belegen, gehörte auch Hitler zu den von Kautsky und Geyer beschriebenen Haltlosen. Foto- und Filmaufnahmen dokumentieren, dass er am 26. Februar 1919 im Trauerzug für den von einem Rechtsradikalen ermordeten bayerischen Ministerpräsidenten Kurt Eisner mitging. Der spätere NSDAP-Führer erwies dem bekennenden Sozialisten jüdischer Herkunft die letzte Ehre, der sich am 7. November 1918 während einer Massenversammlung auf der Münchner Theresienwiese zum Führer eines Arbeiter-, Bauern- und Soldatenrates aufgeschwungen und tags darauf die »demokratische und soziale Republik Bayern« ausgerufen hatte. Mehr noch: In den dramatischen Tagen der Münchner Räterepublik, die sich in der zweiten Phase bis Ende April halten konnte, war Hitler am 20. Februar 1919 von der Revolutionsregierung als Wache in den Hauptbahnhof entsandt worden. Wer dort Dienst tat, galt als loyal. Bald wählten ihn seine Kameraden zum Vertrauensmann der Kompanie und Anfang April zum stellvertretenden Soldatenrat des in die »Rote Armee« eingegliederten Regiments.

Gut 15 Monate nach dem Ende der Räterepublik sprach der noch wenig bekannte Agitator Adolf Hitler im Festsaal des Münchner Hofbräuhauses zum Thema »Warum sind wir Antisemiten?«. Er wollte das Finanzkapital abschaffen und zeichnete den Sozialismus des arbeitenden Volkes einschließlich des bodenständigen, in Maschinen und Fabriken greifbaren Industriekapitals in warmen, weichen Farben. Anschließend stellte er die Frage in den Raum:

»Wie kannst du Sozialist Antisemit sein? Schämst du dich nicht?« Und antwortete: »Es kommt die Zeit, in der wir fragen werden dereinst: Wie kannst du als Sozialist nicht Antisemit sein? Es kommt die Zeit, in der es selbstverständlich sein wird, dass Sozialismus nur durchzuführen ist in Begleitung des Nationalen und des Antisemitismus. Die drei Begriffe sind untrennbar verbunden.«[239]

In »Mein Kampf« verdrehte der einstige Kleinfunktionär der kommunistischen Rätemacht 1925 die Tatsachen und behauptete, er habe im Frühjahr 1919 auf den Proskriptionslisten der bolschewistischen Henker gestanden. Diese Legende hielt sich nach Hitlers Tod jahrzehntelang. Sie erleichterte es, die Entstehung des Nationalsozialismus von anderen Geschichtsströmen zu isolieren und auf ein rechtsradikales Männermilieu zu begrenzen.[240]

Im Jahr 1919 wohnte der junge Philosoph Ernst Bloch in München. Dort erlebte er den Aufstieg und Fall der Räterepublik. Als er 1924 den knappen, sehr präzisen Aufsatz »Hitlers Gewalt« schrieb, konnte er nicht wissen, dass Hitler zu den Verteidigern der Räterepublik gehört hatte. Aber Bloch ahnte es; im Generellen traf er den Punkt: »Dieselben Menschen, welche bei Eisners Begräbnis in zahllosen Trauerzügen die Straßen geschwärzt hatten, brüllten den Sozialisten nach dem Hosiannah das Kreuzige, hetzten die Führer von gestern in den Tod. Von heute auf morgen wechselten die Fahnenschäfte den Sowjetstern mit dem Hakenkreuz, von heute auf morgen stellte das Volksgericht, das Revolutionstribunal, von Eisner geschaffen, Leviné an die Mauer.« Bloch sah »auch organisiertes Proletariat« am Werk, keinesfalls nur verelendete Kleinbürger und Lumpen, sondern »die rachsüchtige, kreuzigende Kreatur aller Zeiten«. Vorneweg agierten Intellektuelle, Studenten im Wichs, Journalisten, auch sie so »zweideutig eindeutig wie das Volk«. Die Zutreiber erklügelten die Magie der Aufmärsche, der Paraden und des klingenden Spiels. Sie gaben »dem Pöbel sein homogenes Haupt«.

In der Skizze über die bis zum Hitler-Putsch vom 9. November 1923 folgende Entwicklung hob Bloch Hitlers suggestive Kraft hervor, das Mythische im Programm, den Antisemitismus und den erheblichen Erfolg unter jüngeren Leuten. »Man unterschätze nicht den Gegner«, heißt es da, »sondern stelle fest, was so vielen eine psychische Tatsache ist und sie begeistert. Gewiss auch zeigen sich von hier aus mancherlei Zusammenhänge mit dem Linksradikalismus, solche demagogischer, formaler, wenn auch nicht inhaltlicher Art. Dem bayerischen Pöbel wurde durch diese Verwandtschaft (...) der Fahnenwechsel erst recht erleichtert.« Links und rechts werde »wehrhafte Jugend aufgerufen, hier wie dort ist der kapitalistisch-parlamentarische Staat verneint, hier wie dort die Diktatur gefordert«, hier wie dort »die Form des Gehorsams und des Befehls« gepflegt, die »Tugend der Entscheidung« hochgehalten, »statt der Feigheiten der Bourgeoisie, dieser ewig diskutierenden Klasse«: »Es ist vor allem der Typus Hitler und derer, die nach ihm sich bilden, charakterologisch und formal stark revolutionär.«[241]

Der Schriftsteller Wilhelm Michel, der unter anderem in Carl von Ossietzkys Weltbühne schrieb, betrachtete die nationale und kulturelle Unsicherheit als »ganz besonders wichtig für das Verständnis des deutschen Antisemitismus« und schloss daraus: »Wir (haben) genauso viel Judenhass als Mangel an Volksgestalt, Mangel an nationaler Verfestigung; genauso viel Judenhass wie Abhängigkeit von Fremden, Formlosigkeit, Schwäche der Selbstempfindung, Unordnung in allen Wertsetzungen. Das Maß des Judenhasses gibt die Entfernung an, die uns noch von unserem Sein trennt.« Nach Michels Wahrnehmung reagierten im Durcheinander der Nachkriegsjahre immer mehr Deutsche »bestialisch, unintelligent, schneckenhaft und unwirksam« mit dem »Bekenntnis nationaler Ohnmacht und Erbärmlichkeit« auf die wenig erfreuliche Lebenslage.[242]

Der so fundierte Antisemitismus konnte im prächtig prangenden Kaiserreich und in der ersten siegreichen Phase des Krieges weithin unter der Oberfläche gehalten werden. Nach der Niederlage von 1918 brach er mit Urgewalt hervor. Was man heute vornehm Krisenantisemitismus nennt, versinnbildlichte Michel am Beispiel einer vorzivilisatorischen Menschenhorde, die im Kampf gegen einen überlegenen Stamm eine Niederlage erleidet und sich dann am nächstbesten schwachen Opfer abreagiert: »Der Krieg ist verloren. Die Angst ist fort. Das kleine schäbige Elend ohne Begeisterung hockt auf der Ruine des kaiserlichen Deutschland. Es gibt nicht einmal richtiges Bier. (...) Der Stamm wird unruhig und bewaffnet sich. Die Niederlage muss gerächt werden. Der Täter ist unangreifbar. Der Stamm hungert nach Ernüchterung. Er braucht ein wenig Raserei. Kollektives Schlachten ist eines der besten Rauschmittel. Der Stamm schwärmt aus. Er findet den Fremdling, den Juden. Er umtanzt ihn, heulend vor Wonne, ein greifbares, kenntliches Objekt zu einer Ernüchterungs-Orgie gefunden zu haben. Er kreist ihn ein, zerrt ihn von Faust zu Faust, die Keulen heben sich, ihn zu erschlagen. Hurra, es ist fast wie 1914.«[243]

Die Programmatik der NSDAP wurzelte in zwei während des 19. Jahrhunderts entwickelten, jeweils revolutionär konnotierten Formen des Gleichheitsgedankens. Beide ließen sich unschwer mit dem Antisemitismus kombinieren. Zum einen folgte die Partei der politischen Idee von der ethnisch homogenen Nation, zum anderen versprach sie den Unterschichten der so definierten Nation mehr soziale Gleichheit, mehr Anerkennung der Handarbeit und vor allem bessere Aufstiegschancen. In den »10 Geboten für jeden Nationalsozialisten«, die Goebbels 1929 ausgab, heißt es unter Punkt 2 und 3: »Deutschlands Feinde sind deine Feinde; hasse sie aus ganzem Herzen. Jeder Volksgenosse, auch der ärmste, ist ein Stück Deutschland; liebe ihn wie dich selbst.«[244]

Mit ihrem 25-Punkte-Programm von 1920 griff Hitlers Partei im ersten Teil Forderungen auf, die christlich-soziale Antisemiten in der späten Kaiserzeit in Deutschland wie in Österreich aufgestellt hatten; der zweite Teil enthielt antikapitalistische Versprechungen, wie sie in den gemäßigten sozialdemokratischen und gewerkschaftlichen Milieus vertreten wurden: so die »Abschaffung des arbeits- und mühelosen Einkommens«, die »Brechung der Zinsknechtschaft«, die »Verstaatlichung« von Aktiengesellschaften, die »Gewinnbeteiligung an Großbetrieben«, die »sofortige Kommunalisierung der Groß-Warenhäuser«, die »unentgeltliche Enteignung von Boden für gemeinnützige Zwecke« und die »Verhinderung jeder Bodenspekulation«, »einen großzügigen Ausbau der Altersvorsorge«, besseren Arbeitsschutz für werdende Mütter und Jugendliche. Außerdem: »Die persönliche Bereicherung durch den Krieg (muss) als Verbrechen am Volke bezeichnet werden: Wir fordern daher restlose Einziehung aller Kriegsgewinne.«

Im dritten, weniger genau ausgearbeiteten, doch für den weiteren Erfolg wichtigen Programmteil hob die NSDAP auf die innere Einheit und die Bevorzugung aller Blutsdeutschen ab. Dazu gehörten »die Schaffung einer starken Zentralgewalt«, das Ende jeder weiteren Einwanderung von Nicht-Deutschen und die Pflicht des Staates, »in erster Linie für die Erwerbs- und Lebensmöglichkeit der (deutschstämmigen) Staatsbürger zu sorgen«. All das wurde klassen- und konfessionsübergreifend gefordert. An der religiösen Neutralität lag Hitler besonders: »Ich lege Wert darauf, dass unsere Partei gerade die Kluft schließt, die unser Volk zerreißt. Hier muss Protestant und Katholik sich restlos zusammenfügen.«[245] Dem entsprach Punkt 24 des Programms, der unter dem Motto »positives Christentum« die Freiheit des religiösen Bekenntnisses zusicherte, sofern es nicht gegen »das Sittlichkeits- und Moralgefühl der germanischen Rasse« verstoße.

Das in der heillosen Selbstzerfleischung während des Dreißigjährigen Krieges greifbare deutsche Erbübel inneren Haders und christlich-konfessionellen Argwohns bezeichnete das Programm als Ausdruck von »jüdisch-materialistischem Geist in uns«, den es dringend zu überwinden gelte. Wer in sich etwas bekämpfen muss, hat sorgsam darauf zu achten, dass der böse Keim nicht abermals von außen eindringt. Punkt 4 des NSDAP-Programms verquickte die innere Versöhnung der Deutschen mit der Verstoßung der Juden: »Staatsbürger kann nur sein, wer Volksgenosse ist. Volksgenosse kann nur sein, wer deutschen Blutes ist, ohne Rücksichtnahme auf die Konfession. Kein Jude kann daher Staatsbürger sein.«

Dem Programm lag die Idee der »gewachsenen Einheit« Volk zugrunde, einem mit naturhafter Festigkeit ineinander verwobenen Verband – so »wie der Baum, das Korallenriff, der Bienenschwarm«. In dem derart gedachten Gruppenorganismus wurde der Einzelne »bloßes Gattungsexemplar, das bei der gedanklichen Teilung der Gemeinschaft sich als Bauzelle ergibt« und ohne den Gesamtorganismus verkümmern und absterben muss.[246] Demnach konnte allein das vom selben Lebenssaft und einheitlichen Willen durchpulste Volk den Zumutungen der Gegenwart trotzen. Die volkskollektivistische, von ihren Erfindern und Propagandisten »völkisch« genannte Theorie definierte die Einzelperson als für sich nicht lebensfähiges, wehrloses Teilchen und übersteigerte die in Staat, Volk, Rasse verbundene Gesamtheit zur 60-Millionen-Person des Gesamtdeutschen.

Solchem Denken und Fühlen leisteten weithin vorhandene, noch frische Erfahrungen Vorschub: die Zugehörigkeit zu einem bestimmten Regiment, die gemeinsam durchlittenen Massenschlachten im Krieg, das Friedensdiktat, das alle Deutschen gesamtschuldnerisch haftbar machte, und schließlich die in der Boomphase der Weimarer Jahre immer raffinierter und mit amerikanischem Tempo rationalisierte Organisation der Betriebe und Verwaltungen. All das entsprach der Bienenschwarmrhetorik. Gemeinschaft, oft genug Notgemeinschaft, erschien vielen Millionen Menschen als hilfreicher Ersatz für zerfallende Großfamilien, für den verlorenen Glauben an die geistlichen und weltlichen Autoritäten. Gemeinschaft versprach Schutz, wärmende Geborgenheit – vorausgesetzt, sie wurde richtig geführt.

Zur Vorstellung vom gewachsenen Organismus Volk fügte sich der in Punkt 16 des NSDAP-Programms angesprochene Kampf gegen solche Kräfte, die »zersetzenden Einfluss auf unser Volksleben« ausüben.[247] Diese hießen: Parteienstreit, parlamentarische Schwatzbude, Miesmacher, Kritikaster oder Schädling, Parasit, Fremdkörper oder Verräter. Bis weit in die Neuzeit verbreiteten Christen immer wieder das Gerücht, Juden würden Brunnen vergiften, die Pest verbreiten oder christliche Babys ermorden. Im 20. Jahrhundert behaupteten Antisemiten, Juden stifteten immer und überall Unfrieden, säten Zwietracht. Das multipel ausgestaltete Vorurteil erlaubte es, beängstigende Erscheinungen der Gegenwart in jüdische Machenschaften umzudeuten: Interessenstreit, Marktkonkurrenz, Bankenkräche, Inflation, Kriege, Bürgerkriege und Revolutionen. Mit dem Bild vom jüdischen Spaltpilz im Kopf konnten sich die Deutschen aus der Verantwortung für ihre selbst verschuldeten Probleme stehlen: Nicht ihre militärische Niederlage und ihre schlechte Politik hatten ihnen den Halt geraubt, sondern angeblich die Juden, und das auf kaum merkliche, heimtückische Weise – von innen heraus.

Das passgenaue Gegenstück zur Mär vom jüdischen Spaltpilz bildete die Verheißung von der endlich zu erringenden nationalen Eintracht. Sie knüpfte an die populäre Vorstellung an, die Nation habe sich zu oft entzweit und so um ihre historischen Chancen gebracht. Zuletzt seien die Deutschen am Ende des Krieges und dann beim Abschluss des Friedensvertrags aus den eigenen Reihen heraus verraten worden – mit einem Dolchstoß in den Rücken der selbstlos Kämpfenden und dann von vaterlandslosen Erfüllungspolitikern. Damit verband sich die Phantasmagorie von volksfremden, jüdischen Kräften, die den gewissermaßen natürlichen Einheitswillen immer wieder zersetzten. Ins Zentrum ihrer Obsession stellte die NSDAP zwei, auf verschiedene Adressaten zugeschnittene Varianten: Mal wurde »der Jude« als kaum noch erkennbarer, deshalb besonders verschlagener »Assimilant« gezeichnet, dann als angeblich integrationsunwilliger, einer undurchsichtigen Parallelgesellschaft verhafteter »Ostjude«. Beiden Kunstgestalten schrieben die Meinungsführer des Antisemitismus volksfeindliche Merkmale zu: ausschließlich dem eigenen Vorteil gehorchend, defätistisch und international verschworen.

Die so gezeichnete Figur setzte die volkskollektivistische Agitation wahlweise als »plutokratischen Juden« oder als »jüdischen Bolschewisten« in Szene. Während der eine angeblich den Mittelstand vernichtete und die bäuerlichen wie die proletarischen Unterschichten in die Knechtschaft des großen Geldes stieß, betrieb der andere die kommunistische Revolution: das Ende von Anstand, Sitte und Religion, von Gesetz und rechtschaffen erworbenem Eigentum. All das bedeutete keinen Verzicht auf überlieferte Litaneien christlicher Judenfeindschaft. Als Hitler 1920 im Münchner Zirkus Krone zum Thema »Politik und Rasse – Warum sind wir Antisemiten?« sprach, beendete er seine Rede mit dem Ausruf: »Wir wollen vermeiden, dass auch unser Deutschland den Kreuzestod erleidet!«[248] So lokal begrenzt die Hitler-Bewegung noch agierte, so schnell sprach sich das antisemitische Treiben bis Hamburg herum. Von dort schrieb Max Warburg im Januar 1923 an Hugo Stinnes: »Die Stimmungsbilder, die aus Bayern kommen, lassen befürchten, dass unser armes Land nach all' seinen Demütigungen auch noch in die Klasse der Pogromländer absinkt.«[249]

Schwache Masse, starke Rasse

Krankhafte Ohnmacht der Dümmeren

Schon Goethe gefielen die abgründig sinnenden, in ihrem Benehmen ziemlich rüpelhaften Nationalromantiker vom Schlage Arndts und Jahns nicht. Dagegen erfreute ihn die heitere Geistesgegenwart gescheiter Juden: »Sie zeigen überhaupt in der Regel mehr gefällige Aufmerksamkeit und schmeichelnde Teilnahme als ein National-Deutscher, und ihre schnelle Fassungsgabe, ihr penetranter Verstand, ihr eigentümlicher Witz machen sie zu einem sensibleren Publikum, als (es) leider unter den zuweilen etwas langsam und schwer begreifenden Echt- und Nur-Deutschen angetroffen wird.«[250]

Gabriel Riesser schrieb 1831 zur fortgesetzten, gesellschaftlich vielfach gewollten Diskriminierung der deutschen Juden: »Nur ein Volk von Knechten kann Gefallen finden an der Afterknechtschaft weniger; nur eine kraftlose, feige Nation kann in dem Gegensatz einer geringen Anzahl Unterdrückter ein Mittel der Spannung ihres Selbstbewusstseins, ein Reizmittel für ihre krankhafte Ohnmacht suchen.«[251] Ludwig Bamberger bezeichnete den politisch organisierten Antisemitismus 1880 als Ergebnis »eines sich über sich selbst unklaren Gefühls«. Der in Wien aufgewachsene Schriftsteller und Zionist Heinrich York-Steiner deutete die »von jeher starken antisemitischen Empfindungen« der Deutschen 1928 als Folge »politischer und nationaler Schwäche«. Vier Jahre später urteilte er noch klarer: »Der deutsche Antisemitismus ist nicht etwa eine Folge übergroßer völkischer Empfindung, sondern die Reaktion auf das Unterbewusstsein eines unsteten, schwächlichen Volksbewusstseins. Das deutsche Volksempfinden ist das unsicherste aller großen Nationen Europas.« Ebenso sah es 1929 Eva Reichmann-Jungmann. Sie beschrieb das unausgegorene deutsche Nationalgefühl als ewigen Kampf und Krampf, an dem das Judentum so schwer zu leiden habe.[252]

Damals überdachte auch der Historiker Arthur Rosenberg das starke Echo, das Treitschkes antijüdisches Polemisieren um 1880 gefunden hatte. Er interpretierte den von Treitschke angestachelten Akademikerantisemitismus als »ideologische Korsettstange« christlicher Studenten und Graduierter. Diesen fehlte in der wilhelminischen Gesellschaft der Geburtsadel; untertänig verhemmt und sozial ungefestigt wussten sie nicht, wie sie die bürgerlichen Freiheiten nutzen sollten. Genau so wie es Heinrich Mann in seinem Roman »Der Untertan« 1914 erzählte. Der Held Diederich Heßling trifft – kurz vor der ersten juristischen Staatsprüfung – auf seinen einstigen Klassenkameraden Wolfgang Buck, den Sohn einer jüdischen Mutter, der in der Schule immer so geistreiche, den anderen nicht recht verständliche Aufsätze geschrieben hat. Kaum ist Diederich wieder alleine, schreit er wie von der Tarantel gestochen: »Das sind unsere schlimmsten Feinde! Die mit ihrer sogenannten feinen Bildung, die alles antasten, was uns Deutschen heilig ist! Solch ein Judenbengel kann froh sein, dass wir ihn dulden. Soll er seine Pandekten büffeln und die Schnauze halten. Auf seine schöngeistigen Schmöker huste ich.«[253]

Christliche Studenten neideten ihren jüdischen Kommilitonen die Zuversicht auf ein erfolgreiches Berufsleben. »Zur Verteidigung ihrer gesellschaftlichen Stellung« regredierten sie nach der Analyse von Rosenberg in germanomane Überlegenheitsphantasien. Ihre Leistungen blieben mäßig, doch adelte sie die Deutschheit gegenüber ihren jüdischen Kommilitonen. Sie ängstigte und frustrierte, um es mit Konrad Jarausch zu sagen, die »drohende Überfüllung« ihrer künftigen Berufssegmente und die »Überrepräsentation ihrer jüdischen Mitstudenten« insbesondere an den medizinischen und juristischen Fakultäten.

In dieser Konstellation gründeten verschiedenartige Studentenorganisationen 1881 den nationalistischen, von Anfang an antisemitisch ausgerichteten Verband der Vereine Deutscher Studenten. Im Sommer desselben Jahres trafen sich die Delegierten auf dem Kyffhäuser. Ihr Deutschheitsgeprotze entsprach dem eigenen Versagen, und nicht zufällig applaudierten die Versammelten dem besonders hervorgehobenen Satz ihres Festredners: »Der weitaus größte Teil der Studentenschaft hat sich der Erkenntnis angeschlossen, dass eine wirksame Beschränkung und eine mutige, sachliche Bekämpfung der schlechten und schädlichen Seiten des vaterlandslosen Judentums zur Rettung unseres Vaterlandes durchaus erforderlich ist.«[254]

Zwölf Jahre danach, 1893, hielt August Bebel auf dem Kölner Parteitag der SPD die Grundsatzrede »Sozialdemokratie und Antisemitismus« und sprach die judenfeindlichen Umtriebe an den Hochschulen an. Die Studenten stammten überwiegend aus der vom wirtschaftlichen Untergang bedrohten Schicht kleiner Gewerbetreibender und Handwerker. Sie suchten nach einer neuen Zukunft und flüchteten deshalb an die Universitäten, um »in irgendeine Beamtenstellung zu kommen«.[255] In aller Heiterkeit beschrieb Bebel anschließend die bildungsfern aufgewachsenen, auf Versorgung erpichten Studiosi, die ihre »Zeit in Kneipen« totschlügen, »auf den Fechtböden oder an anderen Orten, die ich nicht nennen will«. Im Gegensatz zum »sogenannten germanischen Studententum« bescheinigte Bebel den jüdischen Studierenden »große Ausdauer, Zähigkeit und auch Nüchternheit«. Im wörtlichen Sinne nüchtern, weil diese »vielfach als das Ideal unserer Antialkoholisten« gelten dürften. »Im Examen schlagen sie alsdann häufig ihre germanischen Kommilitonen«, und diese versuchten ihrerseits, »durch Gesinnung zu ersetzen, was ihnen an Wissen und Charakter abgeht«. Weil sie in den Juden unangenehme, überlegene Mitbewerber sahen, huldigten sie dem Antisemitismus.[256]

Noch deutlicher als Bebel und später Rosenberg rückte der Ökonom und Soziologe Werner Sombart die Differenz zwischen bockigem Beharren und geistesgegenwärtiger Elastizität ins Zentrum seiner Analyse, weil allein sie das intellektuelle Gefälle zwischen Juden und Christen bewirke. Er befand 1912, die Juden seien im Durchschnitt »so sehr viel gescheiter und betriebsamer als wir«, und rechtfertigte damit deren weitgehenden Ausschluss von Hochschullehrerstellen. Im Interesse der Wissenschaft, so Sombart, müsse man bedauern, wenn von zwei Bewerbern fast nie der jüdische, sondern im Allgemeinen »der dümmere gewählt« werde. Gleichwohl hielt er die Schutzmaßnahme für geboten, weil andernfalls »sämtliche Dozenturen und Professuren an den Hochschulen mit Juden – getauften und ungetauften, das bleibt sich natürlich gleich – besetzt« würden.[257] In Sombarts Bemerkung »getaufte oder ungetaufte« Juden, »das bleibt sich natürlich gleich«, wird offenbar, wo der Rassenantisemitismus ansetzte. Er folgte der schlichten und verbreiteten Erfahrung, dass die intellektuelle Überlegenheit der Juden mit dem Übertritt zum Christentum keineswegs erlosch.

Damals wies Sombart die »Ariertheorie« und »alle diese ›Theorien‹ vom Kulturberuf einer ›Edelrasse‹« noch ausdrücklich zurück. Er lehnte die Annahmen ab, Juden kämen besondere Rassenmerkmale zu, weil die »Beweisführungen unserer ›Rassentheoretiker‹ (…) wie alle ihre Behauptungen vollkommen in der Luft schweben« würden und von »keinerlei Erkenntnisskrupel getrübt« seien. Spekulationen setzte er soziologische Tatsachen entgegen und gelangte zu dem Schluss: Der Einfluss der Juden wird umso größer, »je schwerer, je dickflüssiger, je geschäftsfremder« sich das umgebende Volk verhält. Erst später verstand sich Sombart als Antisemit. In seinem 1934 erschienenen Buch »Deutscher Sozialismus« nannte er den NS-Staat legal, empfahl die Entrechtung der Juden und mahnte: »Um uns also vom jüdischen Geist zu befreien – und das sollte eine Hauptaufgabe des deutschen Volkes und vor allem des Sozialismus sein –, genügt es nicht, alle Juden auszuschalten.« Vielmehr sei die gesamte »institutionelle Kultur so umzuschaffen, dass sie nicht mehr als Bollwerk ›jüdischen Geistes‹ dienen kann«.[258]

Ähnlich wie Sombart 1912 hatte der Philosoph Friedrich Paulsen 1902 argumentiert: »Würden die gelehrten Berufe rückhaltlos wie die übrigen wirtschaftlichen Berufe dem freien Wettbewerb überlassen«, dann wären sie mit der Zeit »wenn nicht in monopolistischem Alleinbesitz, so doch ganz überwiegend in den Händen der durch Wohlstand, Energie und Zähigkeit überlegenen jüdischen Bevölkerung«. Weil ein solcher Zustand als Fremdherrschaft verstanden werden müsste, sah Paulsen »Gegendruck gegen das Überhandnehmen der Juden in den gelehrten Berufen« als berechtigt an, »so hart er dem Einzelnen werden mag«.[259]

Nicht selten übergossen die solcherart berufenen, »dümmeren« Professoren ihre zurückgesetzten jüdischen Kollegen mit übler Nachrede – zum Beispiel der Historiker Max Lenz, der Historiker Dietrich Schäfer und der Ökonom Gustav Schmoller. Letzterer rezensierte 1916 ein Werk, das der ewige Privatdozent Hugo Preuß verfasst hatte, erklärte diesen zu einem »der begabtesten neueren Staatsrechtslehrer« und stellte ihn sodann seinem Publikum vor: »Er ist einer der Häuptlinge des Berliner kommunalen Freisinnes geworden, der, sozial auf semitischer Millionärsbasis beruhend, unsere Hauptstadt mehr oder weniger beherrscht.« Anschließend spekulierte Schmoller, warum Preuß und andere Juden so »orthodox demokratisch« dachten: »Es will mir immer so vorkommen, so tüchtig und ehrbar sie sind, dass der politische Horizont und das politische Urteil doch zu sehr von dem einen Gedanken erfüllt ist: In ihren Kreisen sei eine solche Überlegenheit von Intelligenz, Charakter und Talent, dass es ungerecht und schädlich für Staat und Gesellschaft sei, dass ihr eng zusammenhaltender Kreis die Universitäten, das Heer, das hohe Beamtentum noch nicht so unbedingt beherrsche, wie das bezüglich der Stadt Berlin und ihrer Verwaltung der Fall ist.« Deshalb hielt es auch Schmoller für richtig, Juden nur sehr dosiert in den höheren Staats- und Militärdienst aufzunehmen, weil sie sich anderenfalls »rasch zur intoleranten Herrscherin des Staates bzw. der betreffenden Verwaltung zu machen« wüssten. Am Ende seiner Suada rief Schmoller empört aus: »Wie bewahrheitete sich in manchen Fällen die Prophezeiung, dass der erste jüdische Ordinarius in zehn Jahren fünf und mehr andere Juden nach sich ziehe!«[260]

Der Historiker Dietrich Schäfer, Sohn eines Bremer Hafenarbeiters, war Schüler Treitschkes und Nachfolger auf dessen Berliner Lehrstuhl. Im Jahr 1908 schrieb er ein Gutachten für das Badische Bildungsministerium mit dem Ziel, die Berufung des Berliner Extraordinarius Georg Simmel auf einen Lehrstuhl an der Universität Heidelberg zu verhindern. Simmel gehört zu den Begründern der modernen Soziologie, anders als Schäfers Werke werden seine noch heute weltweit gelesen. Einleitend stellte der Gutachter fest: »Ob Prof. Simmel getauft ist oder nicht, weiß ich nicht, habe es auch nicht erfragen wollen. Er ist aber Israelit durch und durch, in seiner äußeren Erscheinung, seinem Auftreten und seiner Geistesart.« Der Gutachter warf dem zu Begutachtenden »geistreiche und geistreichelnde Art« vor und eine geringe Fähigkeit für »starkes zusammenhängendes Denken«.

Der von Scheelsucht und Sexualneid durchwirkte zentrale Teil des Gutachtens beschreibt die Berliner Lehrveranstaltungen Simmels: »Er spricht überaus langsam, tropfenweise und bietet wenig Stoff, aber knapp, abgerundet und fertig. Das wird von gewissen Hörerkreisen, die hier in Berlin zahlreich vertreten sind, geschätzt. Dazu würzt er seine Worte mit Pointen. Seine Hörerschaft setzt sich dementsprechend zusammen. Die Damen bilden ein selbst für Berlin starkes Kontingent. Im Übrigen ist die orientalische Welt, die sesshaft gewordene und die allsemesterlich aus den östlichen Ländern zuströmende, überaus stark vertreten. Seine ganze Art ist ihrer Richtung, ihrem Geschmack entsprechend. Allzu viel Positives wird aus den Vorlesungen nicht hinweggenommen; aber mancherlei prickelnde Anregung und vorübergehenden geistigen

Genuss lässt man sich gerne bieten. Dazu kommt, dass der ganz-, halb- oder philosemitische Dozent an einer Universität, in welcher die entsprechende Hörerschaft mehrere Tausend zählt, bei dem Zusammenhang, der in diesen Kreisen besteht, unter allen Umständen einen ergiebigen Boden findet.«[261] Simmel wurde nicht berufen.

Zum hundertjährigen Jubiläum der Berliner Universität im Jahr 1910 verfasste der Historiker Max Lenz im Auftrag des preußischen Unterrichtsministeriums eine vierbändige Geschichte der Königlichen Friedrich-Wilhelms-Universität. Darin kam er auf die akademische Karriere von Eduard Gans (1798–1839) zu sprechen. Lenz führte ihn als Sohn des Berliner Bankiers Abraham Isaak Gans ein, der – »von nicht gerade moralischem, aber geschäftlichem Ansehen« getragen – seine »Kunden in der höheren Gesellschaft« gefunden »und auch zu dem Staatskanzler (Hardenberg) Beziehungen gehabt« habe. Dem seinerzeit 15-jährigen Gans hielt der Historiker allen Ernstes vor, er habe 1813 die Befreiungskriege gegen Napoleon nicht mitgemacht: »Mut war, auch nach dem Zeugnis seiner Freunde, nicht die stärkste von Gans' Tugenden; doch mögen es ja wohl triftige Gründe gewesen sein, die ihn gezwungen haben, hinter dem Ofen zu bleiben. Im Wortgefecht zeigte er sich umso gewandter.« Lenz charakterisierte den Juristen und Rechtsphilosophen Gans als »keck auftretendes Wunderkind«, den die Studenten 1817 deshalb unter Tumulten als Lehrenden abgelehnt hatten, weil sie sich weigerten, »diesen bartlosen Knaben, der kaum den Kinderschuhen entwachsen gewesen war« als Autorität anzuerkennen.

Weil Gans schon als 19-Jähriger geschliffene, höchst temperamentvolle Texte publizierte, bezichtigte ihn Lenz advokatenhafter Manier und schilderte voller Mitgefühl, wie sich die juristische Fakultät dieses hochintelligenten jungen Manns erwehrte – in schließlich »doch vergeblichen Kämpfen«. Gans wagte es, um Einlass in den akademischen Lehrkörper zu bitten, obwohl ihm nach Lenz »weder Erfahrung noch amtlicher Rang noch auch die gesellschaftliche Stellung zur Seite standen«, wohl aber »mächtige Fürsprecher«. Wegen der Schwierigkeiten in Berlin versuchte es Gans an der liberalen Universität Heidelberg. Doch hatten auch die Professoren dort, wie Lenz mitteilte, »keine Lust, einen Juden als Kollegen bei sich zu sehen«. Immerhin wurde er dort promoviert und kehrte anschließend nach Berlin zurück. Prompt attestierte ihm die dortige Fakultät »oberflächliches Bestreben nach neuen und glänzenden Entdeckungen«, die »gänzlich misslungen und ohne Gewinn für die Wissenschaft« seien.[262]

Nachdem Gans 1825 zum Protestantismus übergetreten war, erhielt er mit 27 Jahren ein Extraordinariat – »ohne dass er sich bei der Zwischenstufe des Privatdozententums hatte aufhalten müssen«, wie Lenz voller Ingrimm bemängelte. Er selbst hatte nahezu 20 Jahre für die akademische Ochsentour bis zum Berliner Ordinariat benötigt. Dort endlich angekommen, musste sich der staubtrockene Aktenfuchs Lenz noch einige Jahre lang an dem glanzvollen Rhetoriker Treitschke messen lassen.

Max Lenz gehört in die Reihe meiner Urgroßonkel. Er zog 1870 als 20-jähriger Freiwilliger in den Krieg gegen Frankreich; zwischen elterlicher Sorge und dem Wunsch nach einem Heldensohn hin- und hergerissen, wünschte ihm seine Mutter Johanna »eine schöne Fleischwunde«. So kam es.[263] 1911 wurde Max Lenz Rektor der Berliner Universität. Seine Vorfahren hatten jahrhundertelang vom Schmiedehandwerk gelebt. Doch wechselte sein Großvater Carl, der noch als Kupferschmiedemeister gearbeitet hatte, in den Kaufmannsstand, wurde Reeder und Ratsherr in Kolberg. Dessen Sohn Gustav (1818–1888) zog es dann »unwiderstehlich« zur Wissenschaft. Er studierte begeistert bei Gans (!) und Hegel in Berlin Rechtswissenschaft und Philosophie.

Vom Christentum hielt er erklärtermaßen wenig. 1848 engagierte er sich enthusiastisch für Demokratie und Freiheit. Deshalb wurde er nach der Assessorenzeit am Oberlandesgericht nicht als preußischer Beamter übernommen. Fortan lebte er als Rechtsanwalt und Schriftsteller in Greifswald. In seiner Abhandlung

»Über die geschichtliche Entstehung des Rechts« focht er 1854 – mit aller Entschiedenheit und im Sinne seines früh verstorbenen Lehrers Eduard Gans – für die Übernahme des liberalen römischen Rechts und kritisierte die Philosophen des christlich geprägten Germanismus als matte, »fratzenhafte« Begriffsdreher »eingeschrumpfter« Verstandes-Abstraktionen, die sich in die »gespenstische Reproduktion« der Vergangenheit geflüchtet hätten. Ziel seines »Büchleins kecker Schluss« war es, »in der Stickluft unserer Tage« ein »Aufeinanderplatzen der Geister« herbeizuführen. Einer der Rezensenten hob »die frische, kernige, wenn auch zuweilen zugespitzte und verletzende Sprache« des Werkes hervor.[264] Später »fand Gustav Lenz dennoch den Weg zum neuen Staat«, wie die Familienchronik mit Erleichterung vermerkt, wurde Justizrat und begeisterte sich am Ende für Bismarck.

Im Alter von 20 Jahren heiratete Max Lenz' Schwester Anna 1874 den 21 Jahre älteren Historiker Bernhard Erdmannsdörffer und gebar fünf Kinder. Im selben Jahr wurde Erdmannsdörffer auf Betreiben seines Freundes Treitschke auf dessen Heidelberger Lehrstuhl berufen, während dieser nach Berlin wechselte. Zwei von Annas Briefen sprechen aus, welche Rolle die Judenfrage damals in einer christlichen Ehe spielen konnte und was Dietrich Schäfer in seinem Gutachten mit dem Hinweis auf die vielen Damen, die Georg Simmel in Berlin zu Füßen saßen, wohl gemeint haben wird.

Im Juli 1879 schrieb Anna ihrer Mutter in Greifswald: »Fesselnde Lektüre ›Die Familie Mendelssohn‹ von Hensel. Bernhard Abneigung gegen das Jüdische. Ich ihm nur daraus erzählt; mich geneckt: ich verjudele ganz. Hilft alles nicht, interessiert mich, liebenswerte, geistreiche Menschen, schreiben die reizendsten Briefe.« Den Bericht über einen handfesten Ehekrach beendet sie 1881 mit dieser Bemerkung: »Manchmal könnte mein lieber Schatz etwas mehr das Wesen, die zarte Aufmerksamkeit eines jüdischen Ehemannes haben. Er ist ein echter Germane, so wie die alten Germanen auf der Bärenhaut lagen und die Weiber arbeiten ließen ...« Als Annas Vater Gustav Lenz im Alter schwermütig wurde und über seine (infolge der 48er-Umtriebe) »verpfuschte« Karriere lamentierte, wies ihn Schwiegersohn Bernhard Erdmannsdörffer tröstend auf seine dennoch erreichten Lebensleistungen hin: »... Nicht zuletzt die Gründung von fünf guten deutschen Familienständen, deren Haupt und Patriarch Du bist. Und kein Tropfen falschen Semitenblutes dabei – das ist doch auch etwas.«[265]

Der »schnellblütige, kecke, bis zur Frivolität gesteigerte Humor des jüdischen Ingeniums« und dessen »wundersam beweglicher, sarkastischer, skeptischer, undisziplinierbarer Geist« reizte die bedächtig-gehorsame christliche Volksmehrheit bis zur Weißglut.[266] Der Sozialdemokrat Karl Kautsky kommentierte die Rassentheorie mit dem Hinweis: »Die geistigen Qualitäten des Juden sind der Stein des Anstoßes.« Der britische Historiker John Foster Fraser spottete 1915, die deutschen Akademiker klammerten sich an berufliche Zulassungssperren für Juden, weil der Wettlauf »zwischen den Söhnen des Nordens mit ihrem blonden Haar und trägen Intellekt und den Söhnen des Orients mit ihren schwarzen Augen und wachen Köpfen« so ungleich verlaufe.[267]

Mit anderen Worten: In dem Maße, wie die Verspäteten den Aufstieg betrieben, empfanden sie fehlende Bildung und Gewandtheit als Mangel. Das Manko wurde ihnen peinlich und ließ sich hinter der Rassentheorie gut verstecken. Fünf Beispiele mögen das belegen.

Der Student Curt Müller trieb sich um 1890 in Leipzig umher. Er gehörte zur schlagenden Verbindung Dresdensia und beklagte in seiner kleinen Flugschrift »Das Judentum in der deutschen Studentenschaft«, dass bereits einmal ein Professor mosaischen Glaubens zum Rektor einer Universität gewählt worden war.[268] Das offenbarte ihm eine schwere »Krankheit, nämlich das Wachsen des Judentums an Macht«. An seinen jüdischen Kommilitonen missfiel ihm zweierlei: Sie setzten sich »aufopferndst« für ihre Glaubensgenossen ein, und es gab »prozentual nicht so viele verkrachte jüdische Studenten wie germanische«. Und warum? Auch das wusste Müller nur zu genau. Die Juden sind »fleißiger und strebsamer – das muss man ihnen lassen«, sie »büffeln zu Hause wie toll«: »Wie alle geldgierigen Volksstämme, wie der Chinese, Grieche etc., isst der Jude mäßig. Der jüdische Student der Jurisprudenz spricht bei seinem Gläschen Bier mehr vom Studium, als es nötig ist! Er schwatzt viel, und das imponiert. Er erfasst rasch, aber nichts tief. Wozu auch? Auf diese Weise kommt er zur gesetzten Frist durch das Examen, und Deutschland ist mit einem jüdischen Referendarius mehr beglückt.« Hinterher verdienten sie das schnelle Geld! So klang es bei Müller aus jedem zweiten Satz, bis er den Schlussakkord anschlug: »Bietet den jüdischen Kommilitonen stolz und überlegen die Stirn!«[269]

Für den gepflegten, bürgerlichen Judengegner hatte Wilhelm Stapel, Herausgeber der Zeitschrift Deutsches Volkstum, 1922 das Buch »Antisemitismus« veröffentlicht. Wenn man nun feststelle, so befand er, dass die eigene Art »empfindlich verwirrt wird von einem anderen geistigen Wesen, und mag dieser andere Geist noch so glänzend und erhaben sein, dann – Tod und Teufel – habe ich das Recht, mich auf meine Art zu wehren«. Ein paar Jahre später kommentierte Julius Goldstein Stapels intellektuellen Offenbarungseid als Eingeständnis des Unvermögens, der Schwäche und daraus entstandener Aggression. »Wie quallenhaft ist doch diese deutsche Art, dass sie so leicht ent-artet werden kann.« 1932 machte Stapel die Schlagfertigkeit der Juden zu schaffen: »Es würde keinen Antisemitismus geben, wenn die Juden ihren Mund zu halten imstande wären. Alles können sie, nur den Mund halten können sie nicht.« Dem verdrucksten deutschen Schweigen maß er herrliche Qualitäten bei: »Grazie«, »adelige Natur«, »Vornehmheit« und »Tiefe«.[270]

Im August 1924 beklagte der Abgeordnete Dr. Ottmar Rutz im Bayerischen Landtag, dass die Staatsregierung so viele Juden einstelle, zumal an den Hochschulen. Diese Praxis wurde laut Rutz immer wieder mit dem Hinweis gerechtfertigt, »die Juden seien eine begabte Rasse«. »Ja, da sieht man wiederum«, jammerte er, »dass der springende Punkt in dieser ganzen Angelegenheit auch von den Vertretern der Staatsregierung nicht erkannt worden ist.« Rutz forderte für die Abkömmlinge des eigenen Volkes ein Monopol auf sämtliche staatlichen Arbeitsplätze. Diejenigen, »die immer den Einwand von der begabten (jüdischen) Rasse bringen«, würden vergessen, dass die »Evakuierung« der Nichtjuden aus möglichen Aufstiegspositionen bevorstehe: »Wir müssen bedenken, dass jeder jüdische Professor, jeder jüdische Beamte einen Abkömmling des deutschen Volkes verdrängt. Dieser Verdrängungsgesichtspunkt ist es ja, auf den es ankommt. Es kommt nicht darauf an, dass man irgendwie Abkömmlinge des jüdischen Volkes beleidigt oder angreift; mit all dem hat das nichts zu tun und haben diese Anträge nichts zu schaffen. Es handelt sich hier (...) darum, produktiv die Abkömmlinge des deutschen Volkes zu fördern und zu schützen vor der Verdrängung.«[271] Der Abgeordnete Rutz praktizierte in München als Rechtsanwalt und saß 1924 für den Völkischen Block, eine Tarnorganisation der damals verbotenen NSDAP, im Bayerischen Landtag.

Umgekehrt machten sich gelegentlich Juden über die Rassentümler lustig, zum Beispiel Kurt Tucholsky. In seinem Gedicht »Olle Germanen« lässt er den versoffenen, begriffsstutzigen Langzeitstudenten Johann auftreten. Er gehört zur Burschenschaft »Teutonenkraft«, kündigt 1925 das Ende seines Studiums für das Jahr 1940 an und deklamiert im Kreise seiner Schlag- und Sauffreunde: »Die Vorhaut, die soll wachsen / in Köln und Halberstadt; / Wir achten selbst in Sachsen, / dass jeder eine hat. / Ganz judenrein / muss Deutschland sein. / Und haben wir zu saufen, / Lass Loki ruhig laufen! / Wer uns verlacht, der irrt sich, / Uns bildet früh und spät / für 1940 / die Universität.«[272]

Die Geschichte, die der Philosoph Rudolf Schottlaender 1936 erlebte und später laut lachend gern erzählte, spielte im proletarischen Milieu. Schottlaender hatte sich mit seiner christlichen Frau und den Kindern ins preisgünstige Berlin-Heiligensee zurückziehen müssen. Die Nachbarn wussten warum. Materiell in misslicher Lage, vermietete er zwei Zimmer an eine Arbeiterfamilie. Deren Kinder gingen gemeinsam mit den Kindern der gegenüberwohnenden SS-Familie zur Schule, brachten allerdings die besseren Zeugnisse nach Hause. Das erboste die edelrassige SS-Mutter. Lautstark schimpfte sie über den Gartenzaun: »Kunststück, wenn man beim Juden wohnt!«[273]

Die ethnische Gruppenideologie, so meinte Fritz Bernstein, biete den Vorteil, »primitiv zu sein«. Und warum? Weil das Superioritätsbewusstsein nicht leicht widerlegt werden kann und nur eines zeigt: »Selbstentschuldigung für die eigene Furcht, Vortäuschung eines fehlenden Kraftbewusstseins, Verhüllung der Einsicht in eigene Verletzlichkeit«. Wenn ein christlich-deutscher Student, Kaufmann oder Jurist schon keine herausragenden Leistungen zuwege brachte, dann wenigstens seine Großgruppe, die höherstehende Rasse. Besonderes Kennzeichen: Teutone – sonst nichts. »Er war kein Jude, und das war das Positive an ihm«, mit dieser Charakteristik lässt Thomas Mann im »Zauberberg« eine antisemitisch aufgelegte Nebenfigur ins Bild treten.[274]

Sofern Juden erfolgreicher lernten, arbeiteten und wirtschafteten, konnten sie hinfort kollektiv als kalte, berechnende, wurzellose Materialisten verunglimpft werden, als Angehörige einer Gruppe, die sich erfrechte, die heiligsten Werte der Nation und der christlichen Religion in den Dreck zu ziehen – wahlweise naseweis, spitzfindig, arrogant, unverschämt, zersetzend oder zynisch.[275] Das Rassengerede bemäntelte den Erfolgsneid und die komplementären Selbstzweifel, wie aufmerksame Zeitgenossen immer wieder bemerkten. Das vom Verein zur Abwehr des Antisemitismus herausgegebene »Abwehr-ABC« kommentierte die Ansichten der Rassentheoretiker und ihrer Anhänger 1920: »Alle ihre Weltanschauungsphrasen und all der ideologische Kram, den sie vorbringen, verfolgen doch nur den Zweck, die ökonomischen Grundlagen zu verhüllen, auf denen der Antisemitismus in Wirklichkeit aufbaut.«[276]

Umgekehrt thematisierten Angehörige jüdischer Familien gelegentlich den harten Bildungs- und Aufstiegsdruck. Aus der Perspektivlosigkeit des Jahres 1936 verglich Herbert Friedenthal die alte mit der neuen jüdischen Lage in Deutschland. Kai, der Held seines Romans »Die unsichtbare Kette«, muss, wie der Autor selbst, 1933 eine hoffnungsvolle Zeitungskarriere abbrechen. Nach einem Kabarettabend des im Sinne nazistischer Rassentrennung unfreiwillig gegründeten Jüdischen Kulturbunds (»Zutritt nur für Juden«) versucht Kai, des plötzlichen Zwangs zur Dissimilation mit flotten Sprüchen Herr zu werden: »Früher musste man lernen, streben, die anderen überflügeln, der Erste sein – der Vater war Kaufmann, der Sohn Sanitätsrat, der Enkel Medizinalrat und Professor an der Universität. ›Was, Ihr Sohn ist praktischer Arzt geblieben? Gott ja, er kam schon in der Schule schwer mit.‹« Derartiger Familienstress gehörte 1936 zum Gestern: »Das Leben ist so viel einfacher und problemloser geworden für Juden in Deutschland«, bemerkt Kai.[277]

In seinem 1931 abgeschlossenen Buch »Hitlers Weg« kam der Politikwissenschaftler Theodor Heuss zu dem Schluss, die nationalsozialistische Rassenlehre folge einem »erstaunlichen Minderwertigkeitsgefühl«. Sie vergotte die Arier »als die Krone der Schöpfung«, um »ein Manko zu verdecken«. Der Sozialist und in Frankfurt lehrende Sozialpsychologe Hendrik De Man bewertete den übertriebenen Nationalismus der Hitler-Gefolgschaft 1931 als Ausdruck eines »Zurücksetzungskomplexes«, als »seelisches Sicherheitsventil für ein soziales Minderwertigkeitsgefühl«, als »die Ausgleichsform par excellence für die bedrohte kollektive Selbsteinschätzung«. Als Hitler die Macht ergriff, fragte der politische Philosoph Erich Voegelin, wie es komme, dass eine »so verschwindende Minorität« wie die Juden – ein knappes Prozent der Reichsbevölkerung – so viel Hass auf sich zöge, und sah die

Gründe dafür »zweifellos zu einem ganz starken Teil in einem Gefühl der Unterlegenheit auf Seiten der Deutschen«.[278]

Als Ausfluss von »Schwäche, Torheit, Ungerechtigkeit« kennzeichnete Thomas Mann diese Spielart des Antisemitismus 1937 in der Ferne des Exils. Sie erfüllte nach seinem Eindruck zum einen das Bedürfnis »einer Zeit für ihre Schmerzen, ihre Übergangsnöte und kritischen Verlegenheiten einen Schuldigen zu suchen und zu finden«, zum anderen das Bedürfnis, sich im Anblick angeblicher jüdischer Verruchtheit »ein wenig kräftiger, besser, sogar vornehmer zu fühlen«. Aus »einem völkergesellschaftlichen Minderwertigkeitsgefühl« erwuchs die ostentative Überheblichkeit der Deutschen. »Dünkelmütiger Provinzialismus« machte »die Atmosphäre verdorben und stockig« und das Wort »international« zum Schimpfwort.[279]

Heuss fiel das in »Mein Kampf« kolportierte Märchen auf, dass Juden, nach Europa kommend, den »noch unbeholfenen, besonders aber grenzenlos ehrlichen Ariern weit überlegen« gewesen seien und versucht hätten, die ansässigen Germanen zu unterjochen. In der Tat hatte Hitler konzediert: »Die intellektuellen Eigenschaften des Juden haben sich im Verlauf der Jahrtausende geschult. Er gilt heute als ›gescheit‹ und war es in einem gewissen Sinne zu allen Zeiten.« Doch fehle den Juden, tröstete Hitler seine Anhänger, die »kulturbildende Kraft«, der so herrliche germanische Idealismus.[280]

In seinem 1928 verfassten Manuskript zur Außenpolitik beschwor Hitler die Gefahr, die »Hebräer« könnten sich zum »Gehirn einer (rassisch) wertlos gemachten Menschheit auswachsen« und mit ihren Waffen »Schläue, Klugheit, List, Tücke, Verstellung usw.« die »völkischen Intelligenzen« ausrotten.[281] Im Sommer 1941 befahl der Kommandeur der 22. Infanteriedivision Hans Graf von Sponeck, gefangene jüdische Soldaten der Roten Armee abzusondern, das hieß: zu ermorden. Warum? »Ihre Erfassung ist besonders wichtig«, so begründete von Sponeck, »da sie meist mehrere Sprachen beherrschen und intelligenter als die Masse der Gefangenen sind.« Wenig später rechtfertigte Hitler seine Praxis, die Juden zu »eliminieren« mit dem Argument: Sie verfügen über einen »Rassenkern, der in der Blutmischung so verheerend wirkt, dass er die Menschen unsicher macht.«[282]

Prognosen: Moskau, Wien, München

Im 20. Jahrhundert entstanden große, im Namen von Gleichheit und Gemeinschaft verfolgte, bald schon gewalttätige Utopien. Nicht wenige Schriftsteller reagierten darauf mit überschwänglichen, andere mit höchst skeptischen Prophetien. Ich greife drei heraus, die mir für die Wünsche nach sozialer Homogenität und Rassenreinheit und für das Entstehen einer neuen Moral zur Vernichtung von Abweichlern aussagekräftig erscheinen: In dem Roman »Wir«, geschrieben in Moskau 1920 und dort nicht gedruckt, denkt der Autor Jewgenij Samjatin die gleichmacherischen Träume der bolschewistischen Revolution zu Ende; Hugo Bettauers Roman »Die Stadt ohne Juden« entstand 1922 in Wien; die Novelle »Der jüdische Gerichtsvollzieher« schrieb Siegfried Lichtenstaedter 1926 in München.

Samjatins Parabel »Wir« reflektiert den terroristischen Siegeszug des Egalitarismus, der dahin führt, dass alle Ungleichen ausgesondert, Menschlichkeit und Menschen im Namen von Gleichheit und Gerechtigkeit zerstört werden. In schrillen Farben entwirft der Autor, von Beruf Ingenieur, das Bild einer sozialtechnisch vollkommen durchorganisierten Gesellschaft, die individuelle Freiheit verteufelt und das Gemeinschaftliche vergottet. Nachdem Samjatin aktiv am bolschewistischen Umsturz teilgenommen hatte, enttäuschte ihn sehr bald die Art, wie seine revolutionären Hoffnungen realisiert wurden. In England und Frankreich erschien »Wir« 1924/25, in der Sowjetunion 1988.[283]

Im totalitären Sonnenstaat Samjatins, genannt der Einzige Staat, werden alle Menschen zu uniformierten, als Nummern bezeichneten Wesen. Der Held hört auf D-503. Privatbesitz, Nikotin und Alkohol, Gefühle wie Neid irritieren die Nummern kaum mehr. Selbstverständlich gilt es, Liebe, Leidenschaft und Eifersucht zu unterbinden. Eine Zuteilungszentrale reguliert das zeitlich und personell exakt bestimmte Ausmaß möglichst unterkühlten geschlechtlichen Austauschs. Der Nationalfeiertag wird als »Tag der vollendeten Gerechtigkeit« begangen. Der Einzige Staat garantiert die nach einem 200-jährigen, opferreichen Krieg erkämpfte Gesellschaftsordnung. Er wird von dem alljährlich in überwältigender Einstimmigkeit gewählten Wohltäter geführt. »Heil dem Einzigen Staat! Heil dem Wohltäter! Heil den Nummern!« So jubelt das homogenisierte und spannungsfrei lebende Volk, das in gläsernen, einheitlich kubischen Häusern wohnt und mit der Flugmaschine Integral das All erforscht.

Freilich bleibt Wachsamkeit gegenüber den Schwachen geboten, die der uralten Anfechtung der Freiheit erliegen und damit für die Glückseligkeit der Gleichen eine akute Gefahrenlage heraufbeschwören. Solche dem Wahnsinn verfallene Nummern verlieren das Recht, »Bausteine des Einzigen Staates zu sein«. Sie enden »durch die Maschine des Wohltäters« unter den hochkonzentrierten Strahlen eines mit hunderttausend Volt betriebenen, auf dem zentralen Platz aufgestellten Apparats. Übrig bleibt »eine kleine Pfütze chemisch reinen Wassers« – »nichts weiter als die Dissoziation der Materie, die Spaltung der Atome des menschlichen Körpers«.

Das spurlose Auslöschen der Abweichler zelebriert der Wohltäter als rituell ausgestalteten, gemeinsam begangenen Reinigungsakt zum höheren Nutzen der Nummern. Dafür lässt er, um das Gemeinwohl zu wahren, von seinem Beschützeramt die Gespräche aller Passanten registrieren, und zwar mit Hilfe von über die Straßen gespannten, die kleinsten Geräusche speichernden Membranen. Einige Abweichler werden nicht verdunstet, sondern zu Forschungszwecken in Spiritus eingelegt, um die Gefahr einer Individualismus-Epidemie besser zu verhüten, um die Reste einer gelegentlich noch vorhandenen Seele auszumerzen.

Derart beschreitet der Wohltäter des Einzigen Staates den Weg von der Nichtigkeit zur Größe. Die in soziale Harmonie gebannten Nummern begehen einmal im Jahr das Schauspiel der Einstimmigkeit. Im Roman wählen sie zum 48. Mal den Wohltäter. Mit andächtig erhobenen Händen übergeben sie IHM für ein weiteres Jahr die Schlüssel zur unbezwingbaren Feste ihres Glückes. Einige Feinde des Glücks versuchen zu stören und verwirken ihr Lebensrecht. Schließlich entwickeln die Forscher ein Verfahren zur generellen Gefahrenprävention. Ein wissenschaftlicher Durchbruch! Mit einem kleinen operativen Eingriff gelingt es ihnen, die Nummern endgültig von den Resten alten Fühlens zu befreien, indem sie eine menschheitsgeschichtliche Fehlentwicklung, nämlich ein Knötchen im Stammhirn, ausschalten, das die Phantasie ermöglichte. Wer sich der Operation verweigert, endet durch die Maschine des Wohltäters.

»Die Stadt ohne Juden« heißt der 1922 im Wiener Gloriette-Verlag erschienene Groschenroman, versehen mit dem Untertitel »Ein Roman von übermorgen«. Er wurde 250 000 Mal verkauft. Zwei Jahre nach Erscheinen verfilmte Hans Karl Breslauer den Stoff. Der Autor, Hugo Bettauer, war vom jüdischen zum christlichen Glauben übergetreten; allein 1922 produzierte er vier solcher Romane. Zudem warb er für sexuelle Freizügigkeit und gab die überaus erfolgreiche Zeitschrift Er und Sie (Wochenschrift für Lebenskultur und Erotik) heraus.

Wie im wirklichen Leben herrschen in dem Roman Inflation und Krise. Das Volk wählt die Erlösergestalt Dr. Karl Schwertfeger zum Bundeskanzler. Er leitet die Christlich-Soziale Partei. Vorname, Doktortitel und Partei erinnern an Bürgermeister Dr. Karl Lueger, der Wien von 1897 bis 1910 tatkräftig modernisierte, sich um die Armen kümmerte und um den christlichen Mittelstand, gegen die Juden hetzte und, wie sich der Augenzeuge Hitler erinnerte, stets in der offenen Kutsche und unter dem Jubel der Bürger durch die Stadt fuhr. Die im Roman angegebene Zahl von 500 000 jüdischen Inländern passt für das Deutschland der Zwischenkriegszeit, nicht für Österreich, wo damals etwa 200 000 Juden lebten.

Bettauer führt seine Geschichte zum Happy End. Nachdem die jüdischen Bewohner der Stadt ausnahmslos des Landes verwiesen worden sind, dürfen sie nach einiger Zeit zurückkehren, weil die Wirtschaft und das Geistesleben verkümmern. Davon handelt der zweite Teil. Im ersten erzählt der Autor, warum und wie die Juden aus der Stadt befördert werden. Eine Massenszene vor dem Parlamentsgebäude eröffnet das Geschehen. Ganz Wien ist auf den Beinen: »Bürger und Arbeiter, Damen und Frauen aus dem Volke, halbwüchsige Burschen und Greise, junge Mädchen, kleine Kinder, Kranke in Rollwagen.« Alles quirlt und quillt an jenem herrlich warmen Junitag durcheinander, schreit, politisiert und schwitzt. Immer wieder ertönt der Ruf: »Hinaus mit den Juden!« Schlagartig verebben der Lärm und das Stakkato der Parolen. Wie aus einem Mund erschallt das »Hoch Dr. Karl Schwertfeger, hoch, hoch, hoch! Hoch der Befreier Österreichs!« Langsam rollt die offene schwarze Staatskarosse durch die Menge. Schwertfeger, »unser geistvoller Führer«, ein Mann, der im Dienst der nationalen Aufgabe – wie Lueger und später Hitler – Junggeselle blieb, entsteigt dem Wagen. Über die Freitreppe schreitet er ins Hohe Haus. Dort wird er das in der Öffentlichkeit schon länger besprochene »Gesetz zur Ausweisung aller Nichtarier aus Österreich« eingehend begründen.

Es regelt für »Juden und Judenstämmlinge« die lückenlose Ausweisung binnen sechs Monaten, ebenso die damit verbundenen Vermögensfragen, und droht denjenigen die Todesstrafe an, die dem Gesetz zum Trotz heimlich in Österreich bleiben oder bei der Ausweisung versuchen, »größere als erlaubte Summen fortzuschleppen«. Als Judenstämmlinge werden Kinder aus »Mischehen« mit Christen bezeichnet. Wie die getauften Juden müssen auch sie das Land verlassen. Das gilt »nach reiflicher Überlegung«

nicht für die Kindeskinder aus Mischehen, »vorausgesetzt, dass sich die Eltern nicht wieder mit Juden gemischt haben«. Ausnahmen für alte und kranke Juden oder für solche, »die besondere Verdienste um den Staat haben«, verbietet das Gesetz ausdrücklich. Anderenfalls würden das jüdische Geld und jüdischer Einfluss »Tag und Nacht weiterarbeiten«, erläutert Schwertfeger: »Nein, es gibt keine Ausnahme, es gibt keine Protektion, es gibt kein Mitleid und kein Augenzudrücken!«

Aber warum erscheint Dr. Schwertfeger und seinen jubelnden Anhängern das Gesetz überhaupt erforderlich? Der Erlöser Österreichs nennt dafür ein einziges Motiv. Er schildert seine christlichen Landsleute als Angehörige eines »naiven«, »treuherzigen«, »guten«, aber sich etwas langsam entwickelnden Bergvolkes, das den Juden »nicht gewachsen« sei. Deshalb schlägt er Alarm: »Die Juden unter uns dulden diese stille Entwicklung nicht.« Schwertfeger kreidet den Juden ihren schnellen sozialen Aufstieg an und den damit einhergehenden wirtschaftlichen Erfolg: »Wer fährt im Automobil, wer prasst in den Nachtlokalen, wer füllt die Kaffeehäuser, wer die vornehmen Restaurants, wer behängt sich und seine Frau mit Juwelen und Perlen? Der Jude!« Wie konnten es die Juden so weit und im Vergleich zu den christlichen Österreichern so viel weiter bringen? »Mit ihrer unheimlichen Verstandesschärfe, ihrem von Tradition losgelösten Weltsinn, ihrer katzenartigen Geschmeidigkeit, ihrer blitzschnellen Auffassung, ihren durch jahrtausendelange Unterdrückung geschärften Fähigkeiten haben sie uns überwältigt, sind unsere Herrn geworden, haben das ganze wirtschaftliche, geistige und kulturelle Leben unter ihre Macht bekommen.« Brausender Beifall.

Im Anschluss ergreift der einzige zionistische Abgeordnete des Parlaments das Wort, Ingenieur Minkus Wassertrilling. Er begrüßt das Gesetz, weil sich von den Ausgewiesenen »wohl die Hälfte unter dem zionistischen Banner vereinigen« und nach Zion auswandern werde. Sodann drängen kräftige Kerle einige Abgeordnete vorsorglich aus dem Saal, und das Parlament nimmt die

Vorlage einmütig an. Sie wird »am selben Tag durch den Ausschuss und die zweite und dritte Lesung gepeitscht«. Am Abend steigt die schier endlose Freudenfeier des Volkes.

In der folgenden Woche bereiten arische Schriftsteller das Ende ihres Mauerblümchendaseins im österreichischen Literaturbetrieb vor. Bis dahin hatten ihre lähmend langweiligen Theaterstücke »jahrelang in den Schubladen der Dramaturgen geschlummert«, hatten ihre schwergängigen Traktate, die sie sich in endlosen Jahren abgequält hatten, kaum einen Leser gefunden und in den Verlagen Staub angesetzt. Jetzt aber fiebern diese Autoren künftigem Ruhm entgegen. Dagegen setzt der hoffnungsvolle jüdische Lyriker Max Seider seinem Leben ein Ende, »um seine müde, empfindsame Seele nicht in der Fremde frieren lassen zu müssen«. Journalisten, die Weltblätter redigierten, gehen nach London und gründen die Wochenschrift »Im Exil«. Die Wiener Huren tragen Trauer. Ihnen bleiben die notorisch knauserigen Christenmänner, die kurz und günstig bevorzugen und von ausführlichen, höher zu dotierenden Genüssen nichts wissen wollen. Die üppige Juno mit der verrauchten Stimme findet an Baron Stummerl vom Auswärtigen Amt wenig, viel an Herschmann von der Anglobank: »Seither flieg' ich nur auf die Israeliten!«

Schneller als geplant verlassen die Evakuierungszüge die Bahnhöfe. Gelegentlich kommt es zu unschönen Mitleidsausbrüchen Neugieriger. Schwertfeger reagiert mit Bedacht und ordnet an: »Die Abfahrt der Züge tunlichst nur zur Nachtzeit« und von »den außerhalb gelegenen Rangierbahnhöfen« vorzunehmen. Nachdem die Deportationen ins Unsichtbare verschoben sind, freuen sich die arischen Österreicher umso ausgelassener. Vom Exodus der Juden erwarten sie die »Verbilligung der Lebensmittel und gleichmäßigere Verbreitung des Wohlstandes«. Wilhelm Habietnik, einst erster Verkäufer in der Damenabteilung des prunkvollen Modehauses Zwieback in der Kärntner Straße, bringt das Geschäft »mit Hilfe der Mittelbank deutscher Sparkassen« an sich. Ähnliches geschieht allerorten.

Die Männer und Frauen aus den unteren Volksklassen runzeln gelegentlich die Stirn. Doch spülen sie ihre Bedenken mit Alkohol weg. Die Aussicht auf erkleckliche Vorteile bewirkt ein Übriges. »Auch innerhalb der sozialdemokratisch organisierten Arbeiterschaft ist die Befriedigung über den Fortzug der Juden groß. Zur Gehobenheit der Stimmung trägt wesentlich der Umstand bei, dass die Wohnungsnot mit einem Schlage aufgehört hat. Allein in Wien sind seit Beginn des Monats Juli vierzigtausend Wohnungen, die bisher Juden innehatten, frei geworden.«[284]

All das wurde 16 Jahre später Wirklichkeit – und Schlimmeres: die Definition des Juden und jüdischer Mischlinge, die Formen der Enteignung, der Nutzen für die Wohnungssuchenden, die neuen Pfründe für die schwerfälligen, unlesbare Schwarten absondernden Historienschreiber und schließlich die Ausnahmslosigkeit, mit der die Deportationen durchgeführt wurden. Hitler ließ die 40 000 Wiener Wohnungen räumen, die Juden gemietet oder besessen hatten. Deutsche und österreichische Beamte enteigneten die Juden unter allgemeinem Beifall, verjagten sie ins Ausland und transportierten die Verbliebenen per Eisenbahn nach Osten ab. Um das Gewissen der Wiener zu schonen, fuhren die Deportationszüge nächtens von der Postrampe des abseits gelegenen Aspangbahnhofs ab. Insgesamt mussten auf diesem Weg 48 593 Menschen Wien verlassen. Von ihnen überlebten 2098.

Hugo Bettauer, der Autor des Romans »von übermorgen« hatte den großdeutschen Antisemiten aufs Maul geschaut. Sein Thema lag in der Luft. 1925 ging ein Wiener Zahntechniker auf ihn los, schoss und traf ihn tödlich. Das Gericht stufte den Mörder als Einzeltäter ein, erklärte ihn für psychisch krank, ließ ihn in die Irrenanstalt schaffen und 14 Monate später auf freien Fuß setzen. Vor der Tat hatte der Angeklagte eine Zeit lang der NSDAP angehört. Im Prozess übernahm ein braunes Anwaltskollektiv seine Verteidigung, ein Solidaritätskomitee für politische Gefangene unterstützte ihn moralisch und materiell.

Bereits 1900 hatte Siegfried Lichtenstaedter die Kunst der politischen Prognose verfeinert. Er nannte sie Geschichtsvorhersage oder Zukunftsgeschichtsschreibung. Die Umstände seiner jüdischen Existenz schärften ihm den Blick für die Doppelbödigkeit des christlichen Humanismus. Er durchschaute nationalistische Überheblichkeit und moralisch bemäntelte imperiale Interessenpolitik. Natürlich irrte sich Lichtenstaedter in manchen Details, aber die großen Linien erkannte er dank seiner Fähigkeit, kaum sichtbare Vorzeichen wahrzunehmen und mit unverbesserlichem Pessimismus in die Zukunft zu projizieren.

Er hatte in Erlangen und Leipzig orientalische Sprachen und Jura studiert. Womöglich wollte er eine akademische Karriere einschlagen, auch liebäugelte er damit, eine passende Stellung in der Türkei zu finden. All das misslang. 1898 trat er in den Höheren Dienst der bayerischen Finanzverwaltung ein und wurde Königlicher Regierungsrat, später Oberregierungsrat. Sein Leben erinnert in mancher Hinsicht an das von Franz Kafka. Lichtenstaedter blieb unverheiratet, ging tagsüber einem unauffälligen Brotberuf nach, nachts schrieb er zeitdiagnostische und prognostische Stücke über die bedrohlichen Züge seiner Gegenwart. Zumeist publizierte er unter dem Pseudonym Dr. Mehemed Emin Efendi, manchmal als Emin oder Ne'man.

Der Autor pfefferte seine Texte mit bayerischer Possenlust und akademisch geschliffener Polemik. Seine Erzähler schlüpften in Dutzende Rollen. Mal spielten sie den britischen Journalisten in der muselmanischen »Unkultur«, dann den russischen Minister Skrupelloswo oder den erotomanen französischen Diplomaten, nicht zuletzt den deutschen Antisemiten, frisch aus dem Münchner Alltag gegriffen. Nach einer langen assimilatorischen Phase nahm Lichtenstaedter in den 1920er-Jahren wieder am Kulturleben der Jüdischen Gemeinde München Teil. Wiewohl überzeugter Vegetarier, stritt er jahrelang gegen den Münchner Tierschutzverein, der das Verbot des Schächtens forderte. Immer wieder setzte er sich kritisch mit dem Zionismus auseinander. Statt zur Auswanderung riet er zu religiös fundiertem »jüdischem Stolz« und »jüdischer Eigenart«.

Ungeschrieben blieb sein Buch »Das törichte Israel«, weil er 1935 die Zeiten für »so schwer und traurig für die deutsche Judenheit« hielt, dass sich »die zügellose Befriedigung der Spottlust verbot«.[285] Von 1933 an trat Lichtenstaedter dafür ein, dass möglichst viele Juden Deutschland verlassen und nicht nur nach Palästina emigrieren sollten. Aus Gründen des Überlebens gelte es, »den Strom der Auswanderer in möglichst viele Betten zu leiten«. »Stumpfsinniges oder resigniertes Beharren auf einem unhaltbaren Platze« schloss Lichtenstaedter aus, da es um die Rettung der Judenheit aus einer lebensbedrohlichen Situation gehe. »Gebe Gott«, schrieb er 1937, »dass es nicht zu spät sei!«[286]

In den Jahren 1901 und 1903 hatte er das zweibändige Werk »Das neue Weltreich – Ein Beitrag zur Geschichte des 20. Jahrhunderts« veröffentlicht. Für das Jahr 1910 kündigte er darin die Landung italienischer Truppen in Tripolis an und zur selben Zeit einen heftigen Krieg auf dem Balkan, diesem »Wetterwinkel Europas«, wegen der ungelösten mazedonischen und albanischen Frage. Dabei werde dem christlichen Bulgarien und dem christlichen Griechenland eine besondere Rolle im Kampf gegen die Türkei zukommen. Aus Sofia zitierte er die fiktive Zeitung Volksstimme, »ein weitverbreitetes Blatt«, das früh schon den »feurigen Ruf« erhoben habe, den türkischen »Feind aus den gesitteten Fluren Europas« zu werfen. Wenig später, am 12. Januar 1910, würden nach Lichtenstaedters Geschichtsprognose Wortfetzen wie diese aus der griechischen Deputiertenkammer schallen: »›Unverjährbare Rechte‹ – ›Hellenismus‹ – ›Vaterland‹ – ›unterdrückte Brüder‹ – ›Barbaren‹ – ›Freiheit‹ – ›Tod‹.«[287]

Tatsächlich besetzten italienische Truppen Tripolis nicht 1910, sondern 1911. Kurz darauf annektierte Italien das heutige Libyen formell. 1912 und 1913 fanden der Erste und der Zweite Balkankrieg statt. Das griechisch-annektionistische Streben richtete sich in jenen Jahren gegen die Türkei, gegen Bulgarien und Albanien.

Friedensinitiativen nützten wenig, und der deutsche Gesandte in Athen teilte mit, dass sich griechische Freischärler weiterhin »gegen die mohammedanische Bevölkerung die unerhörtesten Grausamkeiten haben zuschulden kommen lassen und die unglücklichen Mohammedaner in Massen niedermetzelten«.[288]

Für 1912 erfand Lichtenstaedter ein »grauenvolles«, von Muselmanen an Armeniern angerichtetes Blutbad in der ostanatolischen Stadt Erzurum. Im Hintergrund malte er die massive britische und russische Unterstützung für den armenischen Nationalismus aus und zeigte, wie der Großgruppenhass von den an Teilen des Osmanischen Reiches interessierten Mächten angestachelt wurde. Für das Jahr 1919 prognostizierte er eine »Proklamation der provisorischen serbischen Regierung an das Volk«. Darin appelliert die nationale Revolutionsregierung an alle Serben, sich »des großen serbischen Namens würdig zu erweisen, der Welt zu zeigen, dass das serbische Volk nicht gewillt ist, sein Wirken als mächtiger Kulturfaktor auf der Balkanhalbinsel aufzugeben«.

Für 1939 kündigte Lichtenstaedter in seiner Geschichtsvorhersage den Artikel einer Zeitung an, die er Ostdeutsche Rundschau (Wien) nannte und im mit Deutschland vereinigten Österreich erscheinen ließ. Unter dem Datum vom 23. Juni 1939 erfand er einen Bericht dieser Zeitung über eine »herrliche Sonnwendfeier der Deutschen Hochschülerschaft« in der Nähe von Wien. Die Studenten sind von »deutsch-volklichem Gefühl durchdrungen«, und zwar so stark, dass sie all jene von der Feier ausschließen, die dem »veralteten welsch-jüdisch-weibischen« Denken verhaftet sind. Im Garten des Gasthauses »Zum deutschen Blitz« entwickelt sich bald »ein echtdeutsches« Treiben. »Unbeschreiblichen Jubel« erregt »das neueste deutsche Trutzlied ›Wenn Wanzenvölker uns bedrohen‹«. Einige tschechische und slowenische Lümmel in der Nähe, die frech grinsten, werden »in gebührender Weise bestraft«. Nach einer weiteren, für den 2. Oktober 1939 erdachten Meldung des ebenso erdachten Blattes Wiener Deutsche Zeitung reagiert die deutsche Staatsführung auf antideutsche Unruhen der slawischen Bevölkerung in Prag, Zagreb und Ljubljana harsch und erklärt: Das Maß sei nun voll, Härte geboten und eine kriegerische Strafaktion überfällig, »um endlich dauernde Ordnung und Beruhigung zu schaffen«. Als Grund werden in Lichtenstaedters Geschichtsvorhersage die »jüngsten blutigen Vorfälle« genannt, begangen von einem »unwissenden, betörten slawischen Pöbelhaufen«. »Wer Wind sät, wird Sturm ernten«, erklärt die Reichsregierung und weist zur allgemeinen Beruhigung darauf hin, die Strafaktion werde »die freundschaftlichen Beziehungen« mit Russland nicht beeinträchtigen.

Ebenso treffsicher saß der letzte Text im zweiten Band der Jahrhundertprognose von 1903. Demnach zieht am 1. Oktober 1945 ein »russischer Kommissär für die Verwaltung der befreiten westslawischen Länder« in Prag ein. Dort erlässt er am 1. Januar 1946 das »Toleranzedikt für die befreiten westslawischen Länder« – nach Paragraph 3 ist der Schulunterricht in allen befreiten westslawischen Ländern künftig auf Russisch abzuhalten.[289]

Vier Jahre nach Bettauers »Die Stadt ohne Juden« erschien Lichtenstaedters Buch »Antisemitica – Heiteres und Ernstes, Wahres und Erdichtetes«. Es enthält Tagesbeobachtungen und Possen. Eine Geschichte heißt »Wenn eine jüdische Ahnfrau Bismarcks entdeckt werden wird«; eine andere handelt von einer »Kulturgeschichte des 19. und 20. Jahrhunderts«, die das Publikum an prominenter Stelle darüber belehrt, »dass die Trunksucht im 19. Jahrhundert nur die Schuld der Juden« war. Jüdische Händler hätten Wein zu Markte getragen, jüdische Bankiers Kredite zum Bau von Bierbrauereien gegeben und jüdische Geschäfte Humpen, Krüge und Kannen verkauft. Nicht zuletzt hätten jüdische Möbelgeschäfte »in der skrupellosesten Weise die zum Kneipen unentbehrlichen Tische, Bänke und Stühle« geliefert.[290]

Lichtenstaedter setzte das Erscheinungsjahr dieser Kulturgeschichte auf 1999 an – und irrte. Vom Zeitpunkt seiner Prognose

1926 dauerte es nur noch zwölf Jahre, bis der aufstrebende, nach 1945 in der Bundesrepublik Deutschland schulbildende Sozialhistoriker Werner Conze wissenschaftlich feststellte: »Der Name des Führers« sei »bis in die entlegensten« von Weißrussen besiedelten Dörfer Polens gedrungen, »vor allem wegen seiner klaren Politik in der Judenfrage, die der arme weißrussische Bauer ja selbst täglich zu spüren bekommt«. Denn »was der Gutsherr dem Bauern ließ, zog ihm der Jude aus der Tasche«. Folglich konnte der weißrussische Bauer »nur dumpf und elend dahinvegetieren« und sich mit dem »Schnaps des Dorfjuden« betäuben.[291] Gefördert hatte Conzes Zugewinn an derartiger wissenschaftlicher Erkenntnis die Deutsche Forschungsgemeinschaft.

Die wichtigste Satire der Lichtenstaedter'schen »Antisemitica« heißt »Der jüdische Gerichtsvollzieher«.[292] Sie führt nach Anthropopolis, eine Stadt mit 200 000 Einwohnern, davon knapp 2000 Juden. Eines Tages muss der Posten des Gerichtsvollziehers neu besetzt werden – der einzige nicht nur in Anthropopolis, sondern in ganz Anthropopolitanien. Erstmals geht das Amt an einen Juden. Unruhe kommt auf. »Mit Fug und Recht« verweisen die Leute darauf, dass die Gerichtsvollzieherei nun zu hundert Prozent in jüdischen Händen liegt, während die Juden nur ein Prozent der Einwohner stellen. Nach der Verfassung sind die Juden gleichberechtigt. Jawohl! Nun genießen sie jedoch, wie selbst der Rechenschwächste herauszufinden meint, »hundertfach höhere Rechte«. Falsch! Die Mathematiker der Stadt erinnern daran, »dass die arische Bevölkerung mit 0 – sage und schreibe null – vertreten ist und dass die Zahl 1 dividiert durch 0 keineswegs 100, sondern die Unendlichkeit« ergibt. Demnach sind die Juden »in einem wahrhaft unendlichen Maße bevorzugt«, die Arier Opfer himmelschreienden Unrechts.

Der neu bestallte Gerichtsvollzieher gehört seit Jahren einer lose organisierten Skatrunde an. Plötzlich, »dem allgemeinen Zuge der Zeit gemäß«, wird der gesellige Kreis zum eingetragenen Verein. »Angefeuert durch die völkischen Ermahnungen« der Zeitung Anthropopolitanische Morgenröte besinnen sich die Skatfreunde auf ihre staatsbürgerlichen Pflichten. In den Paragraphen 1 der Satzung schreiben sie: »Der Anthropopolitanische Skatklub verfolgt die Aufgabe, das Skatspiel im anthropopolitanisch-völkischen Geiste und in einer der arischen Rasse würdigen Weise zu pflegen.« Leider, leider kann der jüdische Beamte dem Verein nicht angehören. Ähnlich ergeht es ihm im Sängerkränzchen und in der Sportriege, bis er fast nur noch im »engen Kreise von Religionsgenossen« verkehrt.

Bald darauf gelangt die neu geschaffene Oper »Der sterbende Herkules« zur Uraufführung. Komponiert hat sie der Bruder des Gerichtsvollziehers, was auf den längst als unzumutbar geltenden Gerichtsvollzieher »in nicht gerade sehr vorteilhafter Weise abfärbt«. Im Opernhaus bleibt mancher Platz leer, aus den einigermaßen besetzten Reihen steigt angewidertes Gezischel auf: »Gott sei Dank, nun beschert uns Jerusalem noch eine Oper!« Fix rücken einige Jüngere aus besten Kreisen mit Rasseln und anderen geeigneten Instrumenten an, um die deutsche Kunst vor »Pfuschern und Schwindlern zu schützen«. Der Musikkritiker der Morgenröte schreibt einen wohlbegründeten Verriss. Er verteidigt die Grundbegriffe des ewig Gültigen gegen die zeitgenössisch-kalte, am Kommerz ausgerichtete Verödung und endet kraftvoll: »Der Tempel der Kunst ist kein Warenhaus, das Reich des Schönen ist kein Börsensaal, merke dir dies, Israel!«

Die Lage bleibt für den Gerichtsvollzieher prekär. Unerträglich wird sie, als der für investigative Aufgaben zuständige Reporter der Morgenröte einen 60 Jahre zurückliegenden Fall von Wucherei aufdeckt. Gründlich, in allen Verästelungen recherchiert, erscheint das groß aufgemachte Lesestück in der Wochenendbeilage. Der Fall klingt kompliziert, doch enträtselt er sich in seiner Abgründigkeit jedem gut und gerecht Denkenden sofort. Die Braut des Gerichtsvollziehers hat einen Onkel mütterlicherseits, und um dessen Großvater (wiederum mütterlicherseits) dreht sich die Wuchergeschichte. Da die Braut von besagtem Onkel, also vom

Erben »eines schurkischen Wucherers und Volksausbeuters«, ihre reiche Mitgift erhalten hat, profitiert der Gerichtsvollzieher unmittelbar von der schändlichen Wucherei.

Im Begleitkommentar macht der Journalist aus seinem Herzen keine Mördergrube. Er mahnt das »Ende der Langmut« an. Anders als in der biblischen Geschichte vom Auszug aus Ägypten, so formuliert er plastisch, werde sich das Meer vielleicht schon in naher Zukunft nicht mehr zugunsten Israels öffnen und die (ägyptischen) Verfolger vernichten. »So kann recht wohl in unserer Zeit der umgekehrte Fall eintreten: dass Israel unschädlich gemacht, dagegen seine Gegner – richtiger: seine Opfer – gerettet werden. Es gibt noch andere Meere als das Schilfmeer; es gibt außerdem Flüsse, auch in unserem anthropopolitanischen Lande, mit genügendem Wasser, um das ganze Volk Israel unschädlich zu machen.« Ein paar Tage später tritt der Gerichtsvollzieher zurück. Er entschließt sich dazu auf Druck der öffentlichen Meinung, nicht zuletzt auf Bitten der Jüdischen Gemeinde, die so dem weiteren Anschwellen des Antisemitismus vorbeugen will.

Die Geschichte aus Anthropopolis erschien 1926. Wenige Jahre danach wurde die Fiktion wahr. Beim Jungvolk, bei der Hitler-Jugend, beim Bund Deutscher Mädchen und bei der SS sangen und summten Abertausende den Ohrwurm: »Die Juden ziehn dahin, daher. / Sie ziehn durchs Rote Meer. / Die Wellen schlagen zu. / Die Welt hat Ruh.«[293]

Der bereits vorgestellte Roman »Die unsichtbare Kette« endet mit der Frage, die der Autor Herbert Friedenthal 1936 in Berlin stellte: Gehen oder ausharren? Offenbar lässt sich dem Antisemitismus nirgends entrinnen, weder in Sydney noch in Tanganjika, die Judenfrage reist mit. »Du trägst sie mit Dir, sie ist da, wo Du bist, sie ist da, solange Du sie nicht beantwortet hast.« Palästina! Das könnte ein Ausweg sein. Kai, der Held des Romans, sträubt sich: die Zwangsnormalisierung, das Klima, die Malaria, der unausweichliche Krieg mit den einheimischen Arabern. Er lehnt den zionistischen Ausweg ab. Anders argumentiert seine Freundin

Mirjam. Im Hin und Her der Argumente hält sie ihm entgegen: »Ich fürchte, die paar Hunderttausend Existenzen, die sich nach Palästina hinüberretten, werden einmal das allein Bleibende des jüdischen Volkes sein.«[294]

Als 70-Jähriger reiste Siegfried Lichtenstaedter 1938 nach Palästina. Das jüdische Aufbauwerk beeindruckte ihn. Doch wollte er dort niemandem zur Last fallen und kehrte nach Deutschland zurück. Er war 1865 im mittelfränkischen Baiersdorf als Sohn des Lederhändlers Wolf Lichtenstaedter und dessen Ehefrau Sophie (geborene Sulzberger) zur Welt gekommen und wurde, wie gesagt, höherer bayerischer Regierungsbeamter. 1932 trat er in den Ruhestand. Um dem für den 1. Januar 1939 angedrohten Zusatzvornamen Israel zu entgehen, legte er im Oktober 1938 den Vornamen Siegfried ab und wählte einen, der nach dem Gesetz als eindeutig jüdisch galt.[295] Am 6. Juni 1942 deportierte ihn die Münchner Polizei mit dem Transport Nr. II/9 in das Konzentrationslager Theresienstadt. Dort starb Dr. Sami Lichtenstaedter am 6. Dezember desselben Jahres.

Unabhängig von der weiteren wirtschaftlichen und politischen Entwicklung beobachteten Lichtenstaedter in Deutschland und Bettauer in Österreich zu Beginn der 1920er-Jahre, also vor der Weltwirtschaftskrise, den verbreiteten Volksantisemitismus. Er trug alle Ingredienzien in sich, die in Deutschland nach 1933 zu wesentlichen Bestandteilen der Staatspolitik wurden. Als bestimmende Kräfte griffen beide Autoren die Modernisierungsscheu des christlichen Volkes auf, den ständigen Ruf der Zukurzgekommenen nach »Gerechtigkeit«, die Angst vor dem wirtschaftlichen Elan der Juden, den Neid und den Rückzug der Mehrheitsbevölkerung in den Kollektivismus. Kollektivismus bedeutet das Streben nach gesellschaftlicher Homogenität, das Samjatins utopischer Roman vom egalitären Sonnenstaat karikiert. In radikalisierter Form führt das Gleichheitsstreben dahin, die Ungleichen zu diskriminieren, zu verfemen und am Ende maschinell zu vernichten.

Bürger: »Juden bleiben uns innerlich fremd«

Nicht Hitler oder seine Gauleiter, sondern Wissenschaftspolitiker der Weimarer Republik richteten 1923 an der Universität München den ersten deutschen Lehrstuhl für Rassenhygiene ein und besetzten ihn mit Fritz Lenz. In Berlin-Dahlem schufen sie 1927 das Kaiser-Wilhelm-Institut für Anthropologie, menschliche Erblehre und Eugenik. Zum Gründungsdirektor berief die Gesellschaft Eugen Fischer. 1945 wurde das Institut geschlossen, die Kaiser-Wilhelm-Gesellschaft bald darauf in Max-Planck-Gesellschaft umbenannt. Der heute bekannteste Mitarbeiter des Instituts war Dr. Dr. Josef Mengele.

Fischer war für den Leitungsposten prädestiniert. 1920/21 hatte er zusammen mit seinem Schüler Fritz Lenz und dem Direktor des Kaiser-Wilhelm-Instituts für Züchtungsforschung, dem Botaniker Erwin Baur, die zweibändige »Menschliche Erblichkeitslehre und Rassenhygiene« herausgebracht. Kurz Baur-Fischer-Lenz genannt, erschien sie bis 1944 in mehreren Auflagen; das Werk wurde alsbald ins Schwedische und Englische übersetzt. In dezent gelehrsamer Prosa machte es das rasse- und erbhygienische Ressentiment salonfähig, behängte es, wie Jakob Wassermann schrieb, mit »einem Prunk- und Tugendmantel sozialkritischer und rassenphilosophischer Provenienz«.[296]

Baur, Fischer und Lenz wandelten das vulgäre Vorurteil in scheinbar fundierte Erkenntnis, den Judenzinken in die dominant erbliche konvexe Nase. Über die Juden, häufig einfach als »vorderasiatische Rasse« bezeichnet, schrieb Fischer, dass sie »aus dem Bereich der Europäer völlig herausfallen«. »Man kann also«, resümierte er fast triumphierend, »sehr wohl von den Rassenmerkmalen und den Rassen der Juden und der Germanen sprechen und beide scharf und deutlich unterscheiden.« Daraus folgte für die »Bastardbevölkerung«, also für die gemeinsamen Nachkommen von Juden und Fischer'schen Normeuropäern, die besondere Durchschlagskraft dominanter Merkmale der Juden: »das schwarze Haar« und »noch das eine oder andere in der Physiognomie«. Im anschließenden Abschnitt erläuterte Lenz erbbiologische Gefahren. Mit Statistiken unterlegt, stellte er fest, Juden seien wesentlich häufiger erblich blind und taubstumm, erkrankten öfter an Diabetes und seien besonders anfällig für manische und melancholische Störungen. Hingegen übertreffe der nordische Mensch alle anderen Rassen an »Willensstetigkeit und sorgender Voraussicht«; er marschiere »hinsichtlich der geistigen Begabung an der Spitze der Menschheit«.

Fischer sekundierte in aller Wissenschaftlichkeit, dass es »noch heute ganz zweifellos der Einschlag nordischer Rasse in den Völkern Europas« sei, der denselben so viele Denker, Erfinder und Künstler beschert habe und weiter beschere. Für die Juden gelangte Lenz zu dem Ergebnis, sie verfügten über Erbanlagen, die »weniger auf Beherrschung und Ausnützung der Natur als auf Beherrschung und Ausnützung der Menschen« gerichtet seien. Er bezeichnete sie »als geradezu seelische Rasse« und schrieb ihnen die »erstaunliche Fähigkeit« zu, »sich in die Seele anderer Menschen zu versetzen und sie nach ihrem Willen zu lenken«.[297]

An anderer Stelle bejahte Baur die Menschenzüchtung, vorausgesetzt, »dass der Züchter ein scharf umrissenes Zuchtziel vor Augen hat und dass ein Wille die Zucht leitet«. Seit 1931 warb er für die nationalsozialistische Sache (»strebt ehrlich eine Gesundung der Rasse an«), das 1933 erlassene Gesetz zur Massensterilisierung fand er zu lasch (»nur erst ein Anfang«). Weitere Elogen Baurs an die neuen Machthaber verhinderte sein Tod im Dezember 1933. Die Deutsche Demokratische Republik verlieh bis zu ihrem Ende die Erwin-Baur-Medaille für hervorragende Leistungen in der (pflanzlichen) Züchtungsforschung.[298]

Die Rassentheoretiker stützten ihre Lehre auf empirisch begründete, biologische Sachverhalte. Aufgeklärte Zeitgenossen werden einwenden: angebliche Sachverhalte, pseudoempirische Begründung! Stimmt, doch kommt es darauf nicht an. Geschichtlich gesehen reichte das naturwissenschaftliche Als-ob. Im Hinblick auf die verheerenden Folgen bleibt es gleichgültig, dass die Ergebnisse der Rassenforscher immer umstritten waren und später falsifiziert wurden.[299] Das widerfährt vielen wissenschaftlichen Erkenntnissen. Fest steht, dass im Deutschland der 1920er-Jahre immer mehr angesehene Züchtungsbiologen, Mediziner und Anthropologen, bald auch erhebliche Teile der interessierten Öffentlichkeit die neue Disziplin »Erb- und Rassenhygiene« für vielversprechend erachteten. Drittmittel flossen, Doktorandengruppen, Arbeitsstellen, Forschungsstipendien, Lehrstühle und angesehene Publikationsreihen schossen aus dem Boden. Das Engagement junger Wissenschaftler und die Sonne des öffentlichen Interesses ließen die neue Disziplin aufblühen. Friedrich Hertz schrieb in seiner 1904 erstmals erschienenen, 1925 neu aufgelegten und erweiterten Kritik an den Rassentheoretikern über das Werk von Baur, Fischer und Lenz: »Man mag zweifeln, ob es überhaupt lohnt, derlei Theorien kritisch zu prüfen. Aber sie üben heute einen überaus verhängnisvollen Einfluss auf den Zeitgeist aus. In ›maßvoll‹ abgetönter Form werden sie von akademischen Lehrstühlen herab vorgetragen oder in Romanen und Leitartikeln verbreitet, in vielfacher Vergröberung schallen sie aus den Tiraden der Völkischen aller Rassen und Länder.«[300]

Die gemischte Schar der Rassenwissenschaftler glaubte, der Genpool einer Großgruppe könne mittels rassenhygienisch als günstig oder ungünstig angesehener Partnerwahl veredelt oder verschlechtert werden. Die Einsicht in die – vermeintlich aus der Natur herausgelesenen – »biologischen Gesetze« gebot praktische Konsequenz. Der Einzelne hatte erb- und rassenbewusst zu handeln, der Staat erb- und rassenpflegerische Maßnahmen zu ergreifen. Schädliches musste ferngehalten, besser ausgemerzt, Gutes bevorzugt werden. Als Kronzeugen zitierte Fritz Lenz den damaligen gesundheitspolitischen Sprecher der deutschen Sozialdemokratie Alfred Grotjahn, der gefordert hatte: »Es muss der menschliche Artprozess durch die Ausbildung einer Theorie und Praxis der Eugenik so weit rationell beeinflusst werden, dass die Fortpflanzung von konstitutionell Minderwertigen zuverlässig verhindert wird.«[301]

Die naturwissenschaftlich angelegte Rassenlehre fand in allen geisteswissenschaftlichen Disziplinen jeweils eigenen, fachspezifischen Widerhall. Im Handumdrehen verschmolz der biologisch abgeleitete Rassengedanke mit der älteren deutschen Volksgeistidee aus der Romantik. Die im Volksboden verwurzelte, von dort stetig mit frischem Saft belebte deutsche Kulturseele regte in den Jahren der Weimarer Republik viele Intellektuelle zu antisemitischen Texten an. In ihren Ausdrucksformen vornehm-umgänglich landeten solche Autoren am Ende immer wieder bei dem verschnörkelt vorgetragenen Gedanken von der unüberwindlichen seelisch-geistigen Verschiedenheit von Deutschen und Juden. Ich stelle zwei Vertreter dieser Richtung vor: Johann Plenge und Margarete Adam. An beiden wird deutlich, wie verbindend das manchmal nur als kleiner Vorbehalt sichtbare antisemitische Vorurteil zwischen sozial und politisch unterschiedlich positionierten Deutschen wirkte.

Johann Plenge war Sozialdemokrat, lehrte Staatswissenschaft an der Universität Münster, warb mit großem Erfolg Drittmittel ein und galt den in der unmittelbaren Nachkriegszeit Studierenden als anregende, durchaus nonkonformistische Autorität. Plenge arbeitete zwischen 1914 und 1933 am Brückenschlag zwischen traditionellen und neuen nationalen Sozialisten. Als in Deutschland stets populäres Bindeglied benutzte er den Antiliberalismus, wie das Stoecker, Naumann oder Lensch auf ihre je verschiedene Weise getan hatten. Daraus folgte politisch die Ablehnung des britischen Regierungssystems und Handelskapitalismus. Plenge gehörte 1917/18 zu den Autoren der rechtssozialdemokratischen Zeitschrift Glocke und stand in regem Austausch mit den Rechtssozialdemokraten Lensch und Konrad Haenisch. In seinem staatswissenschaftlichen Institut an der Universität Münster veranstaltete er »Führerkurse« für den Allgemeinen Deutschen Gewerkschaftsbund; zu seinen Schülern gehörte der spätere SPD-Vorsitzende Kurt Schumacher, der 1920 bei ihm mit dem Thema »Der Kampf um den Staatsgedanken in der deutschen Sozialdemokratie« promoviert wurde.[302]

»Meine Herren! Wir haben für unsere heutige Vorlesung unerwartet einen eigenartigen und überraschenden Gegenstand, der zunächst etwas aus der Reihe fällt: Über den politischen Wert des Judentums.« So begrüßte Professor Plenge seine Hörer am 17. November 1919. Er erläuterte das Sonderthema mit dem Hinweis, dass sich ein jüdischer Student »auch im Namen seiner Verbindungsgenossen« im Anschluss an die vorangegangene Vorlesung beschwert habe, dass er, Plenge, mit einer Bemerkung zum Verhältnis von Religion und politischer Ideenbildung dem Judentum geschadet habe. »Lassen Sie mich das in aller Harmlosigkeit einmal so wenden«, dozierte der Professor: »›Ich bin kein Jude.‹ Sie lächeln vielleicht mit Recht. Aber ich will damit eine unüberschreitbare Grenze andeuten, die wir bei der Erörterung solcher menschlichen Fragen haben.«

Zunächst traf Plenge einige Unterscheidungen zwischen Christentum (»tiefer und bedeutsamer«), Islam (»›negerhafte‹ Züge«) und Judentum (»äußerlich«), um dann festzustellen, dass Letzteres mehr als ein Glaubensinhalt sei: »Judentum ist angeborene Rasse.« Deshalb legten Juden eine bestimmte »gesellschaftliche Verhaltensweise« an den Tag, die der Mehrheit zur Kritik Anlass gebe. »Wir alle wissen instinktiv«, führte der Professor aus, »dass Rasse da ist, und keine sophistischen Scheingründe verblendeter Naturforscher können uns dieses Problem wegdeuten.« Aus welchen Gründen auch immer empfand Plenge das »Triebleben« besagter Rasse als »gierig und ausschweifend«. Selbstredend bescheinigte er den Juden schärferen Verstand, prächtiges Abstraktionsvermögen, bewundernswerte Aktivität – jedoch gepaart mit »stark gespanntem Willen zur Macht«, Geltungssucht, Gemütsarmut und völliger Unfähigkeit zum »schöpferisch organischen Aufbau«. An das Ende seiner kurzen Rassenpsychologie setzte der Sozialdemokrat Plenge die doppelte, sowohl ökonomische als auch revolutionär-bolschewistische Bedrohung, die von den Juden ausgehe: »den phantastischen Triumph des Judentums auf dem Höhepunkt des Kapitalismus« und das gleichfalls auf die Juden zurückzuführende »Ghettoressentiment gegen die Kapitalisten«, das 1917 den Sturm der Revolutionen ausgelöst habe.

Allerdings betrachtete der Vortragende diese Neigung zum pro- und antikapitalistischen Doppelextremismus nicht als Ende der Weltgeschichte. Vielmehr hielt er die »Verschiebung des politischen Gewichtes« zugunsten der Juden für überwindbar. Zwischen den beiden »jüdischen Extremen« Kapitalismus und Klassenhass riet er seinen Studenten im November 1919 zum dritten Weg: die eigenen, offenbar nichtjüdischen Kräfte »zu ungeahnter Stärke zusammenfassen«, um »aus bewussten Gliedern bewusste Einheit« zu bauen.

In scheinbar objektiver Rhetorik bezeichnete Plenge die Juden als grundsätzlich von den deutschen Christen verschieden und die Differenzen für unüberwindbar: »Wir kommen in das Innere und die Art« des Juden »nicht hinein«. So spannte ein sozialdemokratischer Hochschullehrer die Brücke zur »sachlichen« Form des Antisemitismus, den junge Rechtsintellektuelle jener Zeit verfochten. Nach eigenen Angaben hassten diese den einzelnen Juden nicht, weil er Jude sei, sondern lehnten ihn ab, »weil er uns innerlich fremd gegenübersteht«.[303]

Die Hamburger Philosophin und Frauenrechtlerin Margarete Adam, die von Ernst Cassirer promoviert wurde, präsentierte ebenfalls eine für den bürgerlichen Hausgebrauch geglättete Form des Ressentiments. In einer »Aussprache über die Judenfrage«, die sie mit Eva Reichmann-Jungmann führte, legte sie 1929 Wert auf die Feststellung: »Der Jude wird vom Arier als ein dem Wesen nach anderer Mensch empfunden.« Die Abneigung beruhte nach Adam auf einem reziproken Fremdheitsgefühl, das – historisch betrachtet – aus den schrecklichen Untaten der christlichen Mehrheit gegen die altgläubige Minderheit herrührte und – aktuell – zur unbestreitbaren »knirschenden Verachtung« der Christen seitens der Juden führte und führen musste. Den Beweis für ihre These lieferte »die jüdische Presse«, die über guten Absatz, schnell arbeitende Redaktionen und »große Reklamemittel« verfüge und in deren Produkten es an »Frechheiten und Schnoddrigkeiten über große Persönlichkeiten der deutschen Vergangenheit« nur so wimmele: »Diese Presse ist es, die das Wort von dem ›jüdischen Zusammengehörigkeitsgefühl‹ in seiner schlimmsten Bedeutung immer wieder aufleben lässt.« Die Praxis der Weimarer Republik, endlich auch höhere Beamtenstellen mit Bürgern mosaischer Religion zu besetzen, stufte Adam als »geschichtsnaturwidriges Experiment« ein.

Bei den Reichstagswahlen am 14. September 1930 stimmte sie für die NSDAP und begründete ihre Entscheidung hernach öffentlich. Nicht der harsche Parteiantisemitismus habe sie zu diesem Schritt veranlasst, sondern das kompromisslose Eintreten der NSDAP für die »Revision der Wahnsinnsverträge« von Paris mitsamt den abmildernden, die Tributpflichten ins Endlose streckenden Anschlussverträgen sowie die Unfähigkeit der demokratischen Parteien, die kommunistische Gefahr zu erkennen. Adam bevorzugte ein Ende der Republik mit Schrecken statt des parlamentarischen Schreckens ohne Ende und redete sich und ihren Lesern ein: »Wir wissen, dass auch aus einem Ende mit Schrecken unseren Kindern – um die geht es – eine neue und bessere Zukunft emporreifen wird.« Dafür nahm sie den harten, ungehobelten nazistischen Antisemitismus in Kauf, den sie in gepflegter Diktion selbst verbreitete.

Aus derart gemischten Motiven stimmten viele wohlsituierte Bürger für Hitler. Nach 1933 entschloss sich Margarete Adam zum konservativ-katholischen Widerstand. Sie wurde verfolgt, 1937 wegen Hochverrats zu acht Jahren Zuchthaus verurteilt und starb im Januar 1946 an den Folgen des Erlittenen. Ihre jüdische Kontrahentin Eva Reichmann-Jungmann überlebte im britischen

Exil. Sie hatte sich 1931 eine Erwiderung auf Adams Bekenntnis zur Wahl der NSDAP versagt, weil sie darauf hoffte, dass der nationalsozialistische Judenhass vorübergehen und »die deutsche Geschichte in den nächsten zehn Jahren reinen Tisch« damit machen werde.[304]

Aufsteiger: Mein Opa und die Gauleiter

Wie sonst nur in den USA stieg die Produktivität der deutschen Industrie zwischen 1925 und 1929 mit sagenhaftem Tempo, teils um 25 Prozent, teils um bis zu 40 Prozent.[305] Das war für die allgemeine deutsche Entwicklung typisch, die zwischen gewaltigen Kraftakten und krisenhaftem Stillstand schwankte. Der Periode betonter Fortschrittsscheu war im letzten Drittel des 19. Jahrhunderts die überaus schnelle wirtschaftliche Modernisierung gefolgt, der die begleitende politische Reform fehlte; nach einer kurzen Phase innerer Ruhe stolperten die Deutschen dann in die selbstverzehrende Kraftanstrengung des Krieges mit forcierter Kriegswirtschaft; nach der Niederlage versanken sie für sechs Jahre in Starre, um sich dann abermals in eine die Kräfte überspannende Hochkonjunktur zu stürzen. Diese Phase endete 1929 im Desaster des größten wirtschaftlichen Zusammenbruchs der modernen Geschichte und mündete vier Jahre später in der Entfaltung ungeheuerlicher negativer Energien während der zwölf kurzen Jahre des Nationalsozialismus.

Nicht die Rationalisierung selbst, sondern deren Geschwindigkeit störte das wirtschaftliche Gleichgewicht zwischen 1925 und 1929, produzierte Arbeitslose, setzte die eben dem Krieg halbwegs entronnenen, eigentlich ruhe- und sicherheitsbedürftigen Menschen unter erheblichen Druck. Über Kompensationsreserven verfügten sie kaum. Auch der Kraftakt, den die Deutschen während der mittleren Jahre der Weimarer Republik unternommen hatten, verpuffte in der großen Depression. »Nach kurzer, beängstigender Scheinblüte«, so resümierte der Berliner Stadthistoriker Hans Grantzow, »bricht schließlich alles zusammen; jeder siebente Berliner ist im Januar 1933 ohne Arbeit (655 000 Arbeitslose). Der Untergang scheint unvermeidlich, nachdem alle Mittel, die der parlamentarische Staat aufbringen kann, versagt haben.«[306]

Die NSDAP profitierte seit 1929 von der Weltwirtschaftskrise, vom Streit der staatstragenden Parteien und – in erheblichem Umfang – von den sozialen Umbrüchen der Weimarer Jahre. Wie stark das gesellschaftliche Gefüge in Bewegung geriet, belegt die Statistik. Im Deutschen Reich gab es 1925 gut 32 Millionen Erwerbstätige, zwei Drittel von ihnen abhängig Beschäftigte, sei es als Arbeiter, Angestellte oder Beamte. Zwischen 1907 und 1925 wuchs die Zahl der Angestellten von 1,5 auf 3,5 Millionen, das entsprach einem Anteil von elf Prozent aller Erwerbstätigen. Gut ein Drittel davon waren Frauen, viele aufgestiegen aus den unteren Schichten in die neuen Büroberufe. Hinzu kamen noch gut eine Million Beamte, die damals bei Post, Bahn, Kommunen, Reichs- und Landesverwaltungen, Energie- und Wasserversorgungswerken beschäftigt waren. Gleichzeitig sank der Arbeiteranteil auf 45 Prozent aller Erwerbstätigen.

In Berlin, damals eine blühende Industriestadt, betrug das Verhältnis zwischen Arbeitern und Angestellten 1925 bereits 41,3 zu 27,8 Prozent; in der chemischen Industrie kamen auf 100 Arbeiter 38 Angestellte. Der Trend verstärkte sich in den folgenden vier Jahren massiv. Im internationalen Vergleich stand Deutschland mit den USA an der Spitze: Dort entfielen auf 100 Arbeiter einer Fabrik durchschnittlich 15,9 Angestellte, in Deutschland 15,4, in Großbritannien und Frankreich nur 10,75. Von je fünf jungen Deutschen traten 1925 drei in einen Produktions- und zwei in einen Handels- oder Verkehrsbetrieb ein.

Diese Daten verweisen auf einen umfassenden sozialen Mobilisierungsprozess. Neben der Verheißung eines besseren Lebens bedeutete (und bedeutet) sozialer Aufstieg Risiko und Stress. Die

Erstaufsteigenden konnten im materiellen und ideellen Sinn nicht auf Ererbtes zurückgreifen. Ihnen fehlten der Rückhalt in den Familien, das Vorbild der Eltern, die Selbstverständlichkeit des neuen Status, die vollendete »Gesellschaftsfähigkeit«. Sie gaben alte Gewohnheiten auf, gehorchten den zunächst fremden Standards der neuen Angestelltenkultur und nahmen den Verlust früherer Sicherheiten in Kauf. Wer nach oben drängt, den ängstigt das Abrutschen. Das ließ die Pioniere des familiären Aufstiegs unsicher und angespannt werden. Sie fühlten sich undurchsichtigen Mächten ausgeliefert, die, je nach Konjunktur, Menschen anzogen oder abstießen und zurückwarfen.

Zugleich wirkten die neuen, in ihrem sozialen Verhalten und in ihrem Zukunftsglauben noch ungefestigten Mittelschichten destabilisierend auf das Gesamtgefüge. Sie drückten nach oben ins Bürgertum, sie weichten die gesellschaftlichen Grenzen auf und erzeugten einen stetigen Aufstiegssog, das weitere Nachstreben, Nachrücken und Nachschieben aus den unteren Schichten. Sie waren mit nachrückenden Proletariern verschwistert, verschwägert und verheiratet. Der Krieg und das Ende der Monarchie, die Bildungspolitik der Republik und die rasche Modernisierung der deutschen Industrie hatten diese Entwicklung beschleunigt und die Klassen- und Standesschranken durchlässiger gemacht. Zudem wurden infolge der Inflation von 1923 die Chancen neu verteilt. Ererbtes Vermögen war verlorengegangen. Nun galt die Devise: Freie Bahn dem Tüchtigen! Der Versailler Friedensvertrag setzte jedoch nicht nur dem staatlichen Handeln enge Grenzen. Im allgemeinen Meinungsbild beschränkte er den endlich erwachten, individuellen Aufstiegs- und Leistungswillen der Deutschen. Die Weltwirtschaftskrise, die von den Deutschen als Komplott fremder Mächte angesehen wurde, steigerte diese Gefühle erst recht. Sie blockierte den verspätet und plötzlich erwachten Aufstiegswillen und trieb hochmotivierte junge Leute, arbeitsame Aufsteiger und diejenigen, die für ihre Kinder ein besseres Leben wünschten, in die Arme des Nationalsozialismus.

Am Vorabend der Weltwirtschaftskrise, 1929, betrachtete Emil Lederer diese Phänomene ratlos. Er befürchtete, fundamentale Spannungen könnten die Gesellschaft zerreißen und »bis in den Bürgerkrieg treiben«. Wenig später nahm die Krise ihren unheilvollen Lauf, und damals, im Frühjahr 1930, veröffentlichte Siegfried Kracauer seine berühmte Studie über die Angestellten und stellte diese Diagnose: »Der Durchschnittsarbeiter, auf den so mancher kleine Angestellte gern herabsieht, ist diesem oft nicht nur materiell, sondern auch existentiell überlegen. Sein Leben als klassenbewusster Proletarier wird von vulgärmarxistischen Begriffen überdacht, die ihm immerhin sagen, was mit ihm gemeint ist. Das Dach ist heute allerdings reichlich durchlöchert. Die Masse der Angestellten unterscheidet sich vom Arbeiter-Proletariat dadurch, dass sie geistig obdachlos ist. Zu den (SPD-) Genossen kann sie vorläufig nicht hinfinden, und das Haus der bürgerlichen Begriffe und Gefühle, das sie bewohnt hat, ist eingestürzt, weil ihm durch die wirtschaftliche Entwicklung die Fundamente entzogen sind.«[307]

Die zitierten Zahlen und theoretischen Erklärungen bedürfen der lebensgeschichtlichen Konkretisierung. Meine Vorfahren väterlicherseits sind dafür ungeeignet. Sie gehörten seit dem beginnenden 18., andere seit dem frühen 19. Jahrhundert dem Bürgertum an, stellten preußische Kaufleute, Pfarrer, Offiziere, Oberforstmeister, Gymnasialdirektoren und Beamte. Dieser Teil der Familie veränderte seinen sozialen Status im 20. Jahrhundert nur wenig. Doch kann ich die Spannungen, die nachholender sozialer Aufstieg zu Anfang des 20. Jahrhunderts erzeugte und viele Deutsche zu Gefolgsleuten der NSDAP machte, an meinen Großeltern mütterlicherseits erläutern: an Friedrich (1888–1963) und Ottilie Schneider (1892–1968).

Meine Urgroßmutter Louise Schneider war die Tochter des schon erwähnten Friedrich-Wilhelm Kosnik. Sie besuchte die Höhere Tochterschule in Magdeburg, doch anders als ihr zum

Studienrat aufstrebender Bruder beging sie einen Fehltritt. Sie wurde während des Landjahrs vom Gutsbesitzersohn schwanger und musste den Knecht Jakob Schneider heiraten. Ich kannte Louise noch. »Sei nie leichtsinnig, Kind«, pflegte sie zu sagen. Mein Großvater Friedrich entstammte der Zwangsehe. Er wurde katholisch getauft, wuchs in dem Straßendorf Platz in der Rhön auf, besuchte die einklassige Volksschule, musste im Alter von zehn Jahren zu wildfremden Leuten nach Schweinfurt ziehen, um die Realschule zu absolvieren. Das scheiterte. Nach vier Jahren brach Friedrich ab und lernte Kaufmann. Bald darauf zog er nach Frankfurt und von dort nach München. Wegen eines Beinleidens blieb ihm der Kriegsdienst erspart.

Meine Großmutter Ottilie wuchs in dem hessischen Dorf Mörfelden als Jüngste von fünf Geschwistern auf. Die Mutter starb früh, der Vater arbeitete sich zum Apothekenhelfer hoch – noch als 90-Jähriger ging er im Zweiten Weltkrieg seiner Arbeit nach. Die Familie war evangelisch. Ottilie wollte unbedingt Lehrerin werden, wurde jedoch mit 14 in ein Frankfurter Lebensmittelfilialgeschäft in die Lehre geschickt. In Abendkursen lernte sie den neuen Beruf der Stenotypistin und fand, unternehmungslustig wie sie war, ebenfalls eine Stelle in der bayerischen Hauptstadt. Dort heiratete sie Friedrich. Als 1921 die zweite Tochter zur Welt kam, kaufte Friedrich am selben Tag ein Klavier, zwei Jahre später wurde die dritte Tochter geboren. In München wohnte man in einer recht ordentlichen Gegend, die Töchter hießen nicht irgendwie, sondern Dorothea, Auguste Viktoria und Cecilie. Sie wurden evangelisch erzogen, erhielten alle Musikunterricht, machten später alle Abitur. »Lernt's, damit ihr was werd's«, war eine der stehenden Reden Ottilies. Ich habe sie noch im Ohr.

In München arbeitete Friedrich im Büro der Waggonfabrik Rathgeber. Nach dem Krieg blieb die Firma mit der Produktion von Güterwagen gut ausgelastet, die gemäß Friedensvertrag an Belgien und Frankreich zu liefern waren. 1925 fehlten Folgeaufträge. Rathgeber entließ einen großen Teil der Belegschaft. So wurde Friedrich am 31. März 1926 arbeitslos. In der Not gründete Ottilie einen winzigen Lebensmittelladen, trieb heimlich ab und hielt die Familie über Wasser. Damals trat Friedrich der NSDAP bei. Er bekleidete dort niemals eine Funktion; seinen Beitritt erklärte er 1948 im Entnazifizierungsverfahren so: »Ich wurde am 1. April 1926 erwerbslos. Als Ernährer einer Familie mit Kindern im Alter von sechs, vier und zwei Jahren geriet ich in große Not. Da besuchte ich eine Versammlung der NSDAP, in der der Münchener Stadtrat Dr. Buckeley über die Behebung der Arbeitslosigkeit sprach, und im guten Glauben an diese Ausführungen trat ich der Partei bei.« Die Akte zeigt Friedrich Schneider als harmlosen, arbeitsamen und integren Menschen. Die Entnazifizierungskammer sah es nicht anders.[308]

Im Herbst 1926 fand Friedrich wieder Arbeit. Auf Provisionsbasis begann er bei der Firma Imperial Feigenkaffee, später wurde er angestellter Reisevertreter, genannt Verkaufsbeamter. Er klapperte die Einzelhandelsgeschäfte in Niederbayern und in der Oberpfalz ab, kam am Samstagnachmittag nach Hause, schwer bepackt mit billig gekauften Lebensmitteln, und zog am Montag in der Frühe wieder los. Erst von 1939 an arbeitete er im Innendienst der Firma. Friedrichs Jahresgehalt betrug 1931 genau 3960 Mark, stieg 1939 auf 4560 Mark, hinzu kamen während des Krieges rund 800 Mark pro Jahr infolge von Überstunden, Nacht- und Sonntagsdiensten. Von seiner tatkräftigen Ottilie genötigt, kaufte er 1937 ein kleines, neu gebautes Gagfah-Reihenhaus am Stadtrand. Es kostete 16 475,20 Reichsmark, davon wurden 11 300 als Kredit aufgenommen. Die Familie lag krumm, verzichtete auf Butter, Fleisch gab es nur sonntags – aber das seinerzeit für die höhere Schule erforderliche Schulgeld, der Klavierunterricht und dann das Studium der Töchter wurden bezahlt.

Kurzum: Die Familie Schneider gehörte 1919 zur unteren Mittelschicht. Sie strebte in die nächsthöhere soziale Etage. Knappe materielle Mittel, Krieg, revolutionäre Wirren, Inflation und Weltwirtschaftskrise bedrohten den Lebensplan immer wieder. Familienvater Friedrich Schneider leuchtete das nationale Programm zur »sozialen Hebung« der unteren Volksklassen unmittelbar ein. Die NSDAP galt ihm als Partei der nationalen Selbstachtung, die den sozialen Aufstieg in Aussicht stellte und versprach, die Klassenschranken zu senken.

Meine damals achtjährige Mutter entwischte 1931 des Öfteren in das nahe gelegene jüdische Kaufhaus Uhlfelder. Eine Attraktion ohnegleichen lockte halb München dorthin: die erste Rolltreppe der Stadt – bis zum dritten Stock. Das fand meine Mutter großartig, bis Friedrich ihr bedeutete: »Dort gehen wir nicht hin.« Im April 1945 zog eine lange Kolonne von KZ-Häftlingen an seiner Haustüre vorbei: »Das war der schlimmste Anblick meines Lebens«, erzählte er der Tochter bestürzt, und später sagte er: »Was man mit den Juden gemacht hat, das ging entschieden zu weit.« Friedrich Schneider hatte einen der vielen kleinen Teile dazu beigetragen, die in ihrer Gesamtheit Deutschland auf den Weg lenkten, der in die Gewalt- und Vernichtungsherrschaft ohnegleichen führte. Ich bewahre meinen Großvater Friedrich als herzensguten Menschen in Erinnerung.

Der exemplarisch vorgestellte Lebenslauf von Friedrich Schneider ähnelt den Lebensläufen vieler NSDAP-Gauleiter frappierend. Wie dieser kamen fast alle 30 Gauleiter, die ich im Folgenden kurz vorstelle, aus Dörfern oder Kleinstädten. 17 von ihnen hatten Väter, die der Arbeiterklasse angehörten, zehn der Gauleiterväter können der unteren Mittelschicht, nur drei dem Bürgertum zugerechnet werden. Entsprechend der damaligen Konfessionsverteilung stammten knapp drei Fünftel der Gauleiter aus evangelischen, die anderen aus katholischen Elternhäusern.

Betrachtet man die Indikatoren für den Aufstiegswillen, dann machten sechs der Gauleiter Abitur und studierten anschließend. Zwölf schlossen mit der Volksschule ab, zwölf brachten es zu Mittelschul- oder vergleichbaren Abschlüssen oder scheiterten im Gymnasium oder in der Realschule. Nur zwei der späteren Gauleiter wurden Arbeiter, sechs ergriffen den Aufstiegsberuf des Volksschullehrers, der damals noch kein Abitur und kein akademisches Studium erforderte, die anderen wurden Kaufleute, mittlere Beamte und Angestellte. Die Mehrzahl der späteren Gauleiter gehörte zur Gruppe derjenigen, die erstmals aus den tradierten sozialen Milieus ihrer Familien aufstiegen. In der anschließenden sozialbiographischen Skizze beschränke ich mich auf die NSDAP-Gaue innerhalb der Reichsgrenzen von 1937. Sofern in einem Gau der Leiter wechselte, nehme ich denjenigen, der am längsten amtierte.[309] Um den laufenden Text nicht zu stark zu unterbrechen, führe ich hier die ersten zehn der alphabetisch geordneten Kurzbiographien an, die anderen 20 finden sich in der Fußnote auf den Seiten 318–321:[310]

Josef Bürckel (1895–1944), katholisch, Sohn eines Handwerkers in Lingenfeld (Pfalz): besuchte nach der Mittleren Reife die Lehrerbildungsanstalt und wurde Volksschullehrer. 1926–1944 war er Gauleiter von Rhein-Pfalz (später: Saarpfalz, dann Westmark, einschließlich Lothringen), 1938/1939 zudem Reichskommissar für den Anschluss Österreichs.

Friedrich Karl Florian (1894–1975), evangelisch, Sohn eines Oberbahnmeisters in Essen: Realschule, Realgymnasium und anschließend Grubenbeamter der Preußischen Berginspektion, 1930–1945 Gauleiter von Düsseldorf.

Albert Forster (1902–1947), katholisch, Sohn eines Gefängnisoberwächters in Fürth: Humanistisches Gymnasium bis zur Mittleren Reife, kaufmännische Lehre, Bankangestellter, 1930–1945 Gauleiter von Danzig (später: Danzig-Westpreußen).

Joseph Goebbels (1897–1945), katholisch, Sohn eines Prokuristen in Rheydt: katholisches Gymnasium, Studium der Germanistik, Promotion, 1926–1945 Gauleiter von Berlin, 1933–1945 Reichspropagandaminister.

Josef Grohé (1902–1988), katholisch, neuntes von zwölf Kindern eines Nebenerwerbsbauern und Gemischtwarenhändlers in

Gemünden (Hunsrück): Volksschule, Mitarbeit im elterlichen Geschäft, Handelsschule, kaufmännischer Angestellter, 1931–1945 Gauleiter von Köln-Aachen, 1944 Reichskommissar für Belgien und Nordfrankreich.

Otto Hellmuth (1895–1967), katholisch, Sohn eines Oberbahnmeisters in Markt-Einersheim (Unterfranken): Realschule, Oberrealschule, Kriegsdienst, Abitur (1919), Studium der Zahnmedizin, Promotion, niedergelassener Zahnarzt, 1928 bis 1945 Gauleiter von Unterfranken (später: Mainfranken).

Friedrich Hildebrandt (1898–1948), evangelisch, Sohn eines Landarbeiters in Kiekindemark (bei Parchim): Volksschule, Landarbeiter, Eisenbahnarbeiter, Soldat, Polizeidienst, dann Vorsitzender der Arbeitnehmergruppe des Landbundes in der Westprignitz, 1925–1945 Gauleiter von Mecklenburg.

Rudolf Jordan (1902–1988), katholisch, Sohn eines Kaufmanns und Kleinbauern in Großlüder bei Fulda: Volksschule, Präparandenanstalt, Lehrerseminar, zeitweilig Fabrikarbeiter, 1924 Volksschullehrer, 1929 wegen Rechtsradikalismus entlassen, 1931–1945 Gauleiter von Halle-Merseburg (später: Magdeburg-Anhalt).

Karl Kaufmann (1900–1969), katholisch, Sohn eines Wäschereibesitzers in Krefeld: Gymnasium bis zur 7. Klasse, Hilfsarbeiter, Soldat, Hilfsarbeiter, 1929–1945 Gauleiter von Hamburg.

Die Werdegänge der NSDAP-Gauleiter können nicht als absonderlich beiseitegeschoben werden. Es kann keine Rede davon sein, dass hier gescheiterte Existenzen, Deklassierte oder Asoziale am Werk gewesen seien, wie das schon in der Weimarer Zeit behauptet wurde. Vielmehr stehen die Lebensläufe exemplarisch für die von Millionen anderer damaliger Deutscher, die sich unter vergleichbaren Startbedingungen auf den Weg nach oben gemacht hatten. Die meisten der späteren Gauleiter zeigten in der Schul- und Ausbildungszeit den – vermutlich oft von den Eltern stimulierten – Ehrgeiz und die Fähigkeit, auf der Bildungs-

und Sozialleiter aufwärtszuklettern. Der Mangel an geistigem und materiellem Rückhalt in ihren Familien ließ viele – ähnlich meinen Großeltern Friedrich und Ottilie Schneider – zunächst scheitern und nach Seitenpfaden für das Weiterkommen suchen. Fast alle Lebenswege führten vom Dorf, von der Kleinstadt in die Großstadt. Die meisten der späteren Gauleiter hatten als sehr junge Männer den Krieg zumindest teilweise mitgemacht und so eine für ihre Generation ebenfalls typische Nachprägung erfahren. Durchschnittlich erreichten sie mit 35 Jahren die hervorgehobene, mit erheblichen Vollmachten ausgestattete Position als Bezirkschefs einer von ihnen selbst mitgeschaffenen, bald höchst beachteten Partei.

Wie bei Hitler selbst reichte das Niveau formaler Bildung der meisten für eine solche Führungsaufgabe nicht aus. Sie mussten sich die erforderlichen Fähigkeiten erarbeiten. Da die NSDAP eine junge Partei war, die ihr hauptamtliches Personal gerade erst zusammenstellte, fehlte den Gauleitern die Glätte alteingesessener bürgerlicher und sozialdemokratischer Parteifunktionäre. Stattdessen zeigten sie das Engagement von Neulingen, die als vielfach verachtete Außenseiter ohne Protektion eine starke Organisation auf die Beine stellten. Weil sie fast alle aus den unteren, jedoch aufstiegsbereiten Schichten kamen, wussten sie aus eigener und familiärer Erfahrung, was es bedeutet, wenn man die Arbeit verliert, wenn das Geld für die Miete fehlt, der Bruder an Tuberkulose stirbt, der Gerichtsvollzieher klingelt oder ein dünkelhafter Offizier den einfachen Soldaten schurigelt. Anders als die Angehörigen der alten Eliten redeten die Gauleiter in der Sprache des Volkes. Sie kannten die Nöte der einfachen Leute.

Hitler setzte die Gauleiter stets persönlich ein. Er suchte fast ausnahmslos solche aus, die zu seiner eigenen Herkunft passten, den eigenen Aufstiegswillen mit ihm teilten. Gleich zu Beginn von »Mein Kampf« verneigt sich Hitler vor seinem Vater, dem Sohn armer Häusler aus dem niederösterreichischen Waldviertel. Alois Hitler war als 13-Jähriger aus dem engen, rückständigen Zuhause nach Wien ausgerissen, brachte es dort zum Schuhmachergesellen und wollte dann, trotz mangelnder Vorbildung, Staatsbeamter werden. »Mit eisernem Fleiß« und nach jahrelangem Mühen erreichte er das Ziel: wurde einfacher Grenzaufseher und stieg schließlich bis zum Zollamtsoberoffizial auf. Mit dem »Stolz des Selbstgewordenen« bestand er darauf, »seinen Sohn in die gleiche, wenn möglich natürlich höhere Lebensstellung zu bringen«.[311] Adolf Hitler sollte studieren. Er scheiterte an der Realschule und später an der Aufnahmeprüfung zur Kunstakademie. Aber die höhere Lebensstellung erklomm er dennoch und mit atemberaubendem Tempo. Im Ersten Weltkrieg erwarb er als 25-jähriger Meldegänger – eine Tätigkeit, die Mut, Umsicht und Geistesgegenwart verlangt – schon 1914 das Eiserne Kreuz II. Klasse, wurde Gefreiter und erhielt 1917 (auf Vorschlag des jüdischen Regimentsadjutanten Hugo Gutmann) das Eiserne Kreuz I. Klasse. Mit 32 Jahren brachte es Hitler zum Parteivorsitzenden, mit 43 zum Reichskanzler.

Nimmt man die biographischen Daten der Gauleiter zusammen, dann gehörten die Repräsentanten der NSDAP keinesfalls zu dem vom sozialen Abstieg bedrohten, radikalisierten alten, häufig als Kleinbürgertum bezeichneten Mittelstand. Vielmehr repräsentierten sie die aus den unteren Schichten in die nächsthöhere Schicht drängenden Deutschen. Sie vertraten nicht, wie so oft behauptet wurde, die Absteiger oder Abstiegsgefährdeten, sondern diejenigen, die aufwärts wollten und angesichts von wirtschaftlichem und politischem Durcheinander um ihre Zukunftschancen bangten und daher umso mehr drängten. Dabei spielt die Zugehörigkeit zu einer bestimmten sozialen Schicht oder Berufsgruppe keine Rolle, ausschlaggebend ist allein die Tatsache des Aufwärtsstrebens – von welchem gesellschaftlichen Ausgangspunkt auch immer. Die NSDAP repräsentierte den Landarbeitersohn, der Facharbeiter werden wollte, den Arbeitersohn, der es zum Techniker gebracht hatte, den Handwerkersohn, der als Werkstudent Jura studierte, die Bahnschaffnertochter, die den neuen Beruf der Fotografin anstrebte, die Bauerntochter, die es in die Großstadt verschlagen hatte. Die NS-Bewegung nahm die Ziele und Ängste derjenigen auf, die sozial in Bewegung geraten waren. Diese klassenübergreifende Großgruppe zählte um 1930 Millionen, die soziologisch nur eines verband: der Wunsch nach Aufstieg und Anerkennung.[312]

Nach der Untersuchung von Bruno Bettelheim und Morris Janowitz nahm der Antisemitismus in solchen Gruppen besonders zu, die entweder sozialen Abstieg befürchteten oder sich im Prozess der Mobilität nach oben befanden. Daraus folgerten sie, dass es in der Vorurteilsforschung prinzipiell nicht so sehr darauf ankomme, den sozialen und wirtschaftlichen Status eines einzelnen Menschen zu beschreiben, sondern den Grad und die Geschwindigkeit seiner sozialen Mobilität zu erfassen: »Die Frage, die für jeden Einzelnen beantwortet werden muss, lautet, ob er sich vom sozialen Abstieg bedroht oder in seinen sozialen Aufstiegswünschen behindert sieht.« Für den deutschen Fall ebenso interessant ist die Feststellung, »dass langsame soziale Aufwärtsmobilisierung mit tolerantem Verhalten verbunden ist, wohingegen stark beschleunigte Mobilität, sei es nach oben oder nach unten, mit deutlicher zwischenethnischer Feindseligkeit einhergeht« und mit bemerkenswerter »allgemeiner Aggressivität«.[313]

Die Funktionäre der SPD gehörten zu einer aus der Arbeiterklasse bereits aufgestiegenen Mittelschicht von Angestellten und Beamten. Doch verstanden sie deren prekäre Mentalität am allerwenigsten, weil sie für ihre politischen Bewertungen weiterhin marxistische Denkschablonen benutzten. Sie redeten vom feindlichen Bürgertum, vom edlen Proletariat und abschätzig vom Kleinbürgertum. Auf solche Weise konnten sie nicht einmal ihren eigenen sozialen Status zutreffend beschreiben. Ihnen fehlte ein realitätsnahes Bild von den gesellschaftlichen Umbrüchen, der schnellen Auflockerung und ständig steigenden Durchlässigkeit des sozialen Schichtengefüges, von »der ganz andersartigen geistigen und soziologischen Struktur der Angestellten, die, durch den

Wirtschaftsprozess entscheidend dynamisiert, wirksame politische Kräfte darstellten«.[314]

Junge Leute: Vom Ich zum nationalen Wir

Die starke, nachholende soziale Aufwärtsmobilisierung der Deutschen während der Weimarer Jahre lenkt den Blick auf einen in der Rückschau besonders beklemmenden Faktor: die erfolgreiche Bildungspolitik der ersten deutschen Republik. Sie förderte, auch wenn es paradox erscheinen mag, den Zulauf zu Hitlers Partei, stabilisierte deren Funktionärsstruktur und ermöglichte 1933 den schnellen Elitenwechsel im Staatsapparat. Zwischen 1919 und 1929 schufen demokratische Politiker die Voraussetzungen dafür, dass die Zahl der Abiturienten und Absolventen nichtakademischer gehobener Ausbildungsgänge stark anstieg – besonders deutlich zwischen 1928 und 1931. Die Bildungspolitiker der Republik machten das System durchlässiger, auch für Mädchen und junge Frauen; sie schufen neue Berufsprofile, anspruchsvolle Lehrerbildungsanstalten, Fachschulen, Fachhochschulen und Berufsakademien aller Art. Aber seit 1930 standen diese vergleichsweise gut ausgebildeten jungen Leute vor dem beruflichen Nichts. Chancenlos drängten sie in Massen auf den Markt. Die Jahrgänge 1908 bis 1914 waren die geburtenstärksten der deutschen Bevölkerungsgeschichte überhaupt.

Bei näherem Hinsehen erweisen sich die steigenden Abiturienten- und Studentenzahlen zum einen Teil als Erfolg der Republik und zum anderen Teil als Folge kriegsbedingter demographischer Brüche. Die überaus hohe Zahl der Studierenden in den Jahren 1919 bis 1923 war dem Umstand geschuldet, dass während des Krieges die meisten Studenten zum Wehrdienst abgestellt waren und danach das Studium gemeinsam mit den jüngeren Jahrgängen fortsetzten oder erst begannen. Die zweite, 1931 erreichte Spitze immatrikulierter Hochschüler verdankt sich jedoch der egalisierenden Bildungspolitik. Im Vergleich zu 1914 verdoppelte sich die Zahl der Studierenden 1931. Sie war auf 140 000 gestiegen, darunter 20 000 Studentinnen. (Übrigens resultierte die anschließende Verringerung der Neuimmatrikulierten in den Anfangsjahren der NS-Herrschaft nicht hauptsächlich, wie gelegentlich gesagt wird, aus einer bildungsfeindlichen Politik, sondern aus der nahezu halbierten Geburtenrate während des Ersten Weltkriegs.)[315]

Weil der Aufstieg einer christlichen deutschen Familie in typischen Zwischenschritten zwei bis vier Generationen benötigte, kann die soziale Durchlässigkeit des Bildungssystems nicht an der Quote studierender Arbeiterkinder abgelesen werden. Ein solcher Maßstab bleibt falsch, obwohl er sehr gebräuchlich ist. Arbeiterkinder, die aus ihrem Milieu direkt aufs Gymnasium und auf die Universitäten gelangen, bilden stets Ausnahmen, weil sie eine oder zwei Sprossen der sozialen Leiter in untypischer Weise überspringen. Es kommt auf die Aufstiegsbereitschaft der Eltern an. Die Frage lautet also: Konnten Eltern ihre kleinbäuerliche und proletarische Lebenswelt verlassen und als Bahnbeamte, Angestellte, Ladenbesitzer, qualifizierte Vorarbeiter oder Unteroffiziere Zwischenpositionen erreichen, die es den Kindern ermöglichten, zum Abitur zu gelangen und zu studieren?

Während der Weimarer Republik wurde die soziale Zusammensetzung der Ausbildungsgänge revolutioniert. Hatten zu Anfang des 20. Jahrhunderts 80 Prozent aller Abiturienten ihre Reifeprüfung an einem Gymnasium abgelegt, fiel deren Anteil während der Weimarer Jahre auf 32 Prozent. Die neuen, weniger elitären Konkurrenzanstalten, insbesondere die Realgymnasien und Oberrealschulen, wurden bevorzugt gefördert. Das veränderte die soziale Herkunft der Abiturienten. 1929 stellten die Kinder von unteren und mittleren Beamten, Angestellten, Handwerkern und kleineren Landwirten etwa zwei Drittel der Schüler an höheren Bildungsanstalten.

Diese jungen Leute, die dank des republikanischen Fortschritts jeweils als Erste aus ihrer Familie in akademische Gefilde vorstießen, fühlten sich in der neuen sozialen Rolle notwendigerweise unsicher.[316] Sie zweifelten an ihren Fähigkeiten, die Herausforderungen zu bestehen, ein Grundgefühl, das mit der Wirtschaftskrise ins schwer Erträgliche gesteigert wurde. In den späten 1920er-Jahren herrschte die Meinung, und die Realität sprach dafür, die deutschen Hochschulen seien überfüllt, die Zukunftsaussichten für Hoch- und Fachschulabsolventen miserabel. 1931 gingen etwa 325 000 Akademiker in Deutschland ihren Berufen nach. Hinter diesen standen damals 150 000 Anwärter auf akademische Berufspositionen, die ihren Qualifikationen entsprachen. Davon galten jedoch, so berechnete man, zumindest 40 000–45 000 als derzeit »überzählig«. 1933 meinte der Breslauer Superintendent: Wolle man alle in Kürze vorhandenen Hochschulabsolventen entsprechend ihrer Qualifikation unterbringen, seien statt der 330 000 vorhandenen Akademikerstellen etwa eine Million notwendig.[317] Ob die düsteren Prognosen richtig, falsch oder übertrieben waren, kann dahingestellt bleiben. Sie wurden geglaubt.

Kaum hatten Absolventen der Schulen, Fachschulen und Universitäten ihre Zeugnisse in der Tasche, standen sie mit leeren Händen da, wurden nicht einmal als Arbeitslose registriert. »Wenn du deine Laufbahn versperrt siehst«, so analysierte Konrad Heiden Hitlers Agitation, »als Akademiker das Leben eines Proletariers führen musst, so lass nicht den Kopf hängen, sondern kämpfe für den nationalsozialistischen Staat, in dem alles besser sein wird. Denn der nationalsozialistische Staat verteilt Führerstellen nicht nach Geburt, Besitz und bürgerlicher Stellung, sondern nach persönlichem Wert.«[318]

So gesehen überrascht es nicht, dass die NSDAP an Universitäten, Fachhochschulen und Technischen Hochschulen Mehrheiten eroberte, deutlich bevor sie große Teile der Gesellschaft gewinnen konnte. Bei der Reichstagswahl 1930 verbuchte die NSDAP 18,3 Prozent der Stimmen für sich, im selben Jahr erreichte der

Nationalsozialistische Deutsche Studentenbund bei den Wahlen zu den Studentenvertretungen 34,4 Prozent. Besonders stark war der Zulauf an den Technischen Universitäten, an denen überdurchschnittlich viele Neuaufsteiger studierten.[319] Von Anfang an umwarb die NSDAP die aufstiegsorientierten Jugendlichen und jungen Erwachsenen in besonderer Weise. Die noch Schulpflichtigen stachelte sie zu antirepublikanischer Aufmüpfigkeit an und zu antiautoritärer List. »Die schwerste Waffe in ihrem Kampf gegen den Staat haben die Schüler und Schülerinnen darin«, so riet Gotthart Ammerlahn, Berliner Gauführer der Hitler-Jugend im März 1930, »dass sie über etwaige Versuche stramm republikanischer Lehrer nur lächeln.« Die Überreichung der Abgangszeugnisse, eines gewissen »Fetzens Papier«, sollten sie mit einem »verächtlichen Lächeln« quittieren.

Vor den Delegierten des Nationalsozialistischen Deutschen Studentenbundes bezeichnete Joseph Goebbels um dieselbe Zeit die wissenschaftliche Arbeit der Professoren als Produktion von »Buch- und Afterweisheit«. Die Ordinarien gehörten zur alten, im Kaiserreich ausgebildeten Elite. Gegen sie entfachte Goebbels den Klassenkampf der nachrückenden, nichtelitären Haushalten entstammenden Studierenden. Er warf den Lehrstuhlgewaltigen vor, sie würden ihre der Zukunft zugewandten Studenten am Ende als »streng thronende Prüfer gelassen und hochmütig« am »aufgehäuften Paragraphenstaub messen«. Der spätere Propagandaminister giftete gegen das Versinken in »Wissenschaft, Statistik, Beruf, Strebertum, Fachsimpelei« und die »flegelhafte Arroganz des ›Gebildeten‹ dem ›Volk‹ gegenüber«.

Stattdessen sollten die Studenten die Klassengrenzen überwinden: »Erst der Werkstudent«, der in die Bergwerke hinuntersteige und neben dem Kumpel in harter Handarbeit um die Rohstoffgrundlagen der Nation kämpfe, weise »neue Wege«, nur er könne »die Fäden zwischen Hörsaal und Grube« knüpfen. Um solchem Fortschritt den Weg zu bahnen, gab Goebbels die Parole aus: »Unendliches muss bis dahin zertrümmert und vernichtet sein«, dann aber werde ein Zustand erreicht, in dem es »eine Lust ist zu leben«. »Einer muss anfangen! Stürzen Sie die alten Altäre um! Rotten Sie den alten Menschen in Ihrem Hirn und Herzen aus! Nehmen Sie die Axt in die Hand und zertrümmern Sie die Lüge einer alten falschen Welt! Machen Sie Revolution in sich! Das Ende wird der neue Mensch sein!«[320]

Wer den neuen Menschen schaffen will, legt sich mit der Staatsgewalt an. Die NS-Studenten erinnerten ihre Kampfzeit später als Lebensabschnitt, in dem sie »Polizisten mit gezücktem Gummiknüppel« trotzten, es ertrugen, dass sie der Berliner Polizeipräsident wegen antisemitischer Umtriebe im November 1930 vom Campus verjagen ließ. Er »wütete mit seiner Prügelgarde unter Studenten und Studentinnen schlimmer als Iwan der Schreckliche«. Schließlich schritt der Rektor vermittelnd ein. Die braunen Studenten sangen den abziehenden, der Republik verpflichteten Polizisten hinterher: »Muss i' denn, muss i' denn zum Städtele hinaus.« Schon bald wurden im Zeichen des staatlichen Appeasements »drei der verhafteten Nationalsozialisten freigelassen«. Kaum war das erreicht, trommelte die NS-Studentenzeitung Die Bewegung weiter gegen »das heutige System«: »Die maßgebenden Männer können sich aber nach derartigen Vorfällen mit Bombensicherheit darauf gefasst machen, dass noch kräftigere und lauter schallende Maulschellen folgen werden.«[321]

Wie solche Maulschellen, zumal gegen jüdische Professoren, nazifizierten Studenten von der Hand gingen, erlebte Theodor Lessing schon 1925 an der Universität Hannover. Er hatte im Prager Tagblatt die bevorstehende Wahl des Reichspräsidenten kommentiert und den aussichtsreichsten Kandidaten, Paul von Hindenburg, als Instrument antirepublikanischer, höchst gefährlicher Kräfte beurteilt. Lessing befürchtete, mit Hindenburg würde keine wirklich unabhängige Persönlichkeit ins höchste Staatsamt gewählt, sondern »nur ein repräsentatives Symbol, ein Fragezeichen, ein Zero«, und schloss daran in Gestalt eines Kalauers die Befürchtung an: »Man kann sagen: besser ein Zero als ein Nero.

Leider zeigt die Geschichte, dass hinter einem Zero immer ein künftiger Nero verborgen steht.«

Wegen dieses – im Rückblick hellsichtigen – Textes gründeten rechtsradikal engagierte Studenten den »Kampfausschuss gegen Lessing«. Sie riefen zum Boykott seiner Lehrveranstaltungen auf, störten diese gewalttätig und erzwangen schließlich, nicht zuletzt dank sympathisierender Professoren, dass der angefeindete jüdische Hochschullehrer im Sommer 1926 von seinem Amt zurücktrat. Mündlich konnte Lessing den studentischen Go-ins – dem »Niedergeschrienwerden, Bedroht-, Beleidigt-, Desavouiertwerden« – nichts entgegnen, schriftlich bemerkte er resigniert: »Gegen das ›Steinigt ihn‹-Gebrüll von Jünglingen, die sich nicht als Einzelne verantwortlich wissen, sondern sich immer, im Pluralis Majestatis redend, als Vertreter einer Gruppe oder gar eines unpersönlichen Ideals aufspielen, beispielsweise wenn sie persönliche Gemeinheiten und Selbstgerechtigkeiten ausüben«, sei nichts auszurichten, zumal wenn sie all das »womöglich im Namen alles Wahren, Guten und Schönen begehen«.[322]

Die jungen Leute, die um 1930 das Erwachsenenalter erreichten, waren mehrheitlich schon während des Krieges national geprägt und an das Freund-Feind-Denken gewöhnt worden. In einer Zeit, als das Schulgeld für höhere Schulen, das damals noch bezahlt werden musste, und die Kosten für das Studium für die übergroße Mehrheit der Bevölkerung kaum erschwinglich waren, nahm Punkt 20 des NSDAP-Programms das Aufstiegsstreben der jungen Leute auf, ebenso das elterliche Interesse, dass es die Kinder einmal weiterbringen und besser haben sollten: »Um jedem fähigen und fleißigen Deutschen das Erreichen höherer Bildung und damit das Einrücken in führende Stellungen zu ermöglichen, hat der Staat für einen gründlichen Ausbau unseres gesamten Volksbildungswesens Sorge zu tragen. Wir fordern die Ausbildung besonders veranlagter Kinder armer Eltern ohne Rücksicht auf deren Stand oder Beruf auf Staatskosten.«

Um 1930 fühlten sich fast alle jungen Erwachsenen von der romantischen, gegen das satte Bürgertum revoltierenden Jugendbewegung angezogen. In sozialistischen, bündischen oder nationalsozialistischen Jugendverbänden huldigten sie den Maximen »Das Ich dem Du unterordnen«, »Vom Ich zum Wir«, »Gemeinnutz geht vor Eigennutz«. Alle Jugendbewegten hielten das ruhige private Glück für nichts weiter als spießig, sie verachteten das »Profitariat«, wollten weg vom Materialismus hin zu Idealen, wollten die sozialen Unterschiede nivellieren, den Ausgleich zwischen Arbeitern, Bürgern und Bauern herbeiführen. Ihnen rief Hitler im Wahlkampf des Sommers 1930 zu: »Die bürgerliche Schwäche wird abgelöst werden vom deutschen Willen. Jugendlicher Heroismus wird die greisenhafte Sterilität unseres bisherigen bürgerlichen nationalen Lebens überwinden.«[323] Von links bis rechts lautete der Kampfruf der deutschen Nachkriegsjugend: Weg vom bürgerlichen Liberalismus! Weg vom Individualismus! Hin zum Kollektivismus!

Die 2,5 Millionen Erstwähler des Jahres 1930 gehörten den geburtenstarken letzten Vorkriegsjahrgängen an. Sie waren unter schwierigen Umständen, kriegsbedingt zumeist vaterlos, groß geworden und wollten zu einem erheblichen Teil in die neuen Mittelschichten aufsteigen. Viele hatten höhere Schulabschlüsse erreicht als ihre Eltern. Viele fühlten sich von der NSDAP angezogen. Deren Repräsentanten waren in der Regel deutlich unter 40 Jahre alt und traten als jung gebliebene Kämpfer auf. Die 114 NSDAP-Abgeordneten der 1930 gewählten Reichstagsfraktion brachten es auf ein Durchschnittsalter von knapp 38 Jahren, das aller Reichstagsabgeordneten betrug gut 46 Jahre.[324] Rechnet man die überdurchschnittlich jungen Abgeordneten von NSDAP und KPD heraus, ergibt sich, dass das Durchschnittsalter der Mandatsträger, die zur republikanischen Mitte zählten, deutlich über 50 Jahren lag. Aus Sicht der Jungwähler gehörten die Repräsentanten der NSDAP der um etwa zehn bis 15 Jahre älteren Zwischengeneration an, die für die Orientierung junger Erwachsener stets wichtig ist. Die Nationalsozialisten zeigten Tatendrang, Entschlossenheit und radikalen Veränderungswillen. Sie demonstrierten in Wort und Tat, um es im Jugendjargon jener Zeit zu sagen, dass ihnen nicht der Kalk aus den Hosenbeinen rieselte.

Darin unterschied sich die NSDAP wesentlich von den Parteien der Mitte. Im Jahr 1930 waren nur acht Prozent der SPD-Mitglieder jünger als 25. Dagegen bestand die NSDAP fast nur aus jungen Parteigenossen, die erst vor Kurzem zu ihr gestoßen waren. Das Durchschnittsalter der neu Eingetretenen lag 1927 bei 25 Jahren, 1928 bis 1930 bei 29 Jahren.[325] Die NSDAP erschien als unverbrauchte, bewegliche, junge Kraft, die SPD und die anderen Parteien der Mitte als bürokratisch erstarrte Altparteien. Nach Sigmund Neumann ließen die Repräsentanten der SPD die Person hinter die Sache zurücktreten, sie verzichteten »auf emotionale Wirkung«, bevorzugten »rationales Denken, Wirklichkeitssinn statt Phantasie, nüchternes, oft biederes Kalkül«. Sie arbeiteten im besten Sinn des Wortes staatstragend, verlässlich und pflichtbewusst, allerdings in einer Zeit, in der rationales Handeln zunehmend verachtet wurde, in der die meisten jungen Deutschen nach voluntaristischen statt pragmatischen Akten verlangten, nach rückhaltloser Tatkraft statt nach Kompromissbereitschaft, nach Utopie statt nach quälend komplizierter, von fortwährenden Rückschlägen begleiteter Realpolitik.

So entstand ein politisches Klima, in dem große Leistungen, die Politiker wie Friedrich Ebert, Walther Rathenau oder Gustav Stresemann unter extrem schwierigen Umständen vollbracht hatten, nichts mehr galten. Sie wurden in den Dreck gezogen, und zwar von Schülern oder Studenten, »die im Krieg ABC-Schützen waren, in Unkenntnis des Gewesenen Männer beschimpfen, die den Boden erst schufen, auf dem jene heute maulen«. Dieser jungen, von der Republik geförderten Generation galten, wie der Reporter der Frankfurter Zeitung Friedrich Franz von Unruh 1931 schrieb, »Begriffe wie geistige Freiheit, Friede« allenfalls noch als »Quark, den die Hitlerschar auf den Mist kehrt«.[326]

In den 1920er-Jahren existierten in Deutschland nur noch Reste eines bodenständigen Kleinbürgertums im Sinne des 19. Jahrhunderts. Schon deshalb geht die Behauptung fehl, die NSDAP habe ihre Stimmen vorzugsweise in den »kleinbürgerlichen Kreisen« gewonnen, und die statistisch gestützte Feststellung, dass soundso viele Mitglieder und Wähler der NSDAP bestimmten Berufsgruppen oder sozialen Ständen angehört haben, führt in die Irre. Wie in dem Abschnitt »Mein Opa und die Gauleiter« erörtert, geriet die tradierte Klassengesellschaft während der Weimarer Zeit insgesamt aus den Fugen. Sofern die NSDAP in der unteren Mitte der Gesellschaft Anklang fand, rekrutierte sie Mitglieder und Wähler aus der nach oben drängenden Bevölkerungsschicht. Diese höchst bewegliche, viele Millionen umfassende Großgruppe von Menschen, die den sozialen Aufbruch wollte, bekam jene Druck- und Zugkräfte in extremer Weise zu spüren, die infolge von Krieg und wirtschaftlich-technischem Fortschritt während der Zwischenkriegszeit auf einzelne Individuen, Familien, Berufsgruppen und Regionen einwirkten.

Das politische Verhalten derer, die sich im Wettlauf sozialer Aufwärtsmobilisierung eingekeilt sahen, hing von den Zukunftserwartungen ab. Die Aufsteiger setzten auf die Tatkraft ihrer politischen Führer. Sie erwarteten, dass ihnen Platz und Lebenschancen geschaffen würden: daher der Ruf nach Kolonien und nach Lebensraum, daher die Popularität der Forderung, sogenannte Artfremde – zumal wenn sie als Schnellaufsteiger und Konkurrenten wahrgenommen wurden – aus der eigenen Mitte zu verdrängen und den Zuzug Fremder zu stoppen. Der Nationalsozialismus lenkte die Aggression und Verzweiflung der in ihren Zukunftsplänen Blockierten auf die Juden und erzeugte so das Gefühl der Entlastung.

Vom ersten Arbeitstag 1933 an schuf die neue, von Hitler geführte Regierung dem arischen Nachwuchs Platz: Sie vertrieb die Juden bis 1938 aus sämtlichen Berufen; das Programm wirtschaftlicher Autarkie nahm den Druck des Weltmarkts von den Landwirten; bald expandierten Staatsapparat, Wirtschaft und Militär; das imperiale Lebensraumprogramm versprach Millionen neue Zukunftschancen. In »Mein Kampf« hatte Hitler das Ziel des nationalsozialistischen Staates so umrissen: »Sein Zweck liegt in der Erhaltung und Förderung physisch und seelisch gleichartiger Lebewesen.« Deshalb hatte der deutsche Zukunftsstaat die »germanischen Urelemente« zu sammeln und »zur beherrschenden Stellung emporzuführen«.[327]

Die Nationalsozialistische Volkspartei

Beseelender Fanatismus für die Arbeiter

Anders als das Programm der NSDAP gibt das Schlusskapitel des ersten, 1925 erschienenen Teils von »Mein Kampf« Auskunft über das Erfolgsrezept der Partei. Es hieß: Nationalisierung der Massen. Klassenanalytisch und nüchtern betrachtete Hitler das deutsche Volk als in zwei Teile zerrissen. Die äußerlich nationalen, jedoch wankelmütigen, jämmerlich feigen Bürger bildeten die kleinere Gruppe – die bäuerlichen und vor allem die proletarischen Handarbeiter die größere. Letztere standen nach Hitlers Einschätzung ganz überwiegend den gemäßigten oder radikalen marxistischen Bewegungen nahe, sprich: SPD, Gewerkschaften und KPD. Deshalb verpflichtete er seine Gefolgsleute von Anfang an, diese vielen Millionen »Leidgequälten und Friedlosen«, »Unglücklichen und Unzufriedenen« nicht zu verstoßen, sondern um ihre Herzen und Hirne zu ringen. Ohne die Arbeiter der Faust, so Hitler 1925, die jetzt noch auf der falschen Seite stünden, bliebe »eine nationale Wiedererhebung undenkbar und unmöglich«.

Er forderte politischen Einsatz für das Wohl und Wehe jedes einzelnen Volksgenossen, sei dieser nun national oder sozialistisch gesinnt. Zu den Volksverderbern zählte der damals 36-jährige Parteiführer Juden, Demokraten, Agenten Moskaus, deutsche und französische Verantwortliche für Versailles, satte Bürger mit abgestumpftem sozialen Gewissen, Kriegsgewinnler und Pazifisten. Vorweg forderte er jedoch Opfer vonseiten sämtlicher Unternehmer für »unsere Arbeitnehmer« und erklärte: »Die nationale Erziehung der breiten Massen kann nur über den Umweg einer sozialen Hebung stattfinden.« Das erfordere »beseelenden Fanatismus«, weil die Masse richtunggebende Kraftäußerungen schätze und schwächliche Halbheiten verachte. Vom sozialen Ausgleich zwischen Unternehmern und Arbeitern gelangte Hitler auf kurzem Weg zu den »internationalen Vergiftern« des Volkes, die »ausgerottet werden« müssten: »Ohne klarste Erkenntnis des Rassenproblems, und damit der Judenfrage, wird ein Wiederaufstieg der deutschen Nation nicht mehr erfolgen.«

In »Mein Kampf« koppelte er Rasse und Klasse immer wieder aneinander. Die Abschnitte »Judenfrage« und »Klassenspaltung« folgen unmittelbar aufeinander. Die soziale Kluft zwischen den Deutschen konnte seiner Meinung nach »nicht durch das Herabsteigen der höheren Klassen, sondern durch das Hinaufheben der unteren« überwunden werden: »Träger dieses Prozesses kann wieder niemals die höhere Klasse sein, sondern die für die Gleichberechtigung kämpfende untere.« Das bedeutete für die Partei, ihre Anhänger- und Wählerschaft vor allem im Proletariat zu suchen und jeden einzelnen Arbeiter »durch bewusstes Heben seiner sozialen und kulturellen Lage« zu gewinnen. Hitler machte den sozialen Aufstieg der arischen Deutschen zum Schwerpunkt seines Redens und Werbens. Er forderte nicht die Herrschaft des Proletariats, sondern die des entproletarisierten, seinen Führern vertrauenden Volks. Er versprach einen allein dem Volkswohl verpflichteten Staat, der alle Feinde fernhalten und in dem Hand- und Kopfarbeit gleichermaßen geachtet werde.

Hitler stellte die nationale und die soziale Frage als Probleme dar, die ursächlich auf dasselbe deutsche Erbübel, die innere Zerrissenheit, zurückzuführen seien. Folglich konnten beide Fragen nur im Verein – unter nationalsozialistischen Vorzeichen – gelöst werden. Dazu mussten diejenigen weichen, die den Einigungsprozess angeblich hintertrieben: allen voran die Juden und – weniger konkret – die internationalistischen Sozialisten. Beide bedrohten die nationale Schicksals- und Solidargemeinschaft, waren jedoch mit unterschiedlichen Strategien zu bekämpfen. Hinsichtlich der Juden galt die Devise, sie vollständig aus dem deutschen Volk auszustoßen; dagegen sollten die sozialistisch und kommunistisch fehlgeleiteten Arbeiter möglichst weitgehend von ihrem – infolge von Krieg und Friedensvertrag ohnehin schwer erschütterten – »internationalen Wahne« und von ihren Führern abgebracht und auf den Gedanken nationaler Solidarität eingeschworen werden.

Im Dezember 1926 fanden sich gut 2000 Männer und Frauen in der Stuttgarter Liederhalle ein, um zu hören, was der Führer der NSDAP zum Thema »Die soziale Sendung des Nationalsozialismus« zu sagen hatte. »Deutsche Volksgenossen und -genossinnen«, so sprach Hitler sein Publikum an. Er begann mit der Versailler Knechtschaft und entwickelte einen Vorschlag, wie Deutschland der Fremdherrschaft entrinnen könnte: nämlich dann, »wenn seine 16 Millionen Menschen von links fanatische Nationalisten und seine 14 Millionen von rechts glühende Anhänger einer sozialen Gerechtigkeit geworden sind«. Wer dazwischen stand, gehörte zur »politisierenden ›Bourgeois‹-Gilde«, die ohnehin weggefegt gehöre, und zwar von »Proletariermassen, die zum Äußersten aufgehetzt und zum Letzten entschlossen sind«. Den Kommunisten und Radikalsozialisten hielt der Redner zugute: Sie »kämpfen und fechten« – »für eine große Idee, wenn auch tausendmal verrückt und todgefährlich«.

Joseph Goebbels, seit 1926 Gauleiter von Berlin, verfuhr 1929 nach derselben Strategie. Er verklärte die Jungarbeiter zum neuen »Adel des Dritten Reichs«: »Der Kampf wird Entscheidung sein für die neue Aristokratie! Zertrümmert die Gleichheit der Demokratie, die dem jungen Arbeitertum den Weg zur geschichtlichen Vollendung versperrt. Wehrt Euch dagegen, mit jedem Trottel auf eine Stufe gestellt zu werden.«[328] Seinen Roman »Michael« widmete Goebbels der Vermählung von Proletariat und hitlerbegeisterter Studentenschaft. Nach dem Vorbild von Goethes »Werther«

präsentierte der Autor einen naturlieben, gedämpft erotischen, im Kern jedoch politischen Roman.

Der suchend verwirrte Held Michael studiert in Heidelberg. Eines Tages trifft er in München, wo sonst, auf einen Redner, nein: »einen Propheten«, der dem Volk, »von dem Gott seine segnende Hand gezogen« hat, endlich die Richtung weist, in Gestalt des irdischen Führers: »Der da oben spricht. Wälzt Quader auf Quader zu einem Dom der Zukunft.« – »Offenbarung! Offenbarung!« Michael glüht vor Erregung, ihm ist, als müsse er aufstehen und schreien: »Wir sind ja alle Kameraden. Wir müssen zusammenstehen.« Er verzichtet auf die Liebe der politisch skrupulösen, grundbürgerlichen Hertha Holk, bricht sein Studium ab (»Ich hasse dieses sanfte Heidelberg.«), verlässt Hörsaal, Bücherstaub und Akademikerkaste. »Ich will in die Grube steigen, Bergmann werden! Durch Opfer zur Erlösung!« Nach längerem Fremdeln und anfänglichen Rückschlägen erringt Michael das Vertrauen der Bergleute. Am Ende kommt er untertage tragisch zu Tode. Der politische Angriff des Romans zielte nicht auf die Kommunisten und nicht auf die Sozialdemokraten, sondern auf die Bürgerlichen (»ein furchtbares Schimpfwort«), einer sterbenden, unter dem Ansturm der Arbeiterschaft allmählich zusammenbrechenden, im Grunde schon überlebten Klasse: »Wir sind alle Soldaten der Revolution der Arbeit. Wir wollen den Sieg des Arbeitertums über das Geld. Das ist Sozialismus. Noch geht er verschiedene Wege, aber der Wille ist überall derselbe.«[329]

Die Deutschen folgten nicht alle und nicht sofort dem Nationalsozialismus. Zwischen 1920 und 1932 warben verschiedene Weltanschauungsverbände um die Massen, doch konstruierten sie ihre Glaubensbekenntnisse aus vier gemeinsamen Elementen: Erstens erklärten sie die Welt aus einem einzigen, stark vereinfachenden Prinzip; zweitens wollten sie die strikte Abgrenzung gegen das als feindlich angesehene Außen; drittens erhoben sie ihre arme oder von Armut bedrohte Gefolgschaft zur erwählten, den anderen überlegenen Großgruppe, der die Zukunft gehöre; viertens versprachen sie ein in herrlichen Farben ausgemaltes Morgen, das nach einem kurzen, notfalls opferreichen letzten Gefecht oder Endkampf zu erobern sei. Infolge solcher starken, nicht nur äußerlichen Ähnlichkeiten wurden die Inhalte der neuen politischen Heilslehren disponibel, gewannen schnell neue Akzentsetzungen, wurden austauschbar. Letztlich verdankte sich ihre Attraktivität nicht dem einen oder anderen konkreten Ziel, sondern der befreienden Zuversicht – verkörpert in kraftvollen Organisationen und Führern –, die diese Weltanschauungen auf die vielen selbstunsicheren und suchenden Gemüter abstrahlten. »Ich stehe an einem festen Punkt«, erläutert Goebbels' Romanheld Michael seiner angebeteten Hertha, und »ist der Punkt richtig und der Blickwinkel gerade, dann ist die Weltanschauung klar und gut, wo nicht, ist sie verschwommen und schlecht.«[330]

Der so eingerichtete geistige Kompass wies den Verirrten die scheinbar besten Wege durch das Dickicht des Alltags, durch Nacht und Not, durch die Verwerfungen der Epoche. Die Entwurzelten suchten nach Wurzeln und fanden sie in der Fiktion Rasse. Die Zersprengten suchten nach Einheit und fanden sie in der Fiktion Volk. Sie suchten nach einem Wegweiser und fanden ihn im Trugbild Führer. Die weltanschaulich Erleuchteten glaubten zu wissen, welche Feinde es auszuschalten gelte und wie der sprunghafte Fortschritt zu meistern sei. Der Weg erschien ihnen gefährlich, doch redeten sie sich und anderen ein, er führe ins Paradies der Sorgenfreiheit und sozialen Harmonie. Die Massen, die im Ersten Weltkrieg für nichts und wieder nichts geblutet und gelitten hatten, sahen ein lohnendes, den eigenen Interessen genügendes Ziel vor Augen. Auf dieser Kampfstatt konnten sie gewinnen, aus Niederlage und Schmach auferstehen. Das verlangte nach richtunggebender Willenskraft – nach dem italienischen Duce Mussolini, dem deutschen Führer Hitler, dem rumänischen Conducator, dem ungarischen Reichsverweser, dem antibolschewistischen General Pilsudski oder den kommunistischen Übervätern

Lenin und Stalin. Zumindest während der ersten Herrschaftsjahre stützten sich solche Führer auf Mehrheiten ihrer Staatsvölker und versprachen im Kern immer dasselbe: sozialen Aufstieg, Gerechtigkeit, Kampf gegen die Feinde des Volkes zugunsten des allgemeinen Volkswohls.

Für Hitler und seine Bewegung standen die italienischen Faschisten mit ihrer Partei Partito Nazionale Fascista Modell. Die PNF war nach dem Krieg unter ähnlichen Umständen entstanden wie die NSDAP. Noch kurz vor dem Ende hatte die italienische Armee 1917 eine schwere Niederlage an der Isonzofront erlitten, nur die Hilfe französischer und englischer Divisionen verhinderte den Zusammenbruch. Insgesamt waren 700 000 Soldaten im Krieg gefallen. Zwar gehörte Italien 1918 zu den Siegerstaaten, aber von einem selbst errungenen Sieg konnte nicht die Rede sein. Wirtschaftskrisen und soziale Unruhen erschütterten das geistig und materiell ausgebrannte Land.

Im März 1919 schlossen sich Gruppen arbeitsloser ehemaliger Soldaten im Fascio dei Combattenti, dem Bund der Kriegsteilnehmer, zusammen. Daraus entstand die von Benito Mussolini geführte faschistische Partei Italiens. Sie hatte es mit einem in Nord und Süd, in städtische und ländliche Bevölkerung tief gespaltenen Volk zu tun und erhob die Überwindung der Gegensätze – im Sinne einer neuen, zwar schwammigen, aber äußerlich kraftvollen Italianità – zum Programm. Folglich wandten sich die Faschisten gegen diejenigen, die unter Sozialismus Klassenkampf verstanden, ebenso gegen den als parasitär oder wucherisch eingestuften Teil der Bourgeoisie. Sie propagierten den großen, gemeinschaftlichen Ruck – den nationalitalienischen Produktivismus.

Zum programmatischen Kern gehörte es, die liberale Verfassung zu zerschlagen, liberales Denken als vorgestrig zu denunzieren. Im faschistischen Gedankengebäude galt der Parlamentarismus als Synonym für Zerstrittenheit, Ziellosigkeit, Korruption, Fäulnis, Mangel an Entschlossenheit und politischer Energie. Das

Ziel erforderte Gewalt. Wie alle totalitären Bewegungen zur Massenbeglückung handelten die italienischen Faschisten nach dem Grundsatz: Der Zweck heiligt die Mittel. Das Mittel der Wahl bestand in einer schlagkräftigen Parteimiliz, deren Untaten, Morde und »Strafexpeditionen« (Spedizioni punitivi) der deutsche Historiker Theodor Schieder 1940 enthusiastisch feierte: »In diesen Aktionen, die bis zum August 1921 ununterbrochen andauerten, entfalteten der Faschismus und sein Führer Mussolini nicht nur die Kunst, die Elementarvorgänge der Gewaltanwendung in Bürgerkrieg und Straßenkämpfen den Berechnungen des großen revolutionären Gesamtplans dienstbar zu machen, er (der Faschismus) trat als Wiederhersteller des Produktionsvorgangs und Rächer sozialistischer Übergriffe geradezu selbst an den Platz des versagenden Staates.«[331] Anders ausgedrückt: Mussolini zerstörte das staatliche Gewaltmonopol mit Hilfe organisierter und bewaffneter Schlägertrupps.

Die Faschistische Partei Italiens gelangte 1922 mit Kompromissen und auf der Basis einer Koalition in die Regierung. Mussolini wurde Ministerpräsident, konnte seine Macht festigen und regierte einige Jahre später allein. Die Elite der faschistischen Partei stammte zum beachtlichen Teil aus den Reihen der Sozialisten von vor 1914 – allen voran Mussolini selbst, der Chefredakteur der sozialistischen Parteizeitung Avanti gewesen war. Er kam aus einfachen, ländlichen Verhältnissen Norditaliens. Sein Vater betrieb die Dorfschmiede und wurde wegen sozialistischer Umtriebe mehrmals ins Gefängnis gesteckt, seine Mutter unterrichtete in der örtlichen Schule. Der Sohn wurde ebenfalls Volksschullehrer, ging aber in die Schweiz, um sich dort als Wanderarbeiter zu verdingen. So wurde er, ein Mann aus dem Volk, zum sozialistischen, später zum faschistischen Politiker.

Zunächst zählten überwiegend Landarbeiter, kleine Bauern und vom Krieg radikalisierte Intelligenzler zu den Mitgliedern seiner Partei. Die gewerkschaftlich organisierten Industriearbeiter zögerten bis 1923. Dann schlossen sie mehrheitlich ihren Frieden mit der von Mussolini geführten Regierung. Ende 1923 stellte der deutsche Journalist Fritz Schotthöfer fest: »Der Faschismus hat in der Arbeiterwelt eine tiefe Verwirrung hervorgerufen. Er hat einen starken Anhang gefunden.« Bald repräsentierte die faschistische Gewerkschaftsorganisation zwei Millionen Mitglieder, die sozialdemokratische nur noch 170 000. Die neu erblühende nationale Geltung, staatliche Arbeits- und Investitionsprogramme, die glänzende Fassade, die demonstrative Tatkraft, die Entschlossenheit und Jugendlichkeit hatten die Arbeiter angezogen. Ihnen erschien die nationalfaschistische Alternative als »bequemerer und kürzerer Weg zur Hebung des kollektiven Selbstwertgefühls«, der dem langwierigen, immer von Rückschlägen begleiteten syndikalistischen Kampf vorzuziehen sei. So beurteilte es 1931 Hendrik de Man, einer der führenden sozialistischen Intellektuellen Europas. Er gelangte zu dem Schluss, dass Mussolinis italienische Democrazia totalitaria »einen ungeheuren Prozess der Energieverwandlung organisiert hat, bei dem Klassengefühl in Nationalgefühl umgesetzt worden ist«.

Damit war die klassenübergreifende Einheitspartei geschaffen, deren einziger Programmpunkt lautete: die Erneuerung Italiens. Die Mittel hießen Nationalstolz, wirtschaftlicher Protektionismus, soziale Versöhnung, groß angelegte staatliche Investitionsprogramme und Partizipation an den deutschen Reparationsleistungen. Praktisch wurden die marxistisch orientierten Organisationen unterdrückt, der Parlamentarismus schrittweise beendet und die Eliten nach und nach ausgetauscht. Mussolini beschrieb den Übergang vom sozialistischen zum faschistischen Kollektivismus 1932 als simples Hinüberrutschen vom falschen ins richtige Bewusstsein: »Wer marschiert, wird nicht weniger, sondern wird multipliziert durch alle, die mit ihm marschieren. Wir sind, wie in Russland, für den kollektiven Sinn des Lebens, diesen wollen wir auf Kosten des persönlichen Lebens stärken.« Am Ende stand die »autonome Schaffung eines neuen Wir«. »Psychologisch gesehen«, so De Man, »ist ja das Klassenbewusstsein nichts anderes als vorstellungsmäßig erhöhtes kollektives Selbstwertgefühl zum Ausgleich für die gesellschaftliche Erniedrigung.«[332]

Nach der Parteidoktrin brauchte eine wirkungsvolle Regierung zwar die Zustimmung der Massen, nicht aber deren Mitwirkung. Unter faschistischer Führung wurde Italien zur gleichermaßen schönen wie »jungen Nation« frisiert, die mit beschleunigtem Pulsschlag der Zukunft entgegenzog, die Parteihymne auf den Lippen: »Giovinezza, giovinezza, / Primavera di bellezza! / Nel fascismo è la salvezza / Della nostra libertà.«* Gemessen am deutsch-dumpfen Horst-Wessel-Lied der Nazis (»Die Reihen fest geschlossen«) klingt der Faschistengesang eher nach Schlager, weniger bedrohlich, deutlich selbstbewusster.

Von den Uniformen, der Parteireklame und vom paramilitärischen Auftreten abgesehen, glichen Faschismus und Nationalsozialismus einander in zweierlei Hinsicht. Beide setzten an die Stelle des Klassenstaates den Massenstaat, um eine Formel Emil Lederers zu gebrauchen. Dass dieses Ziel erreicht wurde, spiegelt die Mitgliederstruktur der Faschistischen Partei Italiens und ebenso die der NSDAP. Ferner schlugen Mussolini wie Hitler ein neuartiges, ungeheuer gesteigertes Tempo politischer, später militärischer Aktionen ein. Sowohl der Duce als auch der Führer bestachen die Massen nicht einfach als Charismatiker, sondern als Dirigenten furioser gesellschaftlicher und bürokratischer Beschleunigung. Sie regierten als hyperaktive politische Macher und lenkten die Massen mit »zwei Zügeln« – mit »Enthusiasmus und Interesse«, wie es Mussolini ausdrückte, der gleichzeitig die Parole ausgab »Nulla dies sine linea«, kein Tag ohne eine neue Zeile im Geschichtsbuch der Nation, könnte man frei übersetzen. »Er ist eine Natur von starker ununterbrochener innerer Aktivität. Er hält die Staatsmaschine stets unter hohem Dampfdruck.« So umriss ein deutscher Beobachter die Arbeitsweise Mussolinis 1924.[333]

* Frei übersetzt: Oh Jugend, oh Jugend, / Du Frühling des Schönen! / Faschismus, du Retter / Du Retter der Freiheit.

Auch die Deutschen erlebten die Jahre der nationalsozialistischen Herrschaft als permanenten Ausnahmezustand. »Es kommt mir immer alles wie Kino vor«, bemerkt Victor Klemperers Kaufmann Vogel mitten in der Sudetenkrise 1938. Ein Jahr später, neun Tage nach dem Beginn des Feldzuges gegen Polen, versicherte Göring den Arbeitern der Rheinmetall-Borsigwerke in Berlin, sie könnten sich auf eine Führung verlassen, »die selber vor Energie, ich möchte sagen, rast«. In seinem Tagebuch sekundierte Goebbels im Frühjahr 1941 im Hinblick auf den gegen Russland geplanten Krieg: »Am ganzen Tag ein tolles Tempo«; »Jetzt fängt das rasende Offensivleben wieder an« oder – im Siegesrausch – »ich verlebe den ganzen Tag in einem fiebernden Glücksgefühl«.[334]

Auch Hitler folgte dem Prinzip der permanenten Aktion. 1938 notierte Emil Lederer im amerikanischen Exil: »Die Massen müssen in einem Zustand der Spannung und Aktivität gehalten werden. Sie dürfen nicht in Apathie, Gleichgültigkeit oder Langeweile verfallen.« Weil diese für eine Herrschaft, die nur in ständiger Bewegung das Gleichgewicht wahren konnte, »beinahe ebenso gefährlich ist wie Opposition«.[335] Mittels ständiger politischer und dann militärischer Beschleunigung gelang es den Führern der nationalsozialistischen Revolution, ihre Macht zu wahren. Fortgesetzte Massenmobilisierung, Drohungen, künstlich herbeigeführte Krisen, Propagandaschlachten, Krieg und Expansion erzeugten ein Tempo, das Schwindel, Angst, Glücksgefühl und Abstumpfung bewirkte. Den Menschen verging Hören und Sehen. In jenen Jahren funktionierte die deutsche Gesellschaft nach dem Prinzip des Kreisels, der schnell und fortwährend gedreht werden muss, um das Gleichgewicht zu halten. Den Anfangsschub bezogen die Führer der NSDAP aus der Krise. Sie versprachen einem Volk, das am Boden lag, mit sich selbst haderte, sich als ewig zu kurz gekommen empfand, dass man es den äußeren und inneren Feinden gemeinsam zeigen werde.

1930: Kräftige Krisengewinne der NSDAP

Erst nach dem Beginn der Weltwirtschaftskrise trat die NSDAP aus dem Schatten der Bedeutungslosigkeit. In der Reichstagswahl vom 14. September 1930 gelang es der einstigen Splitterpartei, Millionen Wähler und Wählerinnen zu mobilisieren, insbesondere auch Wahlberechtigte, die schwankten, ob sie überhaupt ihre Stimme abgeben sollten, und Jungwähler. Ihre plötzliche Popularität gewann die NSDAP als gesamtdeutsche Protestpartei im Zeichen des allgemeinen wirtschaftlichen Niedergangs: »Protest gegen die Novemberrevolution und den Parlamentarismus, Protest gegen die Niederlage und Versailles, Protest gegen das Wirtschaftssystem und Protest gegen die Herrschaft des Rationalismus und Materialismus.« So ordnete der Politikwissenschaftler Sigmund Neumann die Partei Hitlers 1932 ein. Besonders hob er deren breite gesellschaftliche Fundierung hervor. Die Partei hatte weit aufgefächerte Massenorganisationen geschaffen, die der Atomisierung des Einzelnen in einer als kalt empfundenen Welt Geborgenheit anboten – sei es in Frauen- und Jugendbünden, in studentischen und berufsständischen Organisationen, in Musik-, Kraftfahrer- und Segelfliegergemeinschaften, in geselligen Männervereinen oder gröberen, militärisch durchstrukturierten Aufmarsch- und Straßenkämpferbrigaden, genannt Sturmabteilungen. Niemand sollte beiseitestehen, jeder angesprochen werden.

Die Anziehungskraft der national-sozialen Bewegung beruhte auf vager, jedoch gesellschaftlich ganzheitlicher Programmatik, auf radikaler Tatpropaganda (»Handeln statt verhandeln«), auf straffer Parteiarbeit und der Autorität des Führers. Neumann sprach von einem »völlig neuen Typus moderner Parteien«, der »heterogenste Elemente« im Namen der »totalen Volksgemeinschaft« in sich vereinige.[336] Das war die eine Seite. Auf der anderen Seite verdankte die NSDAP ihren Durchbruch dem Verschleiß der Weimarer Koalition. Demokratisch gemäßigte Politiker hatten sich zehn Jahre lang an kaum lösbaren Problemen abgemüht: an den Kriegsfolgen und Siegermächten, an dem zur kühlen republikanischen Verfahrensdemokratie wenig bereiten Volk und schließlich an der Weltwirtschaftskrise. Wie der Krieg schien auch sie die Option zu widerlegen, der Einzelne könne sich alleine aus dem Abwärtssog herauskämpfen. Nichts zählte mehr, weder individuelle Tüchtigkeit, gute Ausbildung, langjährige Betriebszugehörigkeit noch freiwilliger Lohnverzicht. Jeder vierte abhängig Beschäftigte wurde arbeitslos. Diejenigen, die ihren Arbeitsplatz behalten konnten, hatten Kurzarbeit und erhebliche Lohneinbußen hinzunehmen. Die deutsche Industrieproduktion ging um 40 Prozent zurück, die Realeinkommen sanken um ein Drittel.

Um die ökonomischen und politischen Zusammenhänge der Weltwirtschaftskrise zu verstehen, erscheint es hilfreich, kurz zu rekapitulieren, was die Hyperinflation zu Beginn der Zwanzigerjahre bewirkt hatte. Sie erreichte im Herbst 1923 ihren Höhepunkt und konnte dann mit einem radikalen Währungsschnitt beendet werden. Was bedeutete das ökonomisch? Der deutsche Staat hatte die Kosten für den Ersten Weltkrieg zu 83 Prozent mit Krediten finanziert, und zwar in Form von Anleihen, die das patriotische Bürgertum gezeichnet hatte. Weil diese Anleihen in der Inflation ebenso wie das Geld entwertet wurden, war die öffentliche Hand ihre Schulden los. Doch wurden bei Lichte besehen die Kriegsschulden lediglich vom staatlichen auf den privaten Sektor der Wirtschaft umgebucht. So weit die materielle Seite. Ideell zerstörte die Inflation das bürgerliche Vertrauen in den neuen Staat und untergrub dessen politisches Fundament – genau so, wie es John Maynard Keynes 1919 in seiner Kritik des Versailler Vertrags vorhergesagt hatte (vgl. S. 158–161).

Praktisch sanken Kapital- und Investitionskraft der deutschen Industrie und Landwirtschaft im selben Verhältnis, wie der Staat seine Schulden 1923 annullierte. Um das Chaos zu überwinden, um den Menschen Arbeit zu geben und um die Reparationen zu bezahlen, musste die Wirtschaft wieder in Schwung kommen. Weil Kapital in Deutschland knapp und teuer war, stand der Zinsfuß Anfang 1924, unmittelbar nach dem Ende der Inflation, auf sage und schreibe 25 Prozent. Auch in der Boomphase 1927/28 lag er für normale Industriekredite weiterhin bei neun bis zehn Prozent, für Hypotheken noch etwas höher. Dank guter Zinserträge, einigermaßen stabiler politischer Verhältnisse und deutscher Erfindungsfreude, dank tüchtiger Ingenieure und Arbeiter zog die kapitalarme Wirtschaft gewaltige Mengen von ausländischem Geld an. Verbunden mit der wiedererwachten Tatkraft der Deutschen ermöglichte die mit übergroßen Zins- und später Tilgungslasten erkaufte Kapitalzufuhr das kleine Wirtschaftswunder der Jahre 1925 bis 1928. Die damit verbundene Spekulation auf beachtliche Extragewinne schuf eine der Voraussetzungen für die heftigste Weltwirtschaftskrise der Geschichte. Sie traf Frankreich kaum, besonders stark Deutschland und die USA.

In dieser Situation wurde Hitlers Propaganda wirksam. Sie richtete sich gegen ausländische Mächte, die Deutschland versklavten, und gegen das exorbitante Zinsen verlangende »raffende jüdische« Finanzkapital, das die NSDAP vom »produktiven«, weitgehend arischen Industriekapital sorgfältig unterschied. Außerdem zählten in Deutschland viele zu den Verlierern und Rationalisierungsopfern der Boomjahre von 1924 bis 1928. Vor allen anderen litten die Landwirte unter den hohen Zinsen. Bauern müssen seit jeher das Saatgut, den Dünger, die Arbeitsmittel und die Arbeitskräfte vorfinanzieren, bis sie die gute oder – wetterbedingt – schlechte Ernte unter gleichfalls wechselhaften Marktbedingungen mehr oder weniger günstig verkauft haben. Da die Agrarproduktion von der Hochkonjunktur Mitte der 1920er-Jahre nicht profitierte, sondern dem Preisverfall auf dem internationalen Getreidemarkt weiterhin ausgesetzt blieb, führten die hohen Zinssätze zu massiver Überschuldung. Fast alle deutschen Bauern gerieten in »einen zusehends aussichtsloser werdenden Existenzkampf«. So formulierte es der Ökonom Wilhelm Röpke in seiner

Analyse »Der Weg des Unheils«, auf die ich die folgenden Absätze stütze.

Röpke fasste die wirtschaftliche Lage Deutschlands Ende 1931 in das Bild eines infolge von kriegsbedingter Kapitalarmut, von Reparationsballast, Inflation und ausländischem Kapitalzufluss überladenen, antriebsschwachen und daher wenig seetüchtigen Schiffes: »Mit diesen schweren Lasten bepackt, konnte das Schiff endlich schwerfällig und schwankend segeln, aber lange sollte selbst diese Fahrt nicht währen. Schon im Jahre 1928 fing es mit kleinen Havarien an, im Jahre 1929 erhob sich der Sturm der Weltkrise, im Jahre 1930 und in der ersten Hälfte des Jahres 1931 kämpfte das überlastete und leck gewordene Schiff auf den Wogen der Weltkrise einen verzweifelten Kampf. Im Herbst des Jahres 1930 kam zu allem Unglück noch hinzu, dass ein Teil der Mannschaft rabiat wurde (gemeint sind die Reichstagswahlen vom 14. September 1930) und nun einen immer heftiger werdenden Disput zwischen der Schiffsleitung und dem weiterhin zu ihr haltenden Teil der Mannschaft auf der einen Seite und den Rebellen auf der anderen Seite entfesselte. Im Sommer 1931 lief das Schiff auf den Strand, Rettung oder Untergang erwartend.«

Trotz der im internationalen Vergleich exorbitanten Zinsen floss seit 1930 kein ausländisches Kapital mehr ins Land; die überwiegend kurzfristigen Kredite und dann folgend auch bewegliche inländische Kapitalien wurden abgezogen. Deutsche Anleihen stürzten an der New Yorker Börse von 90 auf 30 Prozent ihres Emissionskurses. Das internationale Vertrauen in die wirtschaftliche und politische Zukunft der ersten deutschen Republik brach zusammen. Einen Höhepunkt erreichte der Kapitalabfluss unmittelbar nach der Reichstagswahl vom 14. September 1930. Fast 50 Prozent der Wähler hatten ihre Stimme entweder der NSDAP, der KPD oder der weit rechts stehenden Deutschnationalen Volkspartei gegeben, also den politischen Kräften, die vor allem eines befürworteten: das Ende der Republik. Die nun zusätzlich politisch bedingte Kapitalflucht verfestigte die Krise. Die Steuereinnahmen gingen dramatisch zurück. Der Staat war gezwungen, die rund sechs Millionen Arbeitslosen und deren – im Vergleich zu heute – große Familien notdürftig zu versorgen. Deutschland drohte die Zahlungsunfähigkeit. Stadtkämmerer und Finanzminister mussten teure Kredite aufnehmen. Zugleich wurden »die Ausgaben rücksichtslos herabgesetzt und die Steuerschrauben ebenso rücksichtslos weiter angezogen«.

In der akuten Notlage empfand jeder Deutsche die nicht enden wollenden Bürden des Versailler Vertrags erst recht als himmelschreiendes Unrecht. »Jahr für Jahr«, so Röpke, »generationenlang, eine Summe zahlen, die dem Mehrfachen des Aktienkapitals sämtlicher deutschen Großbanken entspricht, Jahr für Jahr eine Summe zahlen, mit der sich das Problem menschenwürdiger Wohnungen für die Armen der Großstädte mit einem Schlage lösen ließe, und das auf einer Grundlage, auf der man Jahr für Jahr bestätigt, dass man ein Schurke ist – es ist unmöglich.« Diese Gefühle führten zu fortschreitender Erbitterung der Leute und zur Unregierbarkeit des Landes. Die Notverordnungen, mit denen die letzten Regierungen der Republik das Land zwischen 1930 und Ende 1932 über Wasser zu halten versuchten, empfanden die Deutschen als Diktatur, »deren einzige raison d'être die Unterwerfung unter ausländischen Machtanspruch ist«.

Nach Röpkes Analyse hatten die Reparationslasten die Weltwirtschaftskrise nicht ausgelöst, wohl aber drückten sie die Deutschen an die Grenze ihrer psychischen Reserven und blockierten die Möglichkeiten zum Wiederaufstieg aus der Krise für die ganze Welt: »Sie sind es, die Mitteleuropa zu einem Sturmzentrum der Krise gemacht haben, sie sind es, die die Nervosität der Menschen von Tag zu Tag gesteigert haben, die den wirtschaftlichen und politischen Frieden der Welt zerstörten und durch die von Land zu Land sich ausbreitende Vertrauenskrise unser heutiges Wirtschaftssystem von Tag zu Tag funktionsunfähiger machen. Sie sind es, die schließlich die Lawine der deutschen Auslandskredite ins Rollen gebracht haben, die dann auch England mit fortgerissen hat und ihre Erschütterung der ganzen übrigen Welt mitteilt. Die Reparationen haben sich als eine Sandbank erwiesen, die bei Flut so tief unter der Meeresfläche liegt, dass sie den Schiffsverkehr zwar behindert, aber nicht völlig unmöglich macht, die aber bei Ebbe zum Verderben wird.«

Wenn man den Zusammenhang zwischen der Deutschland besonders schwer erschütternden Wirtschaftskrise, dem unerwarteten Wahlerfolg Hitlers im September 1930 und dem weiteren Kapitalabfluss aufgrund mangelhafter politischer Stabilität überdenkt, dann leitete Hitlers Wahlsieg 1930 eine Phase ein, in der sich Wirtschaftsdepression und politische Verwilderung wechselseitig beschleunigten. Die Krise machte Hitlers Programm der wirtschaftlichen Regression plausibel: weg vom Weltmarkt, hin zur nationalen Autarkie; die Lage der Bauern erforderte den radikalen Schuldenschnitt; dieser musste zu Lasten der Gläubiger gehen; wenn er vorzugsweise jüdische und ausländische Gläubiger traf – umso besser. Selbst die Siegermächte redeten – aus Sicht der Deutschen palaverten sie – 1931 darüber, dass die Reparationszahlungen ausgesetzt werden müssten. Zum Verzicht konnten sie sich jedoch nicht entschließen. Den Verzicht aber hielt Röpke – aus wirtschaftlichen und politischen Gründen – für den einzigen noch gangbaren Ausweg aus einer hochgefährlichen Situation.

Jedes Schuldenmoratorium verschärfte jedoch die Krise, zerstörte das restliche Vertrauen, weil damit die unbezahlbaren Lasten doch nur aufgeschoben und um weitere Zinsen vermehrt wurden. Warum sollten die Deutschen dann nicht selbst zur Tat schreiten, wie es die NSDAP propagierte, und einfach nichts mehr überweisen? Warum sollten sie nicht möglichst wenig exportieren, wenn die Außenhandelserträge ohnehin für die Reparationen abgeschöpft wurden und den Produzenten außer Arbeit keine Vorteile brachten? Warum sollte unter jungen Leuten nicht die Stimmung Lieber-tot-als-Sklave populär werden? Die Krise war in ihren Augen vom feindlichen Ausland gemacht. Warum sollten sie da nicht den nationalen Egoismus hochhalten und alles Fremde im Inland niederdrücken?

Angesichts solcher Gefahren forderte Röpke, die Welt möge sich auf ihre solidarischen Interessen besinnen. Schließlich gehe es nicht länger um einzelne Länder, nicht um die Schuldfrage, nicht um die Vergangenheit, sondern allein um die Zukunft. Voraussetzung dafür sei, dass eine verantwortungsvolle und weitblickende Staatskunst Europa »endlich den wirtschaftlichen und politischen Frieden schenkt«. 26 Monate vor Hitlers Machtübernahme schloss Röpke seine Brandrede mit den Worten: »Täuschen wir uns nicht darüber: Unser Wirtschaftssystem läuft nur noch mit letzter Kraft und mit ihm unsere ganze abendländische Zivilisation. Und drüben stehen bereits die Barbaren, die unser Erbe frohlockend antreten werden, wenn wir jetzt am Scheideweg den falschen Weg einschlagen.«[337]

Wilhelm Röpke, geboren 1899, verdiente sich am Ende des Ersten Weltkriegs das Eiserne Kreuz, studierte dann bei Walter Euken, wurde an der Universität Marburg Professor und 1933 als einer der ersten mit Lehrverbot belegt. Er war kein Sozialist, ganz im Gegenteil: Ordoliberaler, zudem Germane durch und durch. Die Marburger Professoren und Studenten verjagten ihn als überzeugten, publizistisch gewandten und streng marktwirtschaftlich orientierten Feind des nazistischen Staatssozialismus. Nach dreijähriger Station an der Universität Istanbul nahm er eine Professur in Genf an. Im Winter 1944/45 verfasste er das Buch »Die deutsche Frage«. Nach Kriegsende blieb er in Genf, allerdings beriet er Ludwig Erhard und hatte maßgeblichen Anteil am wirtschaftlichen Wiederaufbau der Bundesrepublik Deutschland. Wilhelm Röpke starb 1966.

Zurück zur Situation von 1931. Um die Reparationen zu bezahlen, war die Reichsbahn schon 1924 in eine Aktiengesellschaft umgewandelt und mit elf Milliarden Goldmark Schuldverschreibungen belastet, also verpfändet worden. Kurz vor dem Ausbruch der Krise waren die Reparationen mit dem Young-Plan zwar geringfügig reduziert und in ihrer endgültigen Höhe festgelegt worden, doch für die Öffentlichkeit enthielt das Abkommen vor allem eine Botschaft: enorme Pflichtzahlungen für weitere 58 Jahre in Höhe von etwa 20 Prozent, für die letzten 22 Jahre 10 Prozent der jährlichen Reichseinnahmen.

Die Regierungsparteien hatten den Plan im Frühjahr 1929 angenommen und als Grundlage für wirtschaftlichen Aufschwung, verbesserte Steuereinnahmen, weniger Arbeitslosigkeit und Entschuldung der Landwirtschaft gepriesen. Doch schon im Januar 1930 musste der Reichstag aus purer Geldnot ein Zündholzmonopol zugunsten von Ivar Kreuger beschließen. Der schwedische Industrielle stellte dem Reich dafür eine Anleihe von einer halben Milliarde Mark zur Verfügung. Sie wurde mit damals niedrigen sechs Prozent verzinst und lief einschließlich des gewinnträchtigen, letztlich von allen Konsumenten zu bezahlenden Monopols 53 Jahre. Erst 1983 war der bundesdeutsche Zündwarenmarkt wieder frei. Die Älteren erinnern sich an die Kreuger-Streichhölzer mit den Etiketten »Welthölzer« und »Haushaltsware.«

Mit dem 25. Oktober 1929, dem Schwarzen Freitag an der New Yorker Börse, lösten sich die optimistischen Prognosen der deutschen Regierung in nichts auf. Spekulanten wie Kreuger hatten dazu beigetragen. Sein Geschäftsmodell bestand darin, in möglichst vielen verarmten Ländern das Zündholzmonopol gegen vermeintlich günstige Riesenkredite zu tauschen. Sein Imperium brach zusammen. Die deutschen Schulden blieben bestehen. Die Republik verlor ihre Kreditwürdigkeit. Das zwang die Regierung – bei schnell voranschreitender Massenarmut – im April 1930, sechs Monate vor den Wahlen im Herbst, die Umsatz-, Bier-, Zucker- und Tabaksteuer drastisch zu erhöhen. Haushälterisch war das richtig, politisch tödlich.

Das war die Ausgangsbasis, auf der Hitler seine Kampagne für die Reichstagswahlen am 14. September 1930 entfaltete. Massenwirksam gelang es ihm erst jetzt, jüdische Hochfinanz, entfesselten internationalen Marktkapitalismus und Versailles zu jenem Moloch zu stilisieren, der Deutschland anfällt, abwürgt und frisst. »Mag Landwirtschaft und Industrie vernichtet werden«, so agitierte er gegen die Republik, »mag unser Handwerk zum Teufel gehen, (mögen) unsere Kleinunternehmen verschwinden: Das Großkapital muss unangetastet bleiben und der Jude, der hinter diesem Kapital steht.« Hitler warf den Regierungsparteien vor, sie spielten einzelne Gruppen und Grüppchen mit »echt jüdischer Fingerfertigkeit« gegeneinander aus, um das ohnehin geschwächte Volk endgültig »allen Einflüssen internationaler vergiftender und verpestender Art« auszuliefern.

Als Gegenmittel versprach er Rückbesinnung auf die eigene Kraft, neue Stärke und das Ende aller Halbheiten und prophezeite siegesgewiss, man werde die bevorstehende Wahl einmal als »Wendetag« der deutschen Geschichte begehen: »An dem Tag hat die junge Bewegung, die später Deutschland frei gemacht hat, zum ersten Mal mit schweren Schlägen an die Türen des deutschen Reichshauses gepocht und gerufen: Macht die Tore auf, die Interessenten sollen weichen, das deutsche Volk zieht jetzt ein.« Drohend kündigte Hitler die Zeit an, in der niemand mehr »dem Juden« glauben werde: »Dann ist er mit seinem Latein zu Ende. Die Zeit, in der es ihm ergeht, wie es ihm vor hunderten Jahren ergangen ist, ist bereits angebrochen.« Um die Republik »sturmreif« zu machen, wiegelte Hitler seine Gefolgsleute nicht gegen die Kommunisten auf, sondern zur »rücksichtslosesten Offensive gegen die gesamte Front der Young-Parteien«, gemeint waren die demokratischen, auf nationalen und internationalen Ausgleich bedachten Parteien der Weimarer Mitte. Ihnen legte er die Misere zur Last: »Die Nation verblutet langsam, Arbeiter werden brotlos, und es mästen sich überstaatliche Finanzspinnen.«[338]

Liest man Hitlers damalige Artikel und Reden hintereinander, dann fällt auf, dass die Themen »Schmach von 1918«, »Friedensdiktat«, »Reparationen«, »2000-jährige Geschichte der Deutschen« und »Volksnot« im Mittelpunkt stehen. Das Thema »Juden«

klingt vergleichsweise selten, in knappen Nebensätzen an, die in den vorstehenden Absätzen in kondensierter, insofern irreführender Weise wiedergegeben sind. So, wie es im Programm der NSDAP stand, bildete auch in Hitlers Reden der Jahre 1930 bis 1933 der Antisemitismus »gewissermaßen den gefühlsmäßigen Unterbau«. Der Parteiführer zupfte die Rassensaite beiläufig an – als immer einmal wiederkehrenden, dezenten Ton im Basso continuo seiner Reden. Das genügte. Mein Onkel August R., der seinerzeit in München studierte, berichtete über den Auftritt Hitlers im Zirkus Krone am 12. Juni 1931: »Hitler sprach derartig frei von jedem Gehässigem und vorsichtig, dass die Zuhörer die Rede mit den üblichen Nazi-Interjektionen – wie ›Juden‹, ›Verräter‹ ›Schufte‹ usw. – würzten.«[339] Redner und Publikum gestalteten den Antisemitismus zum interaktiven Spektakel.

Hitler verpflichtete seine Parteigenossen zu Einsatz und materiellen Opfern. Das unterschied die NSDAP von der losen Mitgliedschaft in bürgerlichen Parteien und deren lokalen Honoratiorenvereinigungen wesentlich. Die Aufnahmegebühr betrug zwei, der monatliche Beitrag eine Mark, zudem hatte jedes Mitglied 30 Pfennige monatlich an die Versicherungskasse der SA zu entrichten. Der Mindestbeitrag für die SPD lag halb so hoch.[340] Jeder NSDAP-Parteigenosse war aufgefordert, je nach Möglichkeit mehr zu bezahlen. Für politische Veranstaltungen wurden stets Eintrittsgelder erhoben. Sie schwankten – manchmal wie im Theater, je nach der Qualität der Plätze gestaffelt – zwischen 50 Pfennig und zwei Mark, eine beachtliche Höhe in Anbetracht des durchschnittlichen Monatslohns eines Arbeiters von rund 180 Mark. Ein Student verfügte damals über etwa 80 Mark monatlich, ebenso ein Arbeitsloser mit Familie. Eine Kinokarte kostete seinerzeit 30 Pfennige.

Im Wahlkampf 1930 organisierte der Berliner Gauleiter Goebbels drei Kundgebungen hintereinander im Sportpalast. Er zog sie als politische Schaukämpfe auf – als Events. Der Eintritt betrug eine Mark. Da die 12 000 Plätze für jeden Abend sofort ausverkauft waren, erhoben die Veranstalter für den dritten Abend einen Zusatzbeitrag von einer Mark zugunsten der SA. Politische Veranstaltungen der NSDAP füllten die Kasse für den Ausbau der Organisation und für weitere Propaganda. Im Hinblick auf das bevorstehende Wahljahr verlangte Hitler Ende 1929 von allen Mitgliedern, der Partei einen Kredit von mindestens zehn Mark für die Dauer eines Jahres zu geben. Die Verzinsung lag ein halbes Prozent unter dem jeweiligen Reichsbankdiskontsatz.

Es stimmt: Hitler bezog Spenden auch von der deutschen Industrie, ebenso wie andere Parteien. Für das finanzielle Fundament der Partei blieben jedoch Beiträge und Eintrittsgelder, Zeitungs-, Bücher-, Uniform- und Abzeichenverkauf an die Mitglieder und Sympathisanten entscheidend. So wurde die NSDAP zur ungewöhnlich gut bemittelten politischen Organisation. Zugleich förderte die materielle Opferbereitschaft jedes Einzelnen den Zusammenhalt, die Linientreue, die Kampfbereitschaft und die Hingabe an die Sache – in der Logik, die politische Kadergruppen und religiöse Sekten generell auszeichnet.

Erhebliche Mittel flossen stets an die Sturmabteilungen (SA). Diese verfügten 1930 über etwa 70 000 Mitglieder, organisierten Wahlversammlungen, klatschten bei diesen Veranstaltungen auf einen kleinen Wink hin, verteilten Flugblätter, bildeten Klebekolonnen, provozierten Saalschlachten. Für seinen »Dienst« bekam jeder SA-Mann eine bis zwei Mark pro Tag plus Verköstigung – nicht wenig, wenn man bedenkt, dass das wöchentliche Arbeitslosengeld knapp 20 Mark betrug, und junge Leute, die noch nie in fester Arbeit gestanden hatten, überhaupt nichts bekamen.[341] Die Zusammensetzung der SA schilderte Friedrich Franz von Unruh bald nach der Septemberwahl 1930 anlässlich einer Kundgebung mit Hitler, bei der einige Hundert SA-Männer in gestaffelter Formation auf der Bühne hinter ihrem Führer Platz genommen hatten: »Viel schwächliche Leute, schmächtige Kriegsjugend, Stubengesichter; daneben Studenten, straff, sportlich; eine Handvoll gedienter Soldaten; viele Erwerbslose, Fanatiker und handfeste

Kerle.« Im Publikum sah der Berichterstatter »neben Jünglingen Männer, Frontsoldaten, die schon einmal das Ganze wagten«, daneben »Alte, deren Herz mit der Jugend geht«.[342]

Zu Beginn des Wahljahrs 1930 zählte die NSDAP 200 000 Mitglieder, am Ende 350 000. Gleichzeitig säuberte die Parteiführung die Mitgliedschaft von Abweichlern und säumigen Beitragszahlern. In der Reichstagswahl vom 20. Mai 1928 hatten die Nationalsozialisten lediglich 800 000 Stimmen auf sich vereinigt und eine Reichstagsfraktion von zwölf Mitgliedern gestellt. In den Wahlen vom 14. September 1930 gewann die NSDAP knapp 6,5 Millionen Stimmen und 107 Mandate. Sie steigerte die Zahl ihrer Wähler um 800 Prozent, stellte die zweitstärkste Fraktion und errang einen unerwarteten, überwältigenden Sieg. Die KPD gewann im Vergleich zur vorangegangenen Reichstagswahl 40 Prozent hinzu und schickte 77 Abgeordnete ins Parlament. Die SPD verlor 20 Prozent ihres Stimmenanteils, blieb jedoch mit 143 Mandaten stärkste Fraktion. Das katholische Zentrum hielt sich (68 Mandate), die liberalen Parteien lagen unwiderruflich in der Agonie. In den Reichstagswahlen des Jahres 1932 machten die Deutschen die NSDAP zur mit Abstand stärksten Partei. Selbst während der Weltwirtschaftskrise schaffte es Hitler also nicht, die 30 Millionen lohnabhängigen Wähler und Wählerinnen auf seine Seite zu ziehen, von denen er 1926 in der Stuttgarter Liederhalle gesprochen hatte und die er zu gleichermaßen »fanatischen Nationalisten und glühenden Anhängern einer sozialen Gerechtigkeit« machen wollte. Doch überzeugte er ausreichend viele.

Das ist nur die halbe Wahrheit. Denn unter dem Druck der Nationalsozialisten mischte die KPD ihrem Programm zunehmend volkskollektivistisches und nationalistisches Gedankengut bei. Sie begann, die Arbeiter ihrerseits zu nationalisieren und damit auf das Dritte Reich einzustimmen. Drei Wochen vor der Reichstagswahl am 14. September 1930 verabschiedete sie ihre »Proklamation zur nationalen und sozialen Befreiung des deutschen Volkes« – des Volkes, nicht der Arbeiter. Darin warf sie der SPD in nazistischer Tonlage »Erfüllungspolitik« gegenüber Frankreich und deshalb »Hoch- und Landesverrat an den Lebensinteressen der arbeitenden Massen Deutschlands« vor. Wie die NSDAP erklärte die KPD: »Wir Kommunisten kämpfen sowohl gegen den Youngplan als auch gegen den Versailler Raubfrieden, den Ausgangspunkt der Versklavung aller Werktätigen Deutschlands.« Die KPD versprach, »dass wir im Falle unserer Machtergreifung alle sich aus dem Versailler Vertrag ergebenden Verpflichtungen für null und nichtig erklären werden«. Angesichts solcher Versprechen mochten sich viele Arbeiter gefragt haben: Warum nicht gleich das Original wählen?

Auch für Antisemiten enthielt die KPD-Proklamation passende Passagen: »Die Großhändler, die Magnaten des Handelskapitals, treiben heute die kleinen Kaufleute in den Ruin, werfen Tausende von Angestellten aufs Pflaster, vernichten Hunderttausende Mittelstandsexistenzen, wuchern die Bauern aus und schrauben die Preise für Massenkonsumtionsartikel empor.« Zur Macht gelangt, werde man deshalb als Erstes die Banken und den Großhandel »nationalisieren« und alle Werktätigen »von räuberischen Profitmachern befreien«, »mit eiserner Faust jede Spekulation zerschmettern«. All das klang sehr nach Adolf Hitler, und wie dieser forderte die KPD im Frühjahr 1932 den Austritt aus dem Völkerbund, den Kampf gegen »den Ausplünderungsfeldzug des internationalen Finanzkapitals und die deutschen Tributvögte«, ebenso die Rückgabe aller Landesteile – wirklich aller! –, die Deutschland nach dem Ersten Weltkrieg verloren hatte und wodurch es »territorial verstümmelt« worden sei.[343]

Im Jahr 1932 veröffentlichte die KPD einen vom Zentralkomitee der Partei autorisierten Text gegen den nazistischen, als »kleinbürgerlich« charakterisierten Antisemitismus. Sie verlangte von den deutschen Juden die vollständige Assimilation und stellte zur Rolle jüdischer Industrieller, Banker und Großkaufleute fest: »Jüdisches und nichtjüdisches Kapital sind untrennbar miteinander versippt und verquickt, auf Gedeih und Verderb miteinander verbunden. Jüdisches Geld nährt auch den Faschismus. Faschistische Streikbrecher stehen im Sold jüdischer Industrieller.«[344] Solidarität mit den wenig später verfolgten und bedrohten Juden förderte eine solche Erklärung gewiss nicht.

Nachdem die KPD im August 1930 wichtige Ziele der NSDAP programmatisch adaptiert hatte, entschied sie sich auch zur punktuellen Zusammenarbeit mit den Nationalsozialisten. Insbesondere unterstützte sie im Sommer 1931 das Volksbegehren zur vorzeitigen Auflösung des Preußischen Landtags – der wichtigsten noch einigermaßen stabilen Bastion der Republik. Das Plebiszit war ursprünglich von rechtsradikaler Seite eingebracht worden, sollte Neuwahlen erzwingen und damit der aus SPD, Zentrum und DDP gebildeten Regierungskoalition die parlamentarische Basis entziehen. Immerhin votierten von 26 Millionen preußischen Stimmberechtigten knapp 10 Millionen für den vom rechtsradikalen Lager und der KPD unterstützten Antrag.[345]

Die Öffnung der KPD nach rechts folgte den Wahlerfolgen, die Hitlers Partei zunehmend auch in Arbeiterbezirken errang. Von allen deutschen Wahlberechtigten machten die Arbeiter 28 Prozent aus. Die hier verwendete Definition des Arbeiters legt Berufstätige oder vorübergehend Arbeitslose zugrunde, die in die Reichsinvalidenkasse einzahlten. Von diesen stimmten bei den Reichstagswahlen im Juli 1932 rund 24 Prozent für die NSDAP, bei den Wahlen im März 1933 waren es 33 Prozent. Nimmt man stattdessen den Anteil der NSDAP-Wähler mit Arbeiterbiographien – diese Definition schließt Rentner, Hausfrauen und nicht erwerbstätige Familienangehörige ein – dann lag der geschätzte Anteil der Wähler aus Arbeiterhaushalten zwischen 33 und 40 Prozent. Geht man noch einen Schritt weiter und nimmt die weniger scharf umrissene Kategorie Arbeitermilieu, verschiebt sich das Bild abermals: In den Berliner Arbeiterbezirken gehörte damals jeder fünfte Arbeitnehmer zur Gruppe der Angestellten. Vielfach gingen die Männer als Facharbeiter in die Fabrik oder auf den Bau, die Frauen verdingten sich als angestellte Verkäuferinnen oder Bürogehilfinnen, gehörten jedoch zum Arbeitermilieu. So betrachtet, lag der Anteil derjenigen Wähler, die Arbeiterhaushalten angehörten, am Ende bei etwa 45 Prozent. Die Wähleranteile und Stimmengewinne, die die NSDAP in der Endphase der Weimarer Republik unter den Angestellten erzielte, unterschieden sich davon nicht wesentlich.[346]

Der eine oder andere Prozentsatz der von Jürgen Falter erarbeiteten Daten mag etwas höher oder niedriger angesetzt werden. Am Ergebnis ändert das nichts. Die Wahlerfolge der NSDAP im Arbeitermilieu sind deshalb bemerkenswert, weil sich die Partei – trotz ihres Namenszusatzes »Deutsche Arbeiterpartei« – nicht als solche verstand, sondern als Vertreterin des gesamten Volkes. Sie gewann die Wahlen nicht als Klassenpartei des alten und neuen Mittelstandes, sondern als politische Bewegung, die in allen sozialen Schichten gleichermaßen steigenden Zuspruch fand. Das unterschied sie von allen Konkurrenten. KPD und SPD fanden ihre Wähler im Arbeitermilieu und zum geringen Teil unter den kleinen Angestellten, das Zentrum verstand sich als Partei der Katholiken, die Liberalen als Partei des Bürgertums, einige Splitterparteien vertraten berufsständische und regionale Interessen. Im Gegensatz dazu betonte die NSDAP das Verbindende zwischen allen Blutsdeutschen. Programmatisch stand sie über den innenpolitischen Interessenkonflikten, den tradierten landsmannschaftlichen, klassensoziologischen und religiösen Gegensätzen. Das machte sie attraktiv. Bei überdurchschnittlich hoher Wahlbeteiligung votierten im Juli 1932 37,5 und im März 1933 44 Prozent für diese Partei. Für die KPD stimmten 14,5 beziehungsweise 12,3 Prozent, für die weit rechts stehende Deutschnationale Volkspartei entschieden sich 6,3 beziehungsweise 8 Prozent der Wähler. Mit diesem Programm wurde die NSDAP zu der mit großem Abstand stärksten Partei. Am Ende hatten sich zwei Drittel der Deutschen gegen die Republik entschieden.

Vor seiner Berufung zum Reichskanzler hatte Hitler viererlei versprochen: Erstens wollte er die Republik abschaffen, zweitens

Versailles überwinden, drittens den Krisenopfern zu Arbeit und Brot verhelfen und viertens die Erkenntnisse moderner Rassen- und Erbhygiene zum Staatsziel erheben. Wenn auch mit einigen Unterschieden, so hatten in jeweils beachtlicher Zahl Mecklenburger und Hessen, Bürger und Bauern, kleine Angestellte und Arbeiter, Männer und Frauen, Protestanten und Katholiken der NSDAP ihr Vertrauen ausgesprochen. 1933 konnte allein diese Partei für sich in Anspruch nehmen, einen repräsentativen Querschnitt aller Deutschen zu vertreten.

Dumpfer, fast sprachloser Volkshass

Gewiss teilten nicht alle Wähler der NSDAP den betont aggressiven Antisemitismus der Partei. Aber sie tolerierten ihn. Die meisten Deutschen, und zwar über die Wählerschaft Hitlers hinaus, pflegten eine dezente, oft verschämte Aversion gegen die mosaische Minderheit, etwa dieses Stils: Die ewig hervorstechenden, vorlauten Juden konnten ruhig eins auf den Hut bekommen. Weil sie sonst die ewigen Besserwisser gäben, würden sie sich gewiss bestens selber helfen können. So dachten viele – nicht ohne klammheimliche Schadenfreude. Sie betrachteten die jüdischen Deutschen als Fremdkörper und ergriffen – manchmal triumphierend, zumeist jedoch stillschweigend – die Chancen, die deren Entrechtung und Vertreibung boten.

Weil die Juden auffallend häufig den besser gestellten Berufsgruppen angehörten, spielte sich die Vorteilsnahme zunächst unter denjenigen ab, die den aufrückenden sozialen Schichten der nunmehr arisch genannten Mehrheitsgesellschaft angehörten. So konnten im Jahr 1933 – trotz aller Sparzwänge und Haushaltssperren – infolge der Massenentlassung jüdischer Lehrer – 60 Prozent der 1320 nichtjüdischen Bewerber sofort eingestellt werden. An den Hochschulen wurden mit einem Schlag mehr als 5000 Planstellen frei. Sie standen Graduierten offen, sitzen gebliebenen Privatdozenten und politisch engagierten, an neuen Methoden und Fachrichtungen interessierten Assistenten, die schon länger auf feste Anstellung und neue Prioritäten in der Wissenschaftspolitik gehofft hatten. Überall konnten Arbeitsstellen und Wohnungen vergeben werden, mussten zur Emigration getriebene Juden Hausrat und andere Besitztümer billig verkaufen.

Selbständige Kaufleute und Unternehmer priesen ihre Firmen plötzlich als »rein deutsch«, profitierten vom politisch gewollten Niedergang ihrer jüdischen Konkurrenten: Sie übernahmen deren öffentliche Aufträge, gewannen deren Kunden für sich, bauten aus, für einen Spottpreis ersteigerten sie schließlich das Warenlager des in die Pleite getriebenen Konkurrenten. Der Druck auf die Unternehmen der Juden erleichterte den mittelständischen Konzentrations- und Rationalisierungsprozess und wälzte dessen Lasten auf eine diskriminierte Bevölkerungsgruppe ab. Manager von Konzernen, Banken und Versicherungen beteiligten sich auf ihre Weise an der mit den Mitteln der Rassendiskriminierung geförderten Wirtschaftsmodernisierung. So ging die Zahl der Privatbanken in Deutschland zwischen 1932 und 1939 von 1350 auf 520 zurück. Ende 1935 bestanden noch 915 Privatbanken, davon galten 345 als nichtarisch; sie wurden bis 1939 ausnahmslos von arischen Unternehmen aufgesaugt.[347]

In Tausenden Vereinen, Hunderten Zeitungsredaktionen, Verwaltungen und Kulturinstitutionen vollzog sich im Frühjahr 1933 binnen Wochen das immer Gleiche. Die jüdischen Kollegen wurden mehr oder weniger schweigend ausgegrenzt und entfernt, genauso wie es Siegfried Lichtenstaedter 1925 für den anthropopolitanischen Gerichtsvollzieher ausgemalt hatte, der aus dem örtlichen Skatverein förmlich ausgeschieden wurde. Die Realität des Aprils 1933 dokumentiert die Tagebuchnotiz der Ärztin und Psychotherapeutin Hertha Nathorff über die letzte von ihr besuchte Versammlung des Bundes deutscher Ärztinnen in Berlin: »Eine andere Kollegin – ich kenne sie, sie war meine Vorgängerin im Roten Kreuz und damals ziemlich links stehend – wegen Untüchtigkeit und anderer nicht sehr feiner menschlicher Qualitäten war sie seinerzeit entlassen worden – sie steht auf und sagt: ›Nun bitte also die deutschen Kolleginnen zu einer Besprechung ins Nebenzimmer.‹ Kollegin S., eine gute Katholikin, steht auf und fragt: ›Was heißt das – die deutschen Kolleginnen?‹ – ›Natürlich alle, die nicht Jüdinnen sind‹, lautet die Antwort. So war es gesagt. Schweigend stehen wir jüdischen und halbjüdischen Ärztinnen auf und mit uns einige ›deutsche‹ Ärztinnen. – Schweigend verlassen wir den Raum, blass, bis ins Innerste empört.«[348]

Im April 1933 beantwortete Michael Kardinal Faulhaber, Oberhirte des Erzbistums München und Freising, den Brief eines wegen der Judenhetze zutiefst besorgten Katholiken. Mit spezifisch katholischen Argumenten trat Faulhaber für das Wegsehen ein. »Dieses Vorgehen gegen die Juden«, so antwortete er, »ist derart unchristlich, dass jeder Christ, nicht bloß jeder Priester, dagegen auftreten müsste. Für die kirchlichen Oberbehörden bestehen weit wichtigere Gegenwartsfragen; denn Schule, der Weiterbestand der katholischen Vereine, Sterilisierung sind für das Christentum in unserer Heimat noch wichtiger, zumal man annehmen darf und zum Teil schon erlebte, dass die Juden sich selber helfen können, dass wir also keinen Grund haben, der Regierung einen Grund zu geben, um die Judenhetze in eine Jesuitenhetze umzubiegen.«[349] Solchem Verhalten entsprach die Beobachtung des in der Judenmission tätigen evangelischen Geistlichen Otto von Harling, der 1932 bemerkte, der immer gröbere Antisemitismus der Nationalsozialisten werde »in weiten Volkskreisen kaum als Schande und Unrecht empfunden«. Der Staatsrechtler Franz Böhm, der später Bundestagsabgeordneter der CDU wurde und von 1952 an die Restitutionsgespräche mit Israel leitete, urteilte im Rückblick auf die letzten Weimarer Jahre: »Soweit damals Parolen gegen Hitler aufgestellt wurden, rückten sie andere Dinge in den Vordergrund, aber nicht den Abscheu gegen den Antisemitismus.«[350]

Dem Schweigen der überwältigenden Mehrheit zur staatlichen Judenverfolgung entspricht, dass es trotz intensiver Suche nur selten gelingt, private Briefe und Tagebücher arischer Deutscher zu finden, in denen die Verfasser die Judenverfolgung während der ersten Jahre der NS-Herrschaft kommentieren, reflektieren, begründet ablehnen oder gutheißen. Das so auffällige Schweigen der Deutschen in ihren privaten, die Jahre 1933 bis 1945 betreffenden Hinterlassenschaften macht auch den Mitarbeiterinnen und Mitarbeitern der im Entstehen begriffenen, auf 16 Bände angelegten Quellenedition »Die Verfolgung und Ermordung der europäischen Juden durch das nationalsozialistische Deutschland« zu schaffen. Zu ihren Aufgaben gehört es, die privat dokumentierten Reaktionen der einfachen, nicht direkt beteiligten Deutschen auf die Judenverfolgung und -deportation zu dokumentieren. Sie finden sehr wenig.

Selbst aktive Nazis beschwiegen ihre Untaten. Ich besitze zum Beispiel rund hundert Briefe eines 1910 geborenen und 1944 gefallenen Onkels. Er hieß August R., trat 1931 nach einigem Zögern als Student im dritten Semester der NSDAP bei und blieb bis zum letzten Atemzug ein begeisterter, stets hochpolitisch schreibender Nazi. Nach seinem Selbstverständnis diente er Deutschland – zunächst als kleiner Parteifunktionär, später als Offizier in einem Nachrichtenbataillon. Die Briefe umfassen gut 500 Seiten und dokumentieren die Zeit zwischen dem September 1930 und Dezember 1944. Sie enthalten zwei antisemitische Bemerkungen. Im November 1930 fragte die Mutter angesichts akuter Geldnot, ob August etwas dagegen hätte, wenn sie sein Zimmer an eine jüdische Studentin vermieten würde. Darauf antwortete der auch sonst schnodderig schreibende Herr Sohn: »Solange ich nicht zu Hause bin, ist es mir egal, wer in meinem Bett liegt, ob das nun Wanzen oder Jüdinnen sind. Die Hauptsache ist, dass sie zahlt.« Die andere einschlägige Textstelle findet sich acht Jahre später. Nach dem Einmarsch ins Sudetenland berichtet der Briefschreiber im Oktober 1938 dem Vater von seinen Eindrücken in der »schönen Stadt« Karlsbad: »Die Juden haben dort alles restlos beherrscht (160 Ärzte, 120 jüdisch).«[351]

Sonst steht in dem gesamten Briefwechsel des eifrigen, gewiss aktiv antisemitischen Nazis kein weiterer Satz über Juden. In seiner Wortlosigkeit, in der Selbstverständlichkeit des Ressentiments deckt sich dieser Befund mit den von Hertha Nathorff beschriebenen Verhaltensweisen »deutscher« Ärztinnen, der ausweichenden Reaktion von Kardinal Faulhaber und dem beispielsweise von Jakob Wassermann geschilderten »dumpfen, starren, fast sprachlosen« Volkshass gegen die Juden. Diese schweigende Mehrheit bildete seit 1933 die gesellschaftliche Basis der staatlichen Judenpolitik. Die untergründigen, äußerlich oft gering aktiven Aggressionen begünstigten das Wegsehen, die Gleichgültigkeit gegenüber dem immer deutlicher werdenden Unrecht. 1933 gewann sofort eine eigentümliche moralische Dumpfheit die Oberhand. Sie erweiterte den Spielraum für den Staatsantisemitismus, der umgekehrt mit jeder Radikalisierungsstufe die moralische Starre verstärkte.

Eine neue Moral für Raub und Mord

Die vorangegangenen Kapitel handelten von den gesellschaftlichen Voraussetzungen, unter denen Antisemitismus zum Staatsziel werden konnte. Bis die deutsche Führung die »Endlösung der Judenfrage« beschloss, dauerte es nach Hitlers Machtübernahme noch gut acht Jahre. Der Weg dorthin verlief nicht zwingend. Der Holocaust beruhte nicht auf einem lange zuvor gefassten Plan. Darüber herrscht heute Einigkeit. Zwar übertraf die 1933 begonnene antisemitische Staatspolitik schon nach wenigen Wochen die damals in vielen Ländern gängigen Formen der Diskriminierung von Minderheiten, doch zu diesem Zeitpunkt »hätte kein Bürokrat vorhersagen können«, wie Raul Hilberg schrieb, »welche Art von Maßnahmen man 1938 ergreifen würde, noch war es 1938 möglich, den Ablauf des Geschehens im Jahr 1942 vorauszusehen«.[352]

Die Entscheidungen zur stufenweisen Entrechtung und Enteignung der deutschen und später der ausländischen Juden wurden zwischen 1933 und 1941 von den Vertretern unterschiedlicher Institutionen vorbereitet und getroffen, ebenso von einzelnen Politikern, vorneweg Adolf Hitler. Sie alle ließen sich von weltanschaulich geprägtem Großgruppenhass, materiellen Interessen und politischen Erwägungen leiten. Doch brauchten sie zur Realisierung ihrer Pläne das Wohlwollen eines politisch aktiven kleineren Teils der Deutschen und die stillschweigende Duldung der großen Mehrheit. Wie das im Einzelnen gelang, gehört nicht in dieses Buch, das die Zeit von 1800 bis 1933 umspannt. Doch will ich in großen Zügen die Linien skizzieren, die aus der Vorgeschichte heraus das verbrecherische Einvernehmen zwischen Volk und Führung begünstigten.

Die Mehrheit der Deutschen profitierte in materieller Weise direkt oder indirekt von der Enteignung der Juden. Diese Art der Partizipation führte zu stiller Komplizenschaft. Ich habe sie in dem Buch »Hitlers Volksstaat. Raub, Rassenkrieg und nationaler Sozialismus« (2005) hinreichend erörtert. Die Ergebnisse sollen nicht wiederholt werden. Hier steht zur Debatte, wie die spezifisch deutsche, auf der Basis massiver Minderwertigkeits- und Neidgefühle entwickelte Theorie der Erb- und Rassenhygiene eine neue Moral hervorbrachte, die Diskriminierung, Raub und Mord rechtfertigte.

Mit dem Begriff Rasse wurden Menschengruppen (erstens) auf die Stufe von Tieren gestellt. Zweitens behaupteten die wissenschaftlichen und politischen Protagonisten der Rassentheorie, dass es gute und schlechte Rassen gibt, und daher (drittens) die guten geschützt werden müssten, notfalls mit Hilfe von Kampf und Ausmerze. Dabei konnte sich die gute Rasse – nach Meinung der Fachgelehrten – auf das Recht zur Notwehr berufen, weil die schlechten Rassen die guten stets bedrohten. Viertens gebot der Rassenkampf Härte gegen so bezeichnete Erbkranke in den eigenen Reihen. Fünftens legitimierte und verstärkte die Aggression gegen die schwächsten Mitglieder der eigenen Rasse die Aggression gegen Fremdrassige. Sechstens dienten Schutz und Höherzucht der eigenen Rasse einem großen Ziel: der dauerhaften Erbgesundheit aller Gruppenangehörigen und damit dem Lebensglück von Kindern und Kindeskindern. Utopien heiligen die Mittel und bilden die Basis für sogenanntes höheres Recht. Siebtens verhieß die Rassenlehre den Gewinn von sozialem Gleichklang, weil eine Nation, zusammengesetzt aus ethnisch gleichartigen Individuen, besser, harmonischer funktioniere als eine heterorassische. Unter den genannten sieben Gesichtspunkten wurde die Erb- und Rassenhygiene als Akt des Selbstschutzes und der Selbstreinigung propagiert. »Wir werden gesunden, wenn wir den Juden eliminieren«, meinte Hitler 1942.[353]

Der sozialpsychologisch wichtigste Lehrsatz der Rassenlehre lautet: Die persönlichen Eigenschaften eines Menschen sind durch dessen rassische Natur determiniert und mithin der subjektiven Erfahrung und Nachprüfbarkeit entzogen. Unter solchen Vorzeichen brauchte das Besondere eines Juden nicht länger in dessen Religion oder politischer Haltung, im individuellen Erfolg oder Benehmen gesucht zu werden. Es wurde als objektiv angesehen. Unter dem Begriff der Rasse konnte alles Positive, das Juden als bildungsfreudige Bürger, kluge Unternehmer, Künstler, Wissenschaftler, Arbeitskollegen oder kleine Ladenbesitzer an der Ecke leisteten, vernachlässigt oder ins Negative umgedeutet werden. So ließ Goebbels seinen Romanhelden Michael sagen: »Der Jude ist uns im Wesen entgegengesetzt. Ich kann ihn gar nicht hassen, nur verachten.« Anschließend fragt Michael rhetorisch: »Genau so schlau werden wie er? Er ist gar nicht schlau. Er ist nur raffiniert, getrieben, durchtrieben, gerissen und skrupellos. Da tun wir es ihm doch nie gleich.« Dann stellt Michael die Frage nach einem friedlichen Nebeneinander mit Juden: »Friede? Kann die Lunge mit dem Tuberkelbazillus Frieden halten?«[354]

Auf den Einwand vom »anständigen Juden«, den es doch ersichtlich gebe, antwortete ein NSDAP-Gauleiter im Herbst 1930:

»Ja, das kann sein. Aber wenn jemand in einem verwanzten Hotelbett liegt, dann fragt er nicht die einzelne Wanze: ›Bist du jetzt eine anständige oder unanständige Wanze?‹, sondern er knickt sie tot.« Einmal im Redefluss, brachte jener Gauleiter ein zweites, nicht minder anschauliches Beispiel: Zweifellos sei ein jüdisches Kleinkind so putzig anzusehen wie ein arisches, aber »ein kleines Ferkel ist auch herzig« und werde doch »eine alte Sau«. Die Broschüre, die diese Gauleiterworte überliefert, hatte ein höherer, mit der NSDAP sympathisierender Staatsbeamter verfasst, um das bürgerliche Publikum für die nationalsozialistische Sache zu erwärmen. Zugegeben, räumte er ein, die Wanzen- und Schweinevergleiche könnten unter Gebildeten »recht peinliche Gefühle« auslösen. Auch ihm selber seien redliche Juden begegnet, im Krieg auch heldenmütige, zu höchsten Opfern für das Vaterland bereite. Aber darin liege eben eine Tragik, die angesichts der »noch größeren Tragik« des deutschen Volkes zu vernachlässigen sei.[355]

In ähnlicher Weise übertrug der Direktor des Kaiser-Wilhelm-Instituts für Anthropologie, menschliche Erblehre und Eugenik, Eugen Fischer, die für den bürgerlichen, zumal den akademischen Hausgebrauch unpassende Formel »Juda verrecke!« in professorales Vernichtungsdeutsch: »Die Welt meint, wir bekämpften nur die Juden, um wirtschaftliche Gewinner, geistige Konkurrenz loszuwerden«, schrieb er 1934 in der badischen Zeitschrift Mein Heimatland. »Nein«, versicherte Fischer, es gehe um »die Rettung der Rasse, die das Deutschtum geschaffen (hat), und ihre Reinigung von Fremdem, rassenmäßig anderem, das ihre geistige Entwicklung in andere Bahnen zu bringen drohte und teilweise gebracht hat. Viele persönlich hochachtbare Menschen werden hart und grausam getroffen. Ist das Opfer zu groß, wenn es gilt, ein ganzes Volk zu retten?«[356] Im gleichen Sinne argumentierte 1922 der fiktive »Erretter Österreichs«, Dr. Schwertfeger. Bettauer zeichnet ihn in seinem Roman »Die Stadt ohne Juden« als »Judenfreund«, der die besonderen Fähigkeiten dieser Minderheit achtet, aber genau deshalb die rhetorische Frage aufwirft: »Auch der Rosenkäfer mit seinen schimmernden Flügeln ist ein an sich schönes, wertvolles Geschöpf, und wird er von dem sorgsamen Gärtner nicht trotzdem vertilgt, weil ihm die Rose näher steht als der Käfer?«[357]

Antisemiten rechtfertigten ihre Bosheit und selbst ihr Morden stets als Notwehr. Schon 1841 hatte Franz Dingelstedt in Frankfurt am Main gereimt: »Wohin Ihr fasst, Ihr werdet Juden fassen, / Allüberall das Lieblingsvolk des Herrn! / Geht, sperrt sie wieder in die alten Gassen, / Eh' sie Euch in Christenviertel sperrn!«[358] Der Berliner Hof- und Domprediger Stoecker betitelte seine zweite, 1879 gehaltene antisemitische Rede »Notwehr gegen das moderne Judentum«; die Zeitschrift der von Wilhelm Marr im selben Jahr gegründeten Antisemitenliga forderte zum Selbstschutz auf. Sie hieß Deutsche Wacht. Bedrohlich malte Marr in seiner wichtigsten Flugschrift den Sieg des Judentums über das Germanentum an die Wand. Aufgebrachte Katholiken verlangten Christenschutz statt Judenschutz.[359]

Für das letzte Kapitel von »Mein Kampf« wählte Hitler die Überschrift »Notwehr als Recht«. Das Gesetz, mit dem Tausende deutsche Juden 1933 aus dem öffentlichen Dienst entlassen wurden, hieß »Gesetz zur Wiederherstellung des Berufsbeamtentums«, so als hätten die Verjagten irgendetwas zerstört, was es nun – in letzter Minute – zu retten gelte. Der Gesetzentwurf zur Teilenteignung der Juden, den Beamte des Reichsfinanzministeriums im Sommer 1937 ausarbeiteten, trug den Titel »Gesetz über den Ausgleich von Schäden, die dem Deutschen Reich durch Juden zugefügt werden«. Die Verordnung vom 12. November 1938, mit der die deutschen Juden nach dem Pogrom vom 9. November eine Kollektivstrafe von einer Milliarde Reichsmark zu entrichten hatten, wurde im Reichsgesetzblatt und in den Zeitungen so bezeichnet: »Verordnung über eine Sühneleistung der Juden deutscher Staatsangehörigkeit.«[360]

Hitler benutzte das Notwehrargument abermals in seiner Rede vom 30. Januar 1939 und wiederholte es hinfort mit stupender Regelmäßigkeit: »Wenn es dem internationalen Finanzjudentum in und außerhalb Europas gelingen sollte, die Völker noch einmal in einen Weltkrieg zu stürzen (...), dann (...)« – dann wird das zur »Vernichtung der jüdischen Rasse in Europa führen«.[361] Der Parteipropagandist Hermann Esser sekundierte: »Antisemitismus ist nichts anderes als berechtigte Notwehr.« Er behauptete, Deutschland sei gezwungen, »eine unmittelbare Gefahr« für den Bestand der Nation und für »unser Lebensrecht« abzuwehren.[362] Am 9. Mai 1943 setzte Goebbels die deutsche Öffentlichkeit, die längst nicht mehr erstaunt reagierte, so über die Juden und deren Lage ins Bild: »Als sie gegen das deutsche Volk den Plan einer totalen Vernichtung fassten, unterschrieben sie damit ihr eigenes Todesurteil. Auch hier wird die Geschichte das Weltgericht sein.«[363]

In der Geheimrede, die Heinrich Himmler am 4. Oktober 1943 vor höheren SS-Führern hielt, begründete er die »Ausrottung des jüdischen Volkes« folgendermaßen: »Wir hatten das moralische Recht, wir hatten die Pflicht gegenüber unserem Volk, dieses Volk, das uns umbringen wollte, umzubringen.« Zwei Tage später bemerkte er vor den Reichs- und Gauleitern zum Massenmord an Millionen jüdischen Frauen und Kindern: »Ich hielt mich nämlich nicht für berechtigt, die Männer auszurotten, sprich also umzubringen oder umbringen zu lassen – und die Rächer in Gestalt der Kinder für unsere Söhne und Enkel groß werden zu lassen.«[364]

In seinem Buch »Antisemitica« zitierte Siegfried Lichtenstaedter 1926 einen Artikel, der am 15. Oktober 1923 in der Zeitung Heimatland erschienen war. Der Untertitel lautete: Vaterländisches Wochenblatt – Organ des Deutschen Kampfbundes (Bundesleiter: Adolf Hitler). Anfang Oktober hatte die Polizeidirektion München den Vertrieb des rechtsradikalen Druckwerks kurzzeitig untersagt, weil sie es als Ersatzblatt des schon verbotenen, von Hitler herausgegebenen Völkischen Beobachters einstufte.[365]

Ein längerer Aufsatz dieser Heimatland-Ausgabe trug die Überschrift »Mustapha Kemal Pascha und sein Werk«. Er weckte Lichtenstaedters Interesse. Verfasst hatte ihn Hauptmann Hans Tröbst, der als deutscher Söldner mit den türkischen Truppen umhergezogen war, die in den Jahren 1920 bis 1922 im griechisch-türkischen Krieg kämpften. In seinem Bericht beschrieb Tröbst, wie die kemalistischen Soldaten gegen die »fremdstämmige Bevölkerung« wüteten, also insbesondere gegen Griechen, und veranschaulicht damit, wie man sich den Völkermord an den osmanischen Armeniern in den Jahren 1915 bis 1917 vorzustellen hat: Im Kampfgebiet »mussten die Fremdstämmigen fast ausnahmslos über die Klinge springen, ihre Zahl wird mit 500 000 nicht zu gering angegeben«. Sie wurden dort »ohne Unterschied des Alters und Geschlechts« beseitigt. Zivilisten, die nicht in den unmittelbaren Kriegsgebieten wohnten, wurden vertrieben.

Der Text erschien gut drei Wochen vor Hitlers Putschversuch am 9. November 1923. Lichtenstaedter las den Aufsatz als Zeitgenosse; liest man ihn heute und damit im Rückblick auf die bis 1945 folgenden Ereignisse, fallen weitere Passagen auf. Tröbst schloss aus seinen türkischen Erfahrungen, dass politische Führer, die eine derartige, von den jungtürkischen Nationalrevolutionären vorexerzierte »innere Einheitsfront« und »völkische Reinigung« bewerkstelligen wollen, alle Brücken hinter sich abzubrechen haben: »(Sie) müssen sich bewusst sein, dass sie dabei um ihren Kopf spielen. Dieses Bewusstsein wird ihnen die Fähigkeit geben, alle ihnen Entgegenarbeitenden rücksichtslos und für immer unschädlich zu machen, mögen weiche Gemüter dabei noch so sehr über Grausamkeit, Barbarei und Schlimmeres zetern. Diese Unschädlichmachung muss in einer Form erfolgen, dass sie eine endgültige und jedermann in die Augen springende ist. Dadurch geht der Bewegung der Schrecken voraus, und nur der Schrecken in seiner krassesten Form macht heute auf die entnervte und abgespannte Menschheit noch Eindruck.«

Warum hatte es die armenische und griechische Minderheit so erbarmungslos getroffen? »Der Armenier und Grieche vermehrte sich im Gegensatz zum Türken sehr schnell«, schrieb Tröbst,

»Handel und Wandel lag ausschließlich in seinen Händen, und er verstand sich in der perfidesten Weise auf die Auspowerung der ihm immer mehr und mehr wehrlos ausgelieferten Bevölkerung.« Der Autor rechtfertigte die Massenmorde mit der »ständigen Ausbeutung des arbeitenden Volkes« und fuhr fort: »Schon der gesunde Menschenverstand zwang den Türken, wenn er einmal beim Aufräumen war, dies auch sofort so gründlich zu besorgen, dass er nicht etwa nach einem Menschenalter von Neuem vor die gleiche Notwendigkeit versetzt zu werden befürchten musste.«

Die Fremdstämmigen, die nicht von der türkischen Soldateska niedergemetzelt wurden, mussten »auswandern«, ihr Eigentum zurücklassen, das sie nach Tröbst »im Laufe der Jahre ergaunert hatten«. Mitnehmen durften die Vertriebenen, was sie tragen konnten. Am Ende nahmen Türken und Kurden den noch lebenden Vertriebenen »all das« ab, »was sie mitgeschleppt hatten«. Schließlich standen ganze Städte und Stadtteile leer, war dort »keine Menschenseele mehr zu finden«, außer einem türkischen Polizeiposten. Das diente einem bald erreichten Zweck: »All diese Städte und die leeren Häuser der Exilierten sind für die türkischen Volksgenossen bestimmt, die in Bulgarien, Mazedonien und Griechenland leben und deren Rückkehr eine erwünschte Stärkung der türkischen Volkskraft bedeuten wird.«

Tröbst warnte vor sentimentalem Geschrei und fasste am Ende »in kurzen Worten die große Lehre« für Deutschland zusammen: »Die Türkei hat den Beweis geliefert, dass die Reinigung eines Volkes im größten Stile von Fremdkörpern jeder Art sehr wohl möglich ist.« Die »völkische Reinigung« und eine dazu entschlossene »frische, wagemutige« Freiwilligentruppe hätten die »Grundlagen für die nationale Wiedergeburt eines Volkes« geschaffen. Das führte den Autor zu der Frage, wie es um Deutschland stehe. »Wann kommt der Retter unserem Lande, der diese Forderung der Stunde in die Tat umsetzen wird? Kameraden! Schließt die Reihen! Unsere Stunde wird kommen!«

Die Schlusspassage interpretierte Lichtenstaedter 1926 als Aufforderung, dass die 600 000 Juden in Deutschland und die 200 000 in Österreich »totgeschlagen und ihre Güter den ›Ariern‹ gegeben werden« sollen. Das erfordere, stellte er trocken fest, eine neue Ethik: »Die ›Fremdstämmigen‹ (= Fremdreligiösen), die im Vaterlande leben, darf und soll man totschlagen und ihrer Habe berauben.«[366]

Am Beispiel der Türkei schilderte Tröbst die Perspektive einer Rassenhygiene, die mit den Mitteln des Massenmords zu betreiben sei. In Deutschland kam 1933 ein zweites radikalisierendes Moment hinzu: die Gewalt gegen das eigene Volk im Namen der Erbhygiene. Zum Erhalt der eigenen Rasse mussten, wie Hitler in »Mein Kampf« ausführte, diejenigen Deutschen, die »irgendwie erblich krank oder belastet« seien, an der Fortpflanzung gehindert werden, während den Gesunden »soziale Voraussetzungen« für Kinderreichtum geschaffen werden sollten. Das erfordere »schwerste und einschneidendste Entschlüsse«. Hitler lehnte jedes individualethische Wanken und Zögern ab: »Die Forderung, dass Menschen die Zeugung anderer ebenso defekter Nachkommen unmöglich gemacht wird, ist eine Forderung klarster Vernunft. Sie wird Millionen von Unglücklichen unverdiente Leiden ersparen und in der Folge aber zu einer steigenden Gesundung überhaupt führen.« Die für die höhere gesellschaftliche Lebensqualität erforderlichen Maßnahmen bezeichnete er als »barbarisch« für den »unglücklich davon Betroffenen«, doch werde »der vorübergehende Schmerz eines Jahrhunderts« die Nachgeborenen für »Jahrtausende vom Leid erlösen«.

Hitler forderte den »unbarmherzigen«, säubernden Akt am eigenen Volkskörper, weil die Deutschen nur so alle Halbheiten hinter sich lassen und zu neuer Höhe aufsteigen könnten: »Wenn die Kraft zum Kampfe um die eigene Gesundheit nicht mehr vorhanden ist, endet das Recht zum Leben in dieser Welt des Kampfes.« An anderer Stelle verlangte er die »Vernichtung« kranker, schwächlicher und missgestalteter Kinder im Namen »einer planmäßigen Rasseerhaltung«. So wollte er das deutsche Volk von »Degeneraten« befreien, ein Vorgehen, das er für »tausendmal humaner« hielt als den »erbärmlichen Irrsinn unserer heutigen Zeit, die krankhaftesten Subjekte zu erhalten«.[367]

In wissenschaftlich geschliffener Sprache ausgedrückt, stand die Heilkunde vor der Pflicht zur »negativen Rassenpflege«, und das hieß, psychisch, geistig oder körperlich geschädigte Menschen und Suchtkranke zu sterilisieren. Die Maßnahme verhieß mehr Lebensglück, weil sie die Widerstandsfähigkeit der Großgruppe Deutsches Volk im Kampf ums Dasein nachhaltig verbessern würde. Ende 1932 veranschaulichte der schon vorgestellte Professor für Pflanzenzüchtung Erwin Baur dieses Ziel am Beispiel eines ursprünglich heterorassigen Kaninchenbestands, den er auf einer fiktiven Insel ansiedelte. Baur führte anhand dieses Modells aus, wie Raubvögel die Auslese besorgen und wie die existentiell bedrohten Kaninchen darauf mit rassisch zweckmäßiger Selektion reagieren. Aus ihrer Mitte entsteht auf »natürlichem Weg« ein Kaninchenvolk mit ein und derselben Tarnfarbe und kurzen, für Greifvögel nachteiligen Ohren. Die solcherart herausgebildete Rasse erweist sich als optimal angepasst und verteidigt so Existenz und Lebensraum. Für die Menschen liegt der Fall anders, weil sie nach Baur infolge ihrer Zivilisation die natürliche Zuchtwahl fortwährend im Namen vermeintlicher Humanität vereiteln. Deshalb muss der Staat die rassenreinigende Funktion des Raubvogels übernehmen.[368]

Demzufolge entstanden die menschlichen Rassen nach dem Darwin'schen Gesetz der Naturzüchtung zu dem einzigen Zweck der Erhaltung ihrer selbst. Das führte nach der von Fritz Lenz 1917 veröffentlichten Schrift »Die Rasse als Wertprinzip« zu einer neuen Ethik: »Auf die Dauer können nämlich nur Lebewesen bestehen, die so gestaltet sind, dass ihre Rasse erhalten bleiben kann.« Deshalb gelte für das Individuum wie für den Staat »bei jedem Tun, bei jedem Lassen« zu prüfen: »Frommt es unserer Rasse?« Eugen Fischer sekundierte 1934 und verkündete einen neuen juristischen und moralischen Grundsatz: »Das Schicksal eines Volkes geht hier vor Eigenrecht.« Daraus folgte: »Wie wir rassenfremde Erblinien ausschalten, lehnen wir erbkranke ab. Auch hier wird ein Opfer gefordert, bedingungslos gefordert.«[369]

Bevor Deutsche den Mord an sechs Millionen Juden begingen oder mehrheitlich geschehen ließen, säuberten sie die eigenen Reihen. »Unbarmherzig« und »bedingungslos« stellten sie das Lebensrecht von Hunderttausenden Angehörigen der eigenen Gruppe zur Disposition. Seit 1934 sterilisierten deutsche Ärzte mit beispielloser Radikalität mehr als 350 000 Männer und Frauen. Weil der Eingriff im Fall der Frauen die Öffnung der Bauchhöhle erforderte, starben etwa 6000 Patientinnen unmittelbar nach der Operation an Infektionen.

Die Medizinstatistiker Siegfried Koller und Heinrich Wilhelm Kranz errechneten 1941, dass in naher Zukunft zudem etwa 1,6 Millionen Deutsche als sogenannte Gemeinschaftsunfähige »einer Sonderbehandlung« zuzuführen seien, um den Volkskörper nachhaltig von genetischem Unrat freizuhalten. Zu dieser Gruppe, die sie gelegentlich als »biologische Bolschewisten« bezeichneten, rechneten sie vor allem Arbeitsscheue und gewohnheitsmäßige Schmarotzer, aber auch Landesverräter, Rassenschänder, wegen Abtreibung Straffällige, sexuell Hemmungslose, Süchtige, Trinker und Prostituierte.[370]

Heiratslustige mussten zunehmend Stammbäume und erbbiologische Unbedenklichkeitsbescheinigungen beibringen. Für SS-Kandidaten galten strenge Kriterien erbbiologischer Auslese. Beamtenanwärter hatten Abstammungsbescheide vorzulegen. Ein alkoholkranker Onkel, ein Großvater, der an epileptischen Anfällen litt, ein Bruder, der mit einer Depression psychiatrisch behandelt wurde, ein behindertes Kind konnten Karrieren hemmen, Lebensentwürfe null und nichtig machen. Unter dem allgemeinen erbhygienischen Druck, dem sich die Deutschen selbst unterworfen hatten, erzeugten solche Angehörigen – und wer hätte sie nicht im weiteren Familienkreis – das ambivalente Gefühl, mit der eigenen Sippe könne irgendetwas nicht stimmen und daraus könnten Nachteile erwachsen.

Genau das war eine der Ursachen für den sehr verhaltenen Widerstand gegen die sogenannte Euthanasie. Unter diesem beschönigenden Begriff ließ die Reichsregierung vom Januar 1940 an bis zum Sommer 1941 mehr als 70 000 körperlich und geistig behinderte arische Deutsche in Gaskammern ermorden. Für den Mord an behinderten Kindern wurde 1939 eine zusätzliche Organisation geschaffen. Diese beiden gegenüber der Öffentlichkeit leicht getarnten Institutionen betrieben ihr mörderisches Werk in enger Kooperation mit den Medizinalbehörden des Reiches, der Länder und der Kommunen. Die Bürgermeister, Landräte und Friedhofsämter wurden informiert, ebenso die Gerichte und ärztliche Standesorganisationen. Die Verfahren ähnelten in mancher Hinsicht dem später beginnenden Mord an den europäischen Juden: so das Töten mit Giftgas und das Herausbrechen der Goldzähne zugunsten der Erbgesunden. Als sich in der deutschen, insbesondere in der katholischen Öffentlichkeit im Sommer 1941 etwas Widerstand gegen den Mord an den Anstaltspatienten regte, wurde das Verfahren besser getarnt und dezentralisiert. In der zweiten Kriegshälfte ermordeten Ärzte und Krankenschwestern noch einmal mehr als 100 000 Deutsche in den psychiatrischen Anstalten selbst, zumeist mittels überdosierter Beruhigungsmedikamente.

Die mit der Rassenhygiene kombinierte Erbhygiene führte zunächst zu rücksichtslosen und mörderischen Eingriffen am eigenen Volkskörper. Sie muss als massive Autoaggression verstanden werden. Die Neigung zur Selbstverstümmelung erscheint als eine Folge mangelnden Selbstwertgefühls. Der eigene (Volks-)Körper wird zum gefährdeten und für sich selbst gefährlichen Objekt. Autoaggressives Verhalten ist häufig mit der Aggression gegen andere gepaart. So gesehen härtete das nationalsozialistische Deutschland die Bereitschaft zum stillschweigenden Einverständnis, andere Rassen auszurotten, im Feuer der erbhygienischen Selbstausmerze. Ich sehe darin eine wesentliche, ebenfalls aus nationalem Minderwertigkeitsgefühl entstandene – bislang zu wenig bedachte – Selbstkonditionierung für den Mord an den Juden. Wer hinnimmt, dass enge Verwandte sterilisiert, als Ballastexistenzen bezeichnet und an unbekannte Orte deportiert werden, weil sie als erbbiologisch wertlos gelten, der nimmt auch hin, dass die Angehörigen einer als feindlich denunzierten Rasse von Amts wegen verschwinden.

Dem kalten erb- und rassenhygienisch begründeten Morden stand die weithin christlich vorgeprägte Moral der Deutschen entgegen. Dieses Hindernis musste überwunden werden. Auch die dafür notwendigen Techniken entwickelten Regierung und Verwaltung zunächst in der Gewaltausübung gegen Deutsche. Die Sterilisierungen ordneten eigens geschaffene, mit einem Juristen und zwei Ärzten besetzte Erbgesundheitsgerichte in nichtöffentlichen Sitzungen an. Sie fällten ihre Urteile im Namen wissenschaftlicher Erkenntnis. Die führenden Psychiater saßen als Richter in diesen Gerichten. Das Verfahren war allgemein bekannt, es galt als wissenschaftlich objektiv. Dagegen fanden die Morde an kranken und dauerhaft geschädigten Menschen auf der Grundlage von ärztlichen Kurzgutachten in der Grauzone zwischen öffentlichem Wissen und Nichtwissenwollen statt. Der durchsichtige Tarnbegriff »Krankenverlegung«, der die Morde umschrieb, genügte, um die Angehörigen einigermaßen zu beruhigen und die bald darauf eintreffende Nachricht vom angeblich natürlichen Tod ihres Familienmitglieds hinzunehmen. Die Pragmatik dieser Praxis war die, »den Volksgenossen die moralische Überforderung zu ersparen«, die eine genaue Information »für die übergroße Mehrheit dieser Volksgenossen hätte bedeuten müssen, wenn man sie in ihren Prägungen durch eine konventionelle, womöglich christliche Herkunftsmoral mit den Tatsachen konfrontiert hätte«.[371]

Empfohlen hatte das Verfahren Hitlers Leibarzt Theo Morell. Als die Reichsregierung im Sommer 1939 plante, im bevorstehenden Krieg behinderte Deutsche als »nutzlose Esser« umzubringen, las er eine in den 1920er-Jahren durchgeführte Befragung von Eltern schwerbehinderter, in einem protestantischen Heim untergebrachter Kinder. Die Eltern waren gefragt worden, ob sie unter bestimmten Umständen »in eine schmerzlose Abkürzung des Lebens ihres Kindes einwilligen« würden. Morell fiel vor allem eine Kategorie von Antworten auf: »Im Prinzip einverstanden; nur dürften Eltern nicht gefragt werden; es fällt ihnen doch schwer, das Todesurteil für ihr eigen Fleisch und Blut zu bestätigen. Wenn es aber hieße, es wäre an einer x-beliebigen Krankheit gestorben, da gibt sich jeder zufrieden.« Daraus schloss Morell: »Das könnte man hier berücksichtigen. Man darf nicht denken, dass man keine heilsame Maßnahme ohne das Plazet des Souveräns Volk ausführen könnte.«

Daraufhin wurden die Massenmorde an psychisch kranken und behinderten Deutschen seit dem September 1939 als Geheime Reichssache vollzogen. Wirklich geheim blieb nichts. Das eigentliche Geheimnis bestand in der Offerte an die Volksgenossen, sich aus der Verantwortung zu stehlen, irgendwo zwischen ungefährer Ahnung, sofortigem Verdrängen und vagem Glauben an höhere rassenpolitische Notwendigkeiten. Weil die Angehörigen, Pfleger und Krankenschwestern nicht wissen durften, dass und wie die »verlegten« Patienten zu Tode kamen, brauchten sie es nicht zu wissen. Das ersparte ihnen die Gewissensnot.

Die »Evakuierung« und »Umsiedlung« der Juden folgte dem an arischen Kranken eingeübten Verfahren. Deshalb konnten im September 1942, um nur ein Beispiel anzuführen, im Zentrum von Darmstadt 2171 Juden in der Justus-Liebig-Schule gesammelt und von dort nach Osten deportiert werden. Der vor aller Augen vollzogene Abtransport war Tagesgespräch, selbstverständlich auch unter den Kindern, die für zwei Wochen schulfrei bekommen hatten. Fragten sie, was mit den in ihrer Schule gefangenen Menschen geschehe, erhielten sie die Antwort: »Das sind Leute, die zum Arbeitseinsatz weggebracht werden!« Das Wort »Juden« vermieden die Eltern. Protest regte sich nicht. Die Darmstädter wollten nicht wissen, was da vorging. Obwohl sie alles genau sehen konnten.[372]

Punktuell bestärkten Hitler und Goebbels immer wieder und absichtsvoll die Ahnung, dass mit den Deportierten Furchtbares geschehe, immer wieder sprachen sie in ihren Reden von »der Vernichtung der jüdischen Rasse«. So entstand das zunächst noch lose, später fester gespannte Netz des halb bewussten Schuldzusammenhangs, der Verstrickung in unaussprechliche Verbrechen. Das vage Wissen und das starke Nichtwissenwollen machten die Volksgenossen moralisch endgültig reglos. In seiner vom Radiosender BBC an die deutschen Hörer ausgestrahlten Rede vom November 1941 analysierte Thomas Mann das verbrecherische Zusammenwirken von Volk und Führung: »Das Unaussprechliche, das in Russland, das mit den Polen und Juden geschehen ist und geschieht, wisst ihr, wollt es aber lieber nicht wissen aus berechtigtem Grauen vor dem ebenfalls unaussprechlichen, dem ins Riesenhafte herangewachsenen Hass, der eines Tages, wenn eure Volks- und Maschinenkraft erlahmt, über euren Köpfen zusammenschlagen muss. Ja, Grauen vor diesem Tag ist am Platz, und eure Führer nutzen es aus. Sie, die euch zu all diesen Schandtaten verführt haben, sagen euch: Nun habt ihr sie begangen, nun seid ihr unauflöslich an uns gekettet, nun müsst ihr durchhalten bis aufs Letzte, sonst kommt die Hölle über euch.«[373]

Tatsächlich hielten die allermeisten Deutschen still und kämpften bis zum bitteren Ende, bis sie am 8. Mai 1945 mit harter militärischer Gewalt von sich selbst befreit werden mussten. Sie hatten die frevelhaften Angebote ihrer Volksführer angenommen: Sie hatten jahrelang Vorteile aus der Enteignung der Juden gezogen, sie hatten die Zwangssterilisierung und den gewaltsamen Tod der Schwachen und Wehrlosen in ihren Familien hingenommen, sie hatten die Deportationen der Juden gesehen, manches gehört und flüchteten dann in den ihnen angebotenen Ausweg: Ihr dürft das alles nicht wissen, vergesst es schnell! Folglich konnten sie hinterher weder sich noch anderen erklären, wie ihnen geschehen war, und sie behaupteten aus tiefer Überzeugung: Das haben wir nicht gewusst.

Eine Geschichte ohne Ende

Die Schwachen sind die Gefährlichen

Eine Krise erklärt sich nicht aus der Krise, ein Krieg nicht aus dem Krieg. Dasselbe gilt für den Holocaust. Wer nur sagt, der zum Massenmord an sechs Millionen Menschen gesteigerte deutsche Antisemitismus sei eine Folge des Antisemitismus, malt einen Dämon an die Wand und schweigt über die Kräfte, die den Dämon entstehen und übermächtig werden ließen. Deshalb habe ich darzustellen versucht, wann und unter welchen Umständen die Deutschen ihre Art des Antisemitismus entwickelten. Eine solche Untersuchung schien mir aus drei Gründen geboten: zur Erklärung des Mordes an den europäischen Juden, zum Verständnis der deutschen Geschichte und zum Begreifen der darin eingebundenen Familiengeschichten. Die leitenden Fragen lauteten: Wie begründeten Antisemiten ihre Ressentiments, ihre Missgunst, ihren Hass? Was dachten ihre jeweiligen Zeitgenossen, jüdische wie christliche, über die Motive und das Anschwellen der antisemitischen Bewegung? In welchen gesellschaftlichen und politischen, wirtschaftlichen und kriegerischen Situationen nahm die Judenfeindschaft aus welchen Gründen besonders stark zu?

Bis 1933 wäre ein solches empirisches Fragen selbstverständlich gewesen. Nach 1945 standen die Überlebenden und die Nachgeborenen vor dem Unsagbaren. Die meisten schwiegen zunächst. Sie mussten schweigen, um weiterleben zu können. Nachdem zwei, drei oder vier Jahrzehnte verstrichen waren, provozierten die kaum zu beschreibenden, unvorstellbaren Mordtaten der Deutschen zunächst tautologische, man könnte auch sagen: religiöse Erklärungen, denen zufolge das Böse eben aus dem Bösen entsteht, das Teuflische vom Teufel bewerkstelligt wird und deshalb gebannt werden muss. Dem Schweigen folgte das oberflächliche Wegerklären. So unmenschlich im moralischen und rechtlichen Sinn das Verbrechen war, so menschlich – im wörtlichen Sinn – bleiben seine historischen Voraussetzungen. Wie die Geschichte des deutschen Antisemitismus lehrt, kann das Böse nicht immer vom Guten getrennt werden; unter Umständen gebiert das Gute oder das teilweise Gute abgrundtief Böses.

Aus historischen Gründen fanden die Deutschen nur schwer zur Nation. Noch zur Zeit Goethes war unklar, ob die in Leipzig und Meißen gebräuchliche obersächsische Mundart oder das zwischen Magdeburg und Hannover gesprochene Niedersächsisch das gemeinsame Hochdeutsch werden würde. Mühsam mussten Germanisten und Historiker eine einheitliche Sprache kodifizieren, Sagen und Märchen sammeln, Luthers Protestantismus zum religiösen Ausdruck des Deutschtums umdeuten, mittelalterliche Urkunden erschließen, um eine Volksgeschichte zusammenzubauen. Am Ende führte sie bis zum Stammesführer Hermann dem Cherusker, dessen Heldentat darin gesehen wurde, dass er im Jahre 9 nach Christi Geburt das Vordringen der römischen Zivilisation, des Rechts und der Schrift für viele Jahrhunderte militaristisch gestoppt hatte.

Wie anders die weit zerstreuten Juden. Sie besaßen, was die Deutschen so sehr vermissten – die aus christlicher Sicht bedeutendsten Mythen überhaupt. Sie reichen bis zur Erschaffung der Erde und des Menschen. Sie erzählen vom Paradies und von uralten Gesetzen, von weisen Männern, Kriegen und vom hartnäckigen Aufbau eines wehrhaften Staats. Juden berufen sich auf ihre jahrtausendealte, allein ihnen gehörende Sprache, Schrift, Tradition und Religion. Als wurzellos verschrien, hatten sie, wonach die Freunde des Germanismus so versessen gruben: tiefe, bedeutsame Wurzeln. Juden mussten sich oft genug anpassen, aber sie bewahrten das Eigene, während die angeblich volksverhafteten Deutschen ihre Sitten und ihre Sprache schnell vergaßen, sobald sie nach Amerika ausgewandert waren. Wer der ewige Jude war, das stand fest. Der ewige Deutsche wurde seit 1800 gesucht.

Mit ihrer Anschauung vom geschichtlich beständigen Rassenkern setzten die Nationalsozialisten an den historischen Leerstellen der Nation an. In der Weltwirtschaftskrise errang die NSDAP mit zwei zentralen Parolen überwältigenden und klassenübergreifenden Zuspruch: »Vergiss nicht, dass du ein Deutscher bist!« und »Deutschland erwache!«. So redet man mit Desorientierten und Langschläfern, nicht mit hypernationalistischen Kraftprotzen. »Deutsches ist nicht, es wird«, so beschrieb Arnold Zweig die innere Richtschnur der nazifizierten Jugend 1927, und Friedrich Sieburg, Kulturkorrespondent der Frankfurter Zeitung, betitelte seinen Kotau vor dem Dritten Reich 1933 »Es werde Deutschland«. Im Jahr 1932 erklärte Heinrich York-Steiner den seit den Wahlen von 1930 anhaltenden Zulauf der NSDAP und den schnell ansteigenden Judenhass als Fortsetzung einer alten Geschichte: »Deutschlands politische und kulturelle Stellung war von den Hohenstaufen bis auf den heutigen Tag eine unsichere, labile, sprunghafte. (…) Aus dieser weltgeschichtlichen Stellung heraus erklärt sich des Deutschen Zwiespältigkeit Fremden gegenüber. Es fehlt die Stärke stetiger Entwicklung, natürlich gewachsener Selbsteinschätzung. Er ist heute Helote, morgen Eroberer und lebt sich dann in völkischer Übertreibung aus.«[374]

Zu Anfang des 19. Jahrhunderts waren die Forderungen »Einheit der deutschen Nation« und »demokratische Emanzipation des Volkes« für kurze Zeit Hand in Hand gegangen. Das in feudale Kleinstaaten zersplitterte, an sämtlichen Rändern kulturell unbegrenzte – positiv ausgedrückt: offene – deutsche Siedlungsgebiet hatte anders als England oder Frankreich keine staatliche Gestalt.

Die Einheit blieb für lange Zeit Wunschtraum, und deshalb mussten die Vorkämpfer der Freiheit auch Vorkämpfer der Einheit sein. Sie scheiterten 1814, 1830 und 1848 an den alten feudalen Mächten und bequemten sich spätestens 1870 in ihrer übergroßen Mehrheit in das preußisch geführte, antirepublikanisch verfasste Deutsche Reich. Zwar vollbrachten die Deutschen im 19. Jahrhundert bemerkenswerte geistige und – erheblich verspätet – wirtschaftliche und technische Leistungen, aber als Nation blieben sie unreif, mit sich selbst im Unreinen und formlos.

Die immer wieder scheiternden Anläufe zum Nationalstaat und der zu Beginn des 19. Jahrhunderts geführte Kampf gegen die napoleonische Fremd- und Gewaltherrschaft vergifteten die deutsche Adaption demokratischer Ideen nachhaltig. Die Franzosenzeit bedeutete für die meisten Deutschen nicht das Vordringen der Ideen von Freiheit, Gleichheit und Brüderlichkeit, sondern unsägliche Willkür, Zerstörungen und Kontributionen, Not, Hunger, Seuchen und den Tod einer ganzen Generation junger Männer. Wie viele Opfer allein die letzten Schlachten gegen Napoleon forderten, kann man noch in manchen Kirchen lesen. So fielen 1813/14 aus dem südmecklenburgischen Dorf Priepert 50 Männer, im Ersten Weltkrieg 19, im Zweiten 28. In der wenig entfernten brandenburgischen Gemeinde Menz beträgt das Verhältnis 57 zu 28 zu 39. Vor diesem Hintergrund bildete der demokratische Nationalismus, der unter den Farben Schwarz-Rot-Gold auf der Stelle trat, früh seine eigentümlichen Merkmale heraus: Schwäche, Kleinmut, Selbstzweifel und Fortschrittsscheu, gestaute Aggression, Fremdenfurcht und Fremdenhass.

Noch unter französischer Herrschaft setzten aufgeklärte preußische Reformer 1808 die Gewerbefreiheit durch. Sie stießen das Tor zur Entfaltung der wirtschaftlichen Kräfte, zum freien Unternehmertum auf. Juden wussten den staatlichen Anreiz zur Eigeninitiative weit besser zu nutzen als ihre von Grundherren und Klerikern klein und intellektuell kurz gehaltenen christlichen Landsleute. Zur Freiheit gehört das Risiko. Das ängstigte die christliche Mehrheit. Ihre alten Gewissheiten zerbrachen unter der Wucht der wirtschaftlichen Freiheit und der industriellen Revolution. Die meisten Deutschen erlebten die rechtlichen und materiellen Fortschritte als Verlust. Dagegen hatten die Juden in der untergehenden Welt der Zünfte und Stände, der Pfarrhäuser und Patrizier, des Gesindes und Adels nichts zu verlieren, in der Zukunft alles zu gewinnen. Materiell zunächst rückhaltlos, verlegten sie sich auf geistige Kapitalien, auf Bildung und Ideen, und gelangten so mit beachtlichem Schwung zum materiellen Erfolg. Sie schritten voran.

Die Juden hatten es in Deutschland nicht mit einem Gegner zu tun, sondern mit fünf unterschiedlich motivierten antijüdischen und daher emanzipationsfeindlichen Strömungen: erstens mit dem traditionellen, religiös begründeten Vorurteil; zweitens mit der Fortschrittsangst altständischer Kräfte; drittens mit dem auf staatliche Protektion statt auf Freiheit erpichten Bürgertum; viertens mit der Fremdenfeindlichkeit deutscher Nationalrevolutionäre, die den Begriff Volk auf die exklusive Einheit von Religion, gemeinsamer Geschichte und Sprache festlegten; und fünftens mit den reformerisch gesinnten deutsch-christlichen Romantikern. Die unterschiedlichen Spielarten der Judengegnerschaft verbanden Veränderungsfurcht, mangelndes Selbstvertrauen und die Angst vor Konkurrenz. Speziell in Kreisen der Intelligenz erzeugte »der Kampf ums Dasein das Übelwollen«. Die Ablehnung alles Fremden galt als Zeichen besonderer Gesinnungstreue.[375]

Die Humboldt'sche Bildungsreform hatte zu Beginn des 19. Jahrhunderts die Universitäten und Gymnasien gestärkt, drang jedoch bis 1875 nicht zu den Volksschulen durch. Dank ihres Bildungsvorsprungs und ihrer geistigen Beweglichkeit konnten jüdische Kinder die gut ausgebauten höheren Schulen und Hochschulen des Landes nutzen, während christliche Kinder infolge mangelhaften Elementarunterrichts und elterlichen Vorbilds bis zum Beginn des 20. Jahrhunderts immer weiter zurückfielen. Viele Juden kannten die Risiken und Chancen der Geldwirtschaft und des

Handels, ebenso die Lebensbedingungen in den rasch expandierenden Städten, während die meisten Christen als kaum alphabetisierte, stellungslos gewordene Landarbeiter, verarmte Bauern oder heruntergekommene Handwerker zuzogen, um als Ungelernte in der Industrie zu arbeiten.

Trotz aller Steine, die den Juden auf dem Weg zur rechtlichen Gleichstellung in den Weg gelegt wurden, fanden sie in Deutschland ausgezeichnete Bedingungen, ihre Selbstemanzipation voranzutreiben.[376] Im Vergleich zu ihren christlichen deutschen Zeitgenossen überwanden sie die schwierige Strecke des sozialen Emporkletterns schnell, und das, obwohl sie noch bis 1918 Staatsbürger zweiter Klasse blieben. Umgekehrt betrachtet gerieten die christlichen Mitaufsteiger gegenüber den objektiv benachteiligten, aber subjektiv gut gerüsteten Juden ins Hintertreffen. Die nichtjüdischen Deutschen verlangten staatlichen Schutz vor den wirtschaftlich und geistig regen Juden. Mit Hilfe von Gesetzen, später mit verwaltungstechnischen Mitteln wurden die Angehörigen der christlichen Mehrheit bis 1918 immer wieder privilegiert. Aber sie wussten damit wenig anzufangen. So ließ der Schutz ihre Langsamkeit und ihr Unvermögen erst recht sichtbar werden. Das Versagen wurde peinlich. Es zehrte am Selbstbewusstsein. Auf solche Weise wurden die Ängstlichen, die Verlierer und die von Minderwertigkeitsgefühlen Geplagten zu modernen Antisemiten. Die Schwachen sind die Gefährlichen.

Ohnmächtige Möchtegerns und einige intellektuelle Vordenker wie Constantin Frantz oder Heinrich von Treitschke führten die Front der Judengegner an. Sie appellierten an die Mehrheit der Unbeholfenen. Auf diesem gesellschaftlichen Boden gedieh das untergründig bald weit verwurzelte, moderne Ressentiment gegen die Juden. Nach der Niederlage im Ersten Weltkrieg, nach einem zumindest unklugen, jedenfalls als zutiefst ungerecht empfundenen Friedensvertrag und begünstigt von der demokratischen Verfassung der Republik wucherte das Ressentiment aus. Antisemitismus wurde zum Gemeingut der Deutschen.

Ich zitiere noch einmal den im ersten Kapitel genannten Kurt Blumenfeld. Seine Einsichten haben die Anlage dieses Buches beeinflusst. Er war 1884 in Ostpreußen geboren worden, schloss sich als junger Mann der zionistischen Bewegung an und verließ Deutschland Ende Februar 1933. Sechs Monate zuvor, im September 1932, hatte er vor deutschen Zionisten die Gründe für die bevorstehende Machtübernahme der Nationalsozialisten dargestellt und daraus politische Schlüsse gezogen. »Der Weltkrieg, die übersteigerte Industrialisierung«, so legte er dar, »die rasche Zunahme der Bevölkerung Europas, die Deklassierung der früher herrschenden und besitzenden Schichten Europas, die ungeheure Not der Massen, die Technisierung des Lebens, die Zurückdrängung aller geistigen und kulturellen Interessen« führten den gesellschaftlichen Umbruch herbei, der dem Nationalsozialismus in Deutschland zum Sieg verhelfen werde. Blumenfeld analysierte, wie Nationalisten seit 1875 gegen die Idee des liberalen Staates anrannten und der Freiheit des Individuums die Freiheit und »die Gleichberechtigung« der »historisch gewordenen Menschengruppe« Volk entgegensetzten – »so entstand paradoxerweise auf demokratischem Weg der Wunsch nach der Diktatur, getragen von einem Großteil des Volkes«. Dieses Verlangen wurde »umso stärker, als die Nachkriegsgeneration immer weniger imstande war, ihr eigenes Leben zu gestalten«, einen Beruf zu erlernen, der später »einen gesicherten Platz bieten« würde.

Der liberale Gedanke, der dem einzelnen Bürger viel persönliche Verantwortung zubilligt, war im Glauben an den volkskollektivistisch organisierten Staat versunken. Die angelsächsische »›pluralistische‹ Staatstheorie« fand in Deutschland »grundsätzliche, schärfste Ablehnung«, wie Blumenfeld hervorhob: »Man erblickt in der Behauptung, dass der einzelne Mensch in zahlreichen verschiedenen sozialen Bindungen und Verbindungen lebt, dass die Zugehörigkeit zu einer Religionsgemeinschaft, einer Nation, einer Gewerkschaft, einer Familie ihn von Fall zu Fall in sehr unterschiedlichen Formen bindet, eine Absage an die Erforderlichkeit der Einheit des Staates. Man verlangt den ›totalen‹ Staat, in dem es keinerlei dem Politischen entzogene Gebiete des Lebens geben darf.« Mit dem bevorstehenden Sieg der nationalsozialistischen Revolution, so führte Blumenfeld 1932 weiter aus, werde das Recht zum »rein technischen Ausdruck« der »obersten Machtquelle des totalen Staats« und »die Vernichtung des Judentums eines der Hauptziele«.[377]

Parallel zum Angriff auf die Juden definierte die Regierung Hitler ihr Staatsvolk neu, und zwar als rassische Einheit gleichartiger Volksgenossen. Weil sie »die Gleichberechtigung« für eben diese angeblich homogene Menschengruppe versprach, erwartete Blumenfeld, dass sie mit erheblicher aktiver oder passiver Unterstützung rechnen könne. Das erschien umso wahrscheinlicher, als die Deutschen die Werte der modernen, liberalen Gesellschaft nicht erst 1933 abschrieben. Vielmehr hatten sie die Ideen individueller Freiheit und rechtlicher Gleichheit vor dem Gesetz während der 125 Jahre zuvor ihres ursprünglichen Gehalts beraubt, sie Stück für Stück in volkskollektivistische Schlagwörter verwandelt. Thomas Mann fasste das Problem 1945 so zusammen: »Der deutsche Freiheitsbegriff war immer nach außen gerichtet; er meinte das Recht, deutsch zu sein, nur deutsch und nichts anderes.« Er beinhaltete nicht die Freiheit der Menschen, sondern die »für das deutsche Vaterland«. Er war Ausdruck von »völkischem Egoismus« und »militantem Knechtssinn«.[378]

Die von Ernst Moritz Arndt, Friedrich Jakob Fries und Friedrich Ludwig Jahn inspirierte deutsche Nationalbewegung schlug diesen unglückseligen Weg bereits 1810 ein. Anschließend verstärkten Wirtschaftsreformer um Friedrich List die Tendenz zum ängstlichen Protektionismus. Zwischen 1876 und 1879 rückte Bismarck radikal von den Prinzipien des liberalen Staats ab und zerstörte die bis dahin einigermaßen prinzipienfeste Nationalliberale Partei absichtlich. Hernach trug die starke, gut organisierte deutsche Sozialdemokratie dazu bei, die Kraft der Massen über die Individualrechte zu stellen. Sie idealisierte den Staatssozialismus zum Garanten künftigen Glücks. Von bürgerlicher Seite verstärkte der von Friedrich Naumann entworfene national-soziale, mit imperialistischen und kriegerischen Zielen angereicherte Pseudoliberalismus den politischen Sog zum volksgemeinschaftlichen Nationalismus. Den vom Adel nur ausnahmsweise gewollten politischen und wirtschaftlichen Freisinn zerstörten letzten Endes Bürgertum, Arbeiterklasse und die neuen aufstiegsorientierten Zwischenschichten in gemeinschaftlicher Aktion. Trotz harscher Gegensätze verband sie alle die Verachtung des Liberalismus britischer Prägung.

Damit gewann das volkskollektivistische Denken seit etwa 1880 die Oberhand. Es hatte viele Väter – weit mehr als die Totalitarismustheorien weismachen. Die Vertreter dieser Theorien verengen das geschichtliche Problem auf bestimmte faschistisch und bolschewistisch ausgerichtete Parteien und Staatsformen und blockieren damit die tiefere Analyse der Ursachen. Demgegenüber drangen Kurt Blumenfeld und Thomas Mann zur Kernfrage vor, ebenso die liberalen Ökonomen Wilhelm Röpke und Friedrich A. Hayek, die in den Jahren 1944 und 1945 ganz selbstverständlich Männer wie Friedrich List, Friedrich Naumann, Wilhelm Plenge, Paul Lensch und andere mehr oder weniger links stehende Vordenker der Politik in ihre Untersuchungen zum Nationalsozialismus einbezogen.[379] Wer nicht von der langen und verhängnisvollen Tradition eines am Ende regelrecht eingefleischten und bis heute wirksamen deutschen Antiliberalismus sprechen mag, sollte vom volkskollektivistischen Exzess des Nationalsozialismus besser schweigen.

Sämtliche antisemitischen Vereine und Parteien, die in Deutschland zwischen 1880 und 1933 auf den Plan traten, setzten auf wirtschaftlichen und politischen Protektionismus. Sie verlangten nach »Gerechtigkeit« für die christliche Mehrheit und forderten die »Gleichstellung« der Zurückgebliebenen. Vom Staat erwarteten sie, dass er materielle Sicherheit und Gerechtigkeit über die Massen ergieße. Er sollte das Volkswohl garantieren, den gemeinen

Mann vor allen Unbilden und Wirtschaftskrisen, vor Lohndumping, ausländischer Konkurrenz und Juden schützen. Die Propagandisten des Antisemitismus verhießen das Glück in der Gemeinschaft. Sie verteufelten den Individualismus. Sie schürten nicht allein Ressentiments gegen Juden – sie nahmen einfachen Deutschen den Ansporn, ihr Glück selbst zu versuchen, Selbstvertrauen zu entwickeln, kurz: den Juden nachzueifern.

Die Gegenfigur zum sprichwörtlichen kleinen Mann war in Deutschland der ostjüdische Pauper. Er zog mit nichts aus der Provinz Posen oder aus russisch Polen nach Berlin, hauste mit seiner vielköpfigen Familie in einem Zimmerchen im Scheunenviertel und arbeitete sich binnen 15 Jahren nach oben. Er wurde Selbständiger und schickte seine Kinder aufs Gymnasium.[380] Währenddessen schaffte ein ursprünglich nicht ganz so armer, aber doch ähnlich schlechtgestellter Christ den Sprung vom kleinbäuerlichen Hungerleider zum Apothekenhelfer und überlegte, wie er seinen Sohn als Briefträger mit Pensionsanspruch bei der Reichspost unterbringen könnte.

Der Erste Weltkrieg und die Niederlage beschleunigten die seit gut hundert Jahren angelegte Entwicklung abermals. Die Kommandeure des kaiserlichen Feldheeres nutzten und militarisierten die sozialdemokratischen Tugenden Solidarität, Disziplin, Gemeinschafts- und Kampfgeist, klare Orientierung auf den Gegner, höchster Einsatz für die gerechte Sache. Mit eisernem Zwang prägten sie dem proletarischen Klassengeist den Stempel des Nationalen auf. Im langwierigen und unendlich opfervollen Volkskrieg verkrallten sich zwischen 1914 und 1918 Millionenheere ineinander. Die Kämpfe führten zu intensiver Abhängigkeit der Soldaten untereinander. Wie der Soziologe Emil Lederer 1915 beobachtete, schlug »die Gesellschaft in die Gemeinschaft um«, verblassten »alle vorher bestehenden, als fundamental empfundenen sozialen Gruppen vor der unendlichen Einheit des Volkes« zur Verteidigung des heimatlichen Bodens.[381]

Zwar betraf die soziale Verschmelzung alle am Krieg beteiligten Gesellschaften, löste sich jedoch in den siegreichen westlichen Demokratien bald wieder auf. Wie anders in Deutschland, wo nach 1918 weiterhin die Zustände einer belagerten Festung herrschten. Hier folgte eine zweite Fusion, die einerseits von Vorbedingungen begünstigt wurde, die seit hundert Jahren herangereift waren, andererseits jedoch ohne die zersetzenden Kräfte des Krieges schwerlich ausgelöst worden wäre. Es entstand eine Situation, in der die im 19. Jahrhundert erstarkten, zunächst oft gegensätzlichen nationalen und sozialistischen Bewegungen einander »durchquerten, aufeinander wirkten und letzten Endes sich doch irgendwie zu vereinigen strebten«, wie es Friedrich Meinecke 1946 zusammenfasste. Er fügte unter Hinweis auf Hitler hinzu: »Die große in der Luft liegende Idee, die Verschmelzung der nationalen und der sozialistischen Bewegung, fand in ihm ohne Frage ihren brünstigsten Verkünder und den entschlossensten Exekutor.«[382]

Diesen folgenschweren Prozess hätte eine starke, der bürgerlichen Freiheit verpflichtete dritte politische Kraft aufhalten können. Die aber fehlte. Unter solchen Voraussetzungen stieg die NSDAP zur Volkspartei auf, nachdem Friedensdiktat und Inflation, ausländische Militärinterventionen, bewaffnete Aufstände im Inneren und schließlich die Weltwirtschaftskrise ihr den Weg geebnet hatten. Hitler versprach seinen Wählern bedingungslosen Antiliberalismus und kraftvollen Staatskapitalismus. Er verhieß den rassisch Gleichen und erbhygienisch Gesunden das Zeitalter national-sozialer Gerechtigkeit. Er stellte den totalen Staat über das Individuum. Er verkehrte die sozialen, religiösen und regionalen Gegensätze, die innerhalb der deutschen Gesellschaft bestanden, zu äußeren – zu nationalen und rassischen.

Im Frühjahr 1945 schrieb Wilhelm Röpke angesichts der endlich nah gerückten, von ihm heiß ersehnten Niederlage seines Heimatlandes das Buch »Die deutsche Frage« und suchte nach Antworten auf die eine, bis heute beunruhigende Frage: »Wie in aller Welt hat dieses Volk so enden können?«[383] In der erweiterten Ausgabe von 1948 wies er die mittlerweile weitverbreitete Schutzbehauptung so vieler Deutscher energisch zurück, der Kapitalismus und namentlich das Großbürgertum hätten dem Nationalsozialismus zum Sieg verholfen.

Diese Behauptung erfreut sich bis heute einer gewissen Beliebtheit. Sie kann auf das verständliche, eine gründliche Ursachenforschung jedoch versperrende Bedürfnis zurückgeführt werden, die Schuld an den Verbrechen des nationalsozialistischen Deutschland einer möglichst kleinen Gruppe von Menschen anzulasten. Auf diese Weise wird die historische Bürde für die große Mehrheit vermindert. Aber: »Zahllos sind die Beispiele«, wie Röpke mit Recht schrieb, »wie kurz der Schritt vom Demo-Sozialisten zum National-Sozialisten gewesen ist. Die Legende von den bösen Kapitalisten, die mit Hilfe des Nationalsozialismus die unschuldigen deutschen Massen vergewaltigt haben sollen, kann nicht rücksichtslos genug zerstört werden. Man kann nicht oft genug die Wahrheit aussprechen, dass es sich natürlich anders verhalten hat: Ohne die Unterstützung durch breite Massen des deutschen Volkes hätte der Nationalsozialismus weder zur Macht kommen, noch sich an der Macht halten können, und an dieser offenkundigen Tatsache ändert es nichts, dass diese selben Massen zum Teil vorher sozialistisch und kommunistisch gewählt haben und heute wieder wählen. Man kann den Nationalsozialismus nicht ärger verkennen, als wenn man seinen Massencharakter leugnet.«[384]

Terror der Gleichheit, Gift des Neides

Die Idee der Gleichheit gehörte zu den verheißungsvollsten Träumen der Menschheit. Das vergangene Jahrhundert offenbarte den gewaltträchtigen, terroristischen Kern des Egalitarismus, als verschiedenartige politische Bewegungen dazu ansetzten, ihre Vision zu verwirklichen. Im Rückblick betrachtet leisteten reformerischfriedliche Gleichheitsbewegungen wie die Sozialdemokratie, die Gewerkschaften oder die Begründer der katholischen Soziallehre der Gewalt ungewollt Vorschub, die sich in Krisen, Völker- und Bürgerkriegen Bahn brach. Ehrbare, bis heute mit Recht geachtete Sozialisten hatten ihre Anhänger auf das Prinzip Gleichheit eingestimmt – die Abgründe sahen sie noch nicht. Das Problem war und ist nicht auf Deutschland beschränkt.

Die zunächst schwärmerisch formulierten Theorien des Sozialen und Nationalen stammen aus dem 18. und 19. Jahrhundert. Im 20. Jahrhundert machten Praktiker der Macht davon Gebrauch und verwandelten schöne Gedanken in exekutive Gewalt. Unter der Hand wurden die Begriffe Volk und Nation, Klasse und Rasse zu austauschbaren Schlagwörtern. Damit wurde die Welt in Freunde und Feinde geteilt, in unedle und edle, hoch- und tiefstehende Menschengruppen, in Völker und Klassen, die entweder als sogenannte junge Völker oder Klassen zu den Siegern der Geschichte gehörten oder zum Untergang, zum Absterben oder zur aktiven Vernichtung verurteilt seien.

Vor der überaus komplex gewordenen, beängstigend und unberechenbar erscheinenden Gegenwart flüchteten Millionen Menschen, zumal nach dem Ersten Weltkrieg, in die elementar vereinfachende Perspektive des Schützengrabens. Sie suchten in eindimensionalen Weltanschauungen Schutz. Im Einzelfall hießen sie: Sozialismus, Kommunismus, Panslawismus, Pangermanismus, Nationalismus oder Antisemitismus. Im Klima der Krisen und Kriege entstanden multiple, besonders virulente Kombinationen wie Faschismus, Nationalbolschewismus und Nationalsozialismus. Äußerlich verhielten sich einige dieser politischen Formationen zueinander wie Feuer und Wasser. Doch alle versprachen als verlockendes Ziel Ähnliches: ein einig Volk von Brüdern, wehrhaft geschützt vor den Feinden des Volkes, und eine blühende, nicht allzu ferne Zukunft.

Das Ausmaß des Terrors differierte. Die Opfer zählen nach Hunderten, Tausenden und Millionen; die Beispiele reichen bis in die Gegenwart: Armenier in der Türkei, Geisteskranke, Bettler und Juden im zu reinigenden arischen Volkskörper, Polen in Deutschland, Deutsche in Polen, Ungarn in Rumänien, Rumänen in Ungarn, zu geistiger Arbeit ausgebildete Brillenträger im Bauernreich Pol Pots, störende Kosovaren in Groß-Serbien, Rest-Serben im Kosovo, störrische Sozialdemokraten in der Sozialistischen Einheitspartei Deutschlands, chinesische Händler in Indonesien, Sozialisten in Chile, Afrikaner in einer deutschen Kleinstadt, Besitzer einer Kuh als Kulak in Stalins Sowjetunion, Tutsi in der zu homogenisierenden Hutu-Nation.

Mit dem Zerfall des kommunistischen Blocks wurde in den Jahren nach 1990 abermals sichtbar, wie leicht ursprünglich gegensätzliche egalitäre Strömungen zusammenfließen können. Wer an die Bürgerkriege im ehemaligen Jugoslawien denkt, an rechtsradikale Bewegungen in Russland, in den baltischen Staaten oder in Ungarn, die sich zu beachtlichen Teilen aus ehemaligen Kommunisten rekrutierten, erkennt auch hier die gefährliche Mischung aus zwei Komponenten: dem nationalen und dem sozialen Gleichheitsprinzip. Dieser Erfahrung entspricht, dass rechtsradikale Parteien westlicher Länder ihre Erfolge fast immer in zuvor linken Hochburgen erzielen. Man kann einwenden, dass die volkskollektivistische Gleichheitsidee pervertiert und der Begriff Gleichheit untrennbar mit dem der Freiheit verbunden sei. Das gilt gewiss für die Theorie. Ebenso gewiss gilt für die Praxis, dass der soziale Egalitarismus stets mit Zielen verbunden blieb, die zugunsten eines nationalen Kollektivs angestrebt wurden. Kaum ein Sozialist wollte ein künftig vergesellschaftetes Unternehmen zugunsten der Armen in anderen Staaten oder Kontinenten arbeiten lassen, kaum je auf Vorteile verzichten, die sich der Ausbeutung anderer Länder und Menschen verdanken.

Die Wünsche nach erleichtertem wie beschleunigtem wirtschaftlichen Fortschritt und die Sehnsüchte nach sozialer wie nationaler Gleichheit ließen volkskollektivistisch ausgerichtete Konzepte populär werden. Auf dieser Basis entstanden die politischen

Voraussetzungen für die Massenverbrechen des 20. Jahrhunderts und – bei allen Besonderheiten – auch für den Holocaust. Juden galten im Deutschland der 1920er-Jahre als Inbegriff der rassisch und sozial Ungleichen. »Je mehr aber, nach völkischer Auffassung, die Menschen eines Volkstums untereinander gleich sind«, beobachtete Julius Goldstein 1927, »umso mehr wird die Fremdheit gegenüber den Angehörigen eines anderen Volkstums betont. Mit der stärksten Homogenität nach innen verbindet sich stärkste Heterogenität nach außen.«[385] Hitler formulierte dieses Prinzip so: »Innerhalb des deutschen Volkes höchste Volksgemeinschaft und Möglichkeit der Bildung für jedermann, nach außen aber absoluter Herrenstandpunkt!«[386]

Nachdem die Deutschen am 8. Mai 1945 kapitulieren mussten, konfrontieren die weithin ungebetenen Befreier sie mit ihren unter der Hakenkreuzfahne vollführten Schreckenstaten. Statt von millionenfachen individuellen Schuldanteilen zu sprechen, murmelten die Volksgenossen vage von der kollektiv erlittenen »deutschen Katastrophe«, angerichtet von irgendwelchen Fanatikern, Wahnsinnigen, Denen-da-oben oder Bütteln des Großkapitals – nur nicht von ihnen selbst. Gab die Besucherin Hannah Arendt im Nachkriegsdeutschland zu erkennen, dass sie Jüdin und in Deutschland aufgewachsen sei, reagierten die Gesprächspartner mit einer Kunstpause, fragten jedoch nicht: »Wohin gingen Sie, als Sie Deutschland verließen? Was geschah mit Ihrer Familie?« Die Angesprochenen zeigten kein Zeichen von Mitgefühl. Vielmehr begannen sie sofort, eine Flut von Geschichten über das eigene Leiden zu erzählen. »Womit sie stillschweigend zu verstehen gaben, dass »die Leidensbilanz ausgeglichen sei und man nun zu einem ergiebigeren Thema überwechseln könne.« Arendts Erkundigungen nach den zerstörten, einst so prachtvollen deutschen Städten wichen ihre Gesprächspartner mit der rhetorischen Gegenfrage aus: »Warum muss die Menschheit immer nur Krieg führen?« Sie schoben die ursächliche deutsche Aggression beiseite. Statt vom Kollektiv Rasse sprachen sie plötzlich vom Kollektiv Menschheit. Sie redeten sich ein, der Zweite Weltkrieg sei »ausgebrochen« und machten dafür einen der Menschheit angeblich eingeborenen Konstruktionsfehler verantwortlich – so alt, derart genetisch verankert, dass er schon »zur Vertreibung von Adam und Eva aus dem Paradies geführt« habe.[387]

Die staatlich organisierte Entrechtung der Juden begleitete seit 1933 vielfältiger Zuspruch. Mehrheitlich galt er nicht dem Morden. Aber dass die Juden gedemütigt, enteignet, hart angefasst und zu schwerer Arbeit deportiert wurden, das billigten Millionen von stillem Neid, Missgunst, verhaltener Schadenfreude und Habgier durchdrungene Deutsche. Sie bildeten die soziale Basis für den Holocaust. Wie alle Neider versteckten sich auch Antisemiten hinter Scheinargumenten oder beifälligem Schweigen.

Karl Kraus hörte 1924 in Berlin, wie ein »unverfälscht germanisches Zeitungsweib« laut ausrufend die neueste Nummer des Fridericus feilbot: »Warum vadient der Jude schnellerundmehr Jeld als der Christ?« 1933 erzählte Kraus die Begebenheit in der »Dritten Walpurgisnacht« abermals und kommentierte: »Da hatte ich's, da stieß ich an die Wurzel, da konnte ich ahnen, was zu sagen so schwer ist.«[388]

70 Jahre nach Karl Kraus resümierte der amerikanische Essayist Joseph Epstein in seinem Buch über den Neid: »Wer den oft beeindruckenden finanziellen und beruflichen Erfolg der Juden in der modernen Welt betrachtet, dem wird – ein gewisses soziales Gespür vorausgesetzt – nicht entgehen, dass dieser Erfolg Neid auf sich zieht.« Das führte Epstein zu der Frage, ob sich hinter dem Holocaust »nicht Neid in seiner abscheulichsten Gestalt verbarg«. In der Tat: Sobald die Gewerbefreiheit zu Beginn des 19. Jahrhunderts in Deutschland eingeführt worden war, begann diese Quelle moderner Judenfeindschaft zu sprudeln. Kaum hatten die deutschen Juden erste wirtschaftliche Erfolge errungen, beobachtete Gabriel Riesser 1831: »Die echten Judenfeinde unserer Tage beneiden erst dem Reichen seine Schätze, dann dem Beschäf-

tigten seine Tätigkeit und zuletzt dem Bettler die Lumpen, die seine Blöße bedecken. Man halte das für keine rednerische Übertreibung: Es gibt Judenfeinde, die sich nicht entblöden, mit einer gewissen Bitterkeit die Bemerkung zu machen, dass die jüdischen Armen durch die Wohltätigkeit ihrer Glaubensgenossen so gut versorgt werden.«[389]

Der nagende Neid, den der Einzelne weder sich noch anderen eingesteht, und nicht allein der volkskollektivistische Wunsch nach einem Leben der Gleichen unter Gleichen, drängte geradewegs zur Rassentheorie. Diese kam den niedergedrückten, mit sich selbst unglücklichen Deutschen wie gerufen. Unbeholfene christliche Studenten, wenig innovative Unternehmer oder Kaufleute, die sich verkalkulierten, konnten nicht dauerhaft auf die besseren Ergebnisse der jüdischen Konkurrenten schimpfen. Das schadete der eigenen Moral, steigerte die Versagensangst. Es lag nahe, den Neid- und Sozialantisemitismus zur Rassenverleumdung weiterzuentwickeln.

In seiner Abhandlung »Metaphysische Anfangsgründe der Tugendlehre« schrieb Immanuel Kant 1797 über die der Menschenliebe entgegengesetzten Laster des Menschenhasses: »Sie machen die abscheuliche Familie des Neides, der Undankbarkeit und der Schadenfreude aus. – Der Hass ist aber hier nicht offen und gewalttätig, sondern geheim und verschleiert, welches zu der Pflichtvergessenheit gegen seinen Nächsten noch Niederträchtigkeit hinzutut.« Als Quelle erachtete Kant das menschliche Gefühl, »unser eigenes Wohl durch das Wohl anderer in den Schatten gestellt zu sehen«. Von sittlichem Pflichtbewusstsein ungezügelt, entwickelt sich demnach die Regung des Neides »zu dem scheußlichen Laster einer grämischen, sich selbst folternden und auf Zerstörung des Glücks anderer, wenigstens dem Wunsche nach, gerichteten Leidenschaft«. Der Schadenfreudige legt es auf den Kontrast an, um »sein Wohlsein und selbst sein Wohlverhalten stärker zu fühlen, wenn Unglück oder Verfall anderer in Skandale, gleichsam als die

Folie unserem eigenen Wohlstande unterlegt wird, um diesen in ein desto helleres Licht zu stellen«. Schadenfreude ist die schäbige Ersatzlust der Kleingeister und ewig Unzufriedenen, nach Kant eine »Grässlichkeit«, die »geheimen Menschenhass« und »Eigendünkel« zeigt.[390]

Neid gedeiht im Verborgenen, weil er denjenigen, der ihn zeigt, in ein schlechtes und nachteiliges Licht rückt. Daher finden es Neider angenehm, wenn andere für sie agieren und Argumente liefern. So können sie ihren niederen Instinkt hinter politischen Programmen verstecken, hinter großen Begriffen wie Gerechtigkeit, staatlichen Gesetzen oder angeblich objektiven Wahrheiten, zum Beispiel einer wissenschaftlich begründeten Rassentheorie. Zum Neid gehört das uneingestandene Wissen des Neiders vom eigenen Versagen – die Scham. Der 1933 zum Staatsziel erhobene Antisemitismus nahm dem einzelnen Deutschen die Scham und die Verantwortung ab. Die Form der Diktatur eignete sich dafür besonders gut. Das geregelte behördliche und gesetzlich verbrämte Handeln erlaubte dem gewöhnlichen Bürger, mit verschränkten Armen unauffällig hinter der Gardine zuzuschauen. Das erklärt, warum die meisten Deutschen zwar nicht zur direkten Gewalt gegen Juden schritten, aber die staatlich geordnete Entrechtung für legitim erachteten. Um Kant zu wiederholen: Die meisten Deutschen pflegten ihren Neid, und eben auch den auf die Juden, »nicht offen und gewalttätig, sondern geheim und verschleiert«. Dieser in seinen Ausdrucksformen weithin passive Antisemitismus eröffnete der deutschen Regierung die Spielräume zum mörderischen Handeln.

Genau dieses Phänomen analysierte der amerikanische Soziologe Everett C. Hughes 1962 in seinem klassischen Aufsatz »Good People and Dirty Work«. Der Autor hatte 1948 das nunmehr zerschlagene Dritte Reich bereist und seine Gespräche mit den noch ziemlich verstörten Deutschen protokolliert. In seinem Aufsatz berichtet er von einem zufälligen Zusammentreffen mit einem

Architekten in Frankfurt am Main. Der Architekt zeigte sich tief beschämt über die deutschen Verbrechen und führte dann aus: »Wirklich, ich bin beschämt. Aber Sie müssen sehen, wir hatten unsere Kolonien verloren, und unsere nationale Ehre war gekränkt worden. Dieses Grundgefühl nutzten die Nazis aus. Und die Juden, sie waren ein Problem. Sie kamen aus dem Osten. Sie sollten sie in Polen gesehen haben – die unterste Volksklasse, voller Läuse, verdreckt und arm, so liefen sie in ihren schmuddeligen Kaftans durch ihre Ghettos. Dann kamen sie hierher, nach Deutschland, und wurden nach dem Ersten Weltkrieg mit schier unglaublichen Methoden reich. Sie besetzten alle guten Positionen. In der Medizin, in der Juristerei und im Beamtenapparat waren sie um das Zehnfache überrepräsentiert.« An dieser Stelle verlor der Architekt den Faden, Hughes erinnerte ihn an den Beginn seiner Ausführungen, dann fuhr der Befragte fort, allerdings ohne das eigentliche Geschehen, den Massenmord, zu benennen: »Natürlich war das kein Weg, die Judenfrage zu lösen. Aber es gab eine Judenfrage, und sie musste auf irgendeine Art gelöst werden.« Aus diesem seiner Erfahrung nach typischen Gespräch folgerte Hughes: Weil der Architekt akzeptiert hatte, dass es eine Judenfrage gebe, war er offenbar bereit, die Schmutzarbeit, über die er später nicht sprechen wollte, anderen zu überlassen. Er selber hätte die Verbrechen nicht begangen – aber zur Tatzeit waren sie ihm gleichgültig.[391]

Ähnlich wie der Architekt argumentierte der 83-jährige, noch glänzend schreibende Friedrich Meinecke in seinem 1945 verfassten, 1946 veröffentlichten Buch »Die deutsche Katastrophe«. Er hielt den Vertriebenen und Ermordeten vor: »Die Juden, die dazu neigen, eine ihnen einmal lächelnde Gunst der Konjunktur unbeachtet zu genießen, hatten mancherlei Anstoß erregt seit ihrer vollen Emanzipation« im 19. Jahrhundert. Auch für die Judenhetze der Weimarer Republik machte Meinecke eine von den Opfern mitverursachte Judenfrage mitverantwortlich: »Zu denen, die den Becher der ihnen zugefallenen Macht gar zu rasch und gierig an den Mund führten, gehörten auch viele Juden. Nun erschienen sie allen antisemitisch Gesinnten als die Nutznießer der deutschen Niederlage und Revolution«.[392]

Der seit 1870 stetig zunehmende, wenn auch von krisenhaften Rückschlägen begleitete Volkswohlstand, der langsam erwachende und geförderte Wille vieler Millionen Deutscher, sich nach oben zu arbeiten und den eigenen Kindern bessere Bildung zu verschaffen, also die ersten Versuche, es den Juden gleichzutun, verstärkten die vom Neid geschürten Ressentiments. Tatsächlich verringerte sich die materielle Differenz zwischen deutschen Juden und Nichtjuden seit etwa 1910. Während der Inflationszeit verarmten große Teile des deutschen Bürgertums. Da die Juden dieser Klasse weit überproportional angehörten, verloren sie als Gruppe entsprechend größere Vermögenswerte. Krieg, Krise und republikanische Politik nivellierten den sozialen Unterschied. Der Geburtenrückgang unter den jüdischen Deutschen ging dem der christlichen voran.

Die Mehrheitsdeutschen verringerten ihren Bildungsabstand zunächst langsam, dann schneller, sie wussten das Leben in den großen Städten nun besser zu meistern, entwickelten stärkere vertikale Mobilität. Folglich standen die Juden, so Ruppin, »einer immer mehr anschwellenden christlichen Konkurrenz gegenüber«. Gehörten 1886/87 noch knapp zehn Prozent aller Studierenden in Preußen der jüdischen Religion an, waren es 1930 – anders als der von Hughes zitierte Architekt meinte – noch vier Prozent. Hatten Juden 1914 im Durchschnitt noch das Fünffache eines Durchschnittsdeutschen verdient, war es 1928 noch das Dreifache, eine erhebliche Angleichung in nur 14 Jahren. Sozialwissenschaftler beobachteten, »dass die Zeit für die führende Tätigkeit des Juden in der deutschen Wirtschaft vorüber ist«.[393]

Die neue Schicht der sozialen Aufsteiger bildete keine in sich homogene, nach oben und unten genau abgegrenzte soziale Klasse. Die Menschen, die ihr angehörten, strömten ununterbrochen aus den bäuerlichen und proletarischen Schichten ein. Dafür mussten sie ihren traditionellen sozialen Status noch nicht aufgegeben haben. Vielmehr bestimmte auch das Bewusstsein ihr soziales Sein, nämlich die feste Absicht, für sich selbst, zumindest aber für ihre Kinder bessere Lebenschancen zu erringen. Die Bewegung des sozialen Aufstiegs war kein klassenspezifisches, sondern ein klassenübergreifendes Phänomen. Es ging den Aufstiegsbereiten nur zum Teil um den Wechsel aus der Arbeiterschaft in die Schicht der Angestellten, zum anderen Teil vollzog sich die Bewegung klassenintern, etwa als Aufstieg vom Kleinbauern zum Besitzer eines Landwirtschaftsbetriebs mittlerer Größe, vom ungelernten Arbeiter zum Facharbeiter, vom Werkzeugmacher zum Techniker, vom Postschaffner zum Postinspektor, vom Volksschullehrer zum Oberlehrer oder Schulrektor.

Der Aufstiegswille durchdrang sämtliche Bevölkerungsschichten. Er bemisst sich nicht an der Stärke einzelner Berufs- oder Einkommensgruppen, sondern an der Frage, ob die Menschen innerlich entschlossen waren, den sozialen Aufstieg mit aller Kraft zu wollen. Die Möglichkeiten dazu waren Mitte der 1920er-Jahre so gut wie nie zuvor. Die Massenmobilisierung des Krieges, der republikanische Umsturz, der 1925 einsetzende, zwar kurze, aber heftige wirtschaftliche Aufschwung, gute sozialdemokratische Bildungspolitik – all das beflügelte den Willen zur Veränderung. Just in dieser Lage bewirkte die Weltwirtschaftskrise Stagnation und Rückstau. Sie stoppte die allgemeine, nach oben gerichtete Bewegung abrupt. In dieser Situation gelang es der NSDAP, die zerstörte Perspektive individuellen Glücks in die politische Bewegung zum kollektiven Glück umzuleiten.

Aus den genannten Rahmenbedingungen wird erklärbar, warum die NSDAP besonders junge Leute als Mitglieder anzog, warum die städtischen Mittelschichten durchschnittlich mit etwa 40 Prozent zu Hitlers Wahlerfolgen beitrugen, und die Protestanten, die sich traditionell sehr viel aufstiegsorientierter verhielten als die Katholiken, doppelt so häufig die NSDAP wählten wie ihre katholischen Mitchristen. Begreift man sozialen Aufstieg so, wie er seinerzeit betrieben wurde, nämlich als Familienprojekt, dann erklärt das, warum etwa gleich viele Männer und Frauen die NSDAP wählten. Im Gegensatz dazu wurde die ebenfalls radikale KPD überwiegend von Männern gewählt.[394]

Einen Rückgang der Judenfeindschaft bewirkte der Trend zur Angleichung der Lebensverhältnisse von Juden und Nichtjuden nicht. Im Gegenteil. Die soziale Stagnation der Juden einerseits und das Nachrücken der Nichtjuden anderseits erhöhten die ohnehin vorhandene Spannung enorm. Der Grund für den paradox erscheinenden Effekt liegt auf der Hand: Zwischen materiell ähnlich gestellten, benachbarten Gruppen oder Personen, deren Erfolgskurven nur mäßig differieren, findet man häufig sehr viel aggressiveren Neid als zwischen sozial stärker unterschiedenen und daher meist räumlich getrennten Menschengruppen. Erst die Nähe ermöglicht den ständigen Vergleich, sei es in Familien, unter Arbeitskollegen oder in größeren sozialen Einheiten. Der populäre Antisemitismus des Neides richtete sich nicht vorzugsweise gegen jüdische Bankiers, Revolutionäre, Warenhausbesitzer, Rassen- oder Religionsfeinde, sondern sehr konkret gegen zumindest scheinbar bessergestellte jüdische Nachbarn, Mitschüler, Kommilitonen, Kollegen oder Vereinskameraden. »Erst das neue Gleichgefühl der Empörer«, schrieb Max Scheler 1912, gibt dem sozialen »Ressentiment seine Schärfe«.

Er bezeichnete es als »seelische Selbstvergiftung«, die er aus unausgelebten, also rechtlich und moralisch gebändigten Rachegefühlen, aus »Hass, Bosheit, Neid, Scheelsucht, Hämischkeit« herleitete. Scheler führte das Ressentiment auf unschöne, jedoch weitverbreitete menschliche Dispositionen zurück, die ihrerseits in einem »ausgeprägten Gefühl des ›Nichtkönnens‹, der ›Ohnmacht‹« wurzeln, und endet in der Feststellung: »Der ohnmächtige Neid ist zugleich der furchtbarste Neid. Der Neid, der die stärkste Ressentimentbildung auslöst, ist daher derjenige Neid, der sich auf das individuelle Wesen und Sein einer fremden Person richtet: der Existenzialneid. Dieser Neid flüstert gleichsam fortwährend: ›Alles kann ich dir verzeihen; nur nicht, dass du bist und das Wesen bist, das du bist; nur nicht, dass nicht ich bin, was du bist.‹« Nach Scheler führt diese Art von Neid dazu, die pure Existenz einer derart beneideten Person »als furchtbares Maß der eigenen Person zu empfinden«.[395]

Als Arnold Zweig 1927 nach Gründen für die wachsende Popularität des Antisemitismus suchte, stieß auch er auf die Folgen ständig zunehmender sozialer Nähe. Nach seinem Urteil »entzündete sich an der intensiven Berührung der Juden- und Nichtjudenheit und an dieser unübersehbar langen Grenzlinie der Affekt zu einem dauernden Grade abnormer Temperaturerhöhung«.[396] Daraus folgt für sozial zumindest mitmotivierte ethnische Konfliktlagen die generelle Einsicht – und das ist auch eine allgemeine Erkenntnis aus diesem Buch: Sobald eine ökonomisch und sozial rückständige Majorität aufholt und der Abstand zur schneller vorangeschrittenen Minorität schrumpft, schwindet nicht etwa die Gefahr von Hass und Gewalt – sie wächst.

Der in den 1920er-Jahren heftig auflodernde Antisemitismus kann zum einen Teil aus der sozialen Aufstiegsdynamik der christlichen Deutschen erklärt werden. Zum anderen Teil nährte die mittlerweile popularisierte Rassenwissenschaft das Feuer. Sie lieferte Argumente und Instrumente, um die Trennlinien zwischen Juden und Nichtjuden immer deutlicher zu markieren. Zudem verlängerten die Rassenhygieniker die ohnehin hoch affektiv besetzte innergesellschaftliche Grenze erheblich, indem sie alle sogenannten Mischlinge und zum Christentum konvertierten Juden zur Gruppe der Andersartigen zählten.

Der in den Ausdrucksformen groteske Rassendünkel zog seine Kraft aus dem verbreiteten Gefühl eigener Minderwertigkeit. Die Verschlafenen neigen dazu, Trägheit als Nachdenklichkeit, mangelnde Schlagfertigkeit als Tiefsinn, fehlende Bildung als Innerlichkeit auszugeben. Sie suchen den Rückhalt in der Gruppe und steigern gemeinsam ihr schwaches Selbstwertgefühl, indem sie andere abwerten. Aus solchen einfach zu benennenden Elementen setzte sich der deutsche Antisemitismus zusammen. Wer ihn als Wahn, uns Heutigen fremde hypernationalistische Fehlentwicklung abtut, verkennt seine Natur.

Die Lehre vom biologisch höherwertigen Kollektiv deutsches Volk, wie sie seit 1900 schrittweise populär und seit 1922 an deutschen Universitäten, später an Schulen gelehrt wurde, verhalf den Gedemütigten und Bedrückten zu kollektiver Geborgenheit, den Verhemmten zur Enthemmung. Sie nutzten den Begriff Rasse als »Werkzeug zur Sinndeutung des eigenen Lebens und des weiteren Lebens der Gemeinschaft«, wie Erich Voegelin 1933 schrieb. Die Theorie vom reinrassigen Volk wurde zur Praxis und zur Utopie vom besseren Leben.[397] Die auf der sozialen Aufstiegsleiter seit 1880 und erst recht seit den 1920er-Jahren nachdrängenden Deutschen erklärten die durchschnittlich erfolgreicheren Juden zu Untermenschen, um selbst Obermenschen zu werden.

Dem Aufstiegswillen ihrer Vorfahren verdanken die heutigen Deutschen viel. Deshalb können sie den Antisemitismus nicht von ihrer allgemeinen Vorgeschichte und von den Familiengeschichten ihres eigenen sozialen Aufstiegs trennen. Aus demselben Grund – infolge des weithin gelungenen Aufstiegs – bleibt ihnen der am Ende mörderische Antisemitismus ihrer Vorväter unerklärlich und befremdlich. Dabei ist die Antwort in einem wesentlichen Punkt erschreckend einfach. Arthur Ruppin formulierte sie 1930 in einem einzigen, sehr zugespitzen Satz: »Die Mentalität, welche die Juden von heute zeigen, ist die Mentalität der Nichtjuden von morgen.«[398]

Neid und Versagensangst, Missgunst und Habgier trieben den Antisemitismus der Deutschen an – Gewalten des Bösen, die der Mensch seit Urzeiten fürchtet und zivilisatorisch einzuhegen versucht. Die an christliche und juridische Traditionen durchaus gebundenen Deutschen waren sich der niederen Beweggründe ihrer

Judenfeindschaft bewusst. Sie schämten sich dafür. Das machte sie für die Rassentheorie empfänglich. Die biopolitische Wissenschaft veredelte den Hass zur Erkenntnis, das eigene Manko zum Vorzug und begründete gesetzliche Maßnahmen. Auf diese Weise delegierten Millionen Deutsche ihre verschämten, aus Minderwertigkeitsgefühlen herrührenden Aggressionen an den Staat. So konnten staatliche Akteure jeden Einzelnen entlasten und individuelle Bosheit in die überpersönliche Notwendigkeit zur »Endlösung der Judenfrage« verwandeln.

Kain erschlug seinen Bruder Abel, weil er sich von Gott zurückgesetzt und ungerecht behandelt fühlte. Der erste Mord der Menschheitsgeschichte geschah aus Neid und Gleichheitssucht. Die Todsünde des Neides, kollektivistisches Glücksstreben, moderne Wissenschaft und Herrschaftstechnik ermöglichten den systematischen Massenmord an den europäischen Juden. Das zwingt zum Pessimismus: Es gibt keinen Ort des Bösen, der sich ein für alle Mal vermauern ließe, um derartige Schrecken zu bannen. Ein Ereignis, das dem Holocaust der Struktur nach ähnlich ist, kann sich wiederholen. Wer solche Gefahren mindern will, sollte die komplexen menschlichen Voraussetzungen betrachten und nicht glauben, die Antisemiten von gestern seien gänzlich andere Menschen gewesen als wir Heutigen.

Anmerkungen

1 Marcus, Die wirtschaftliche Krise der deutschen Juden (1931), S. 20 f.
2 Lichtenstaedter, Zionismus und andere Zukunftsmöglichkeiten (1937), S. 37.
3 Goethe, Maximen und Reflexionen (ca. 1823/1967), S. 440.
4 Lichtenstaedter, Die große Täuschung (1922), S. 61.
5 Lichtenstaedter, Jüdische Politik (1933), S. 21.
6 Lichtenstaedter, Jüdische Politik (1933), S. 21–27, 56.
7 Hitler, Zweites Buch (1928/1961), S. 220.
8 Fröbel, Die deutsche Auswanderung (1866), S. 170.
9 Sforza, Die feindlichen Brüder (1933), S. 18; Treitschke zit. nach ebd., S. 30.
10 Zit. nach Görtemaker, Deutschland im 19. Jahrhundert (1996), S. 357.
11 Zeitungseloge vom 20. 4. 1933, zit. nach Kraus, Die dritte Walpurgisnacht (1933/1967), S. 12.
12 Zweig, Caliban (1927), S. 13. Das Buch baut auf dem Spannungsverhältnis von Differenz- und Zentralitätsaffekt auf.
13 Oehme, Caro, Kommt »das dritte Reich?« (1930), S. 107 f.
14 Yad Vashem, Archiv, M 30/81. Das Dokument ist der Originaldurchschlag eines undatierten gerichtsmedizinischen Gutachtens aus den 1950er-Jahren zu der darin positiv beantworteten Frage, ob der Witwe im Sinne des Kriegsopfergesetzes nachträglich eine Rente zustehe. In dem Gutachten wird der Tote nur als »Wachtmeister X« mit Geburts- und Sterbedatum bezeichnet, und es wird erwähnt, dass in der Einheit von Wachtmeister X sieben weitere derartige Selbstmorde vorgekommen seien.
15 Lestschinsky, Bilan de l'extermination (1946); World Jewish Congress, Memorandum to the United Nations Special Committee on Palestine (1947); Lestschinsky, Jewish Migrations (1960), S. 1565 f.
16 Blumenfeld, Erlebte Judenfrage (1962), S. 205 f.

17 Heuss, Mut zur Liebe (1949), S. 123.
18 Meinecke, Das Zeitalter der deutschen Erhebung (1906), S. 95.
19 Brief von Wilhelm an Caroline von Humboldt vom 9. 4. 1816, in: Humboldt, Briefe, Bd. 5 (1912), S. 228; vom Stein an E. M. Arndt vom 5. 1. 1818, in: vom Stein, Briefe und amtliche Schriften, Bd. 5 (1964), S. 698; vom Stein an Spiegel vom 28. 3. 1820, an Gagern vom 24. 8. 1821, an Niebuhr vom 8. 2. 1822, in: vom Stein, Briefe und amtliche Schriften, Bd. 6 (1965), S. 240, 381, 470; vom Stein an Gerning vom 13. 7. 1816, an den Kronprinzen von Bayern vom Jan. 1823, in: vom Stein, Briefe und amtliche Schriften, Bd. 5 (1964), S. 512, Bd. 9 (1972), S. 870.
20 Riesser, Über die Stellung der Bekenner des mosaischen Glaubens (1831/1913), S. 9; N.N., Die gegenwärtig beabsichtigte Umgestaltung der bürgerlichen Verhältnisse der Juden in Preußen (1842), S. 14.
21 Treitschke, Deutsche Geschichte im Neunzehnten Jahrhundert, Bd. 1 (1882), S. 377.
22 Kabinettsorder vom 14. 12. 1822, zit. nach Jost, Legislative Fragen (1842), S. 56 f.; Riesser, Über die Stellung der Bekenner des mosaischen Glaubens (1831/1913), S. 9.
23 Bundesgesetzblatt des Norddeutschen Bundes, 1869, Nr. 319, S. 451.
24 Die Preußische Staatsverwaltung und die Juden (1901), S. 10, 22, 28. (Dort findet sich die Erklärung Schönstedts vom 31. 1. 1901 im Preußischen Abgeordnetenhaus.); Loewenthal (Hrsg.), Das jüdische Bekenntnis als Hinderungsgrund (1911); Sombart, Die Zukunft der Juden (1912), S. 77 f.
25 Zit. nach Aly, Im Tunnel (2004), S. 47.
26 Ruppin, Briefe, Tagebücher, Erinnerungen (1985), S. 105 f.
27 Treitschke, Das constitutionelle Königthum (1871/1915), S. 492 f.
28 Liebeschütz, Das Judentum im deutschen Geschichtsbild (1967), S. 40–42; Hegel, Grundlinien der Philosophie des Rechts (1821), § 270, Anmerkung.
29 York-Steiner, Die Kunst als Jude zu leben (1928), S. 559; Bamberger, Deutschtum und Judentum (1880/1897), S. 16.
30 Zum Friedensvertrag von Bukarest: Bornemann, Der Frieden von Bukarest 1918 (1978), S. 209–216; zu Litauen und zur Pariser Friedenskonferenz: Die deutsche Erklärung über die Judenfrage, abgegeben von Reichskommissar von Falkenhausen am 6. 7. 1918; Deutsche Friedensforderungen für die Friedenskonferenz in Paris, Sachverständigenkommission für jüdische Angelegenheiten (Ende März 1919), abgedruckt in: Chasanowitsch, Motzkin (Hrsg.), Judenfrage der Gegenwart (1919), S. 116 f.

31 The Jews in Germany, in: Times vom 16. 11. 1880. Ähnliche Äußerungen des Kronprinzen und der Kronprinzessin Victoria in: Bürger (Hrsg.), Antisemiten-Spiegel (1911), S. 110–113.
32 Zit. nach Wassermann, Franz, »Kauft nicht beim Juden« (1984), S. 127 f.
33 Zum Beispiel Goldhagen, Hitlers willige Vollstrecker (1996), S. 71–105; Giesen, Antisemitismus und Rassismus (1998), S. 226 f.
34 Fichte, Beiträge zur Berichtigung der Urtheile des Publicums über die französische Revolution (1793), S. 149–151; ausführlich Brumlik, Deutscher Geist und Judenhass (2000), S. 75–131, hier 123–131; zu Fichtes projüdischen Äußerungen Stern, Angriff und Abwehr (1924), S. 188 f.; Levy, Fichte und die Juden (1924).
35 Ich folge Denkler, Das »wirkliche Juda« und der »Renegat« (1988), und Baas, Die Juden bei Wilhelm Raabe (1910).
36 Freytag, Über den Antisemitismus (1893); Freytag, Jacob Kaufmann (1871).
37 Silbermann, Der ungeliebte Jude (1981), S. 18 f.; zu Bakunin: Gesammelte Werke (1921–1924/1975), beispielsweise Bd. 1, S. 92, Bd. 3, S. 269, 218, 233; Silberner, Sozialisten zur Judenfrage (1983), S. 270–278.
38 Erklärung vom 12. 11., veröffentlicht am 14. 11. 1880, zit. nach Boehlich (Hrsg.), Der Berliner Antisemitismusstreit (1965), S. 202–204; die Liste der Unterzeichner bei Liebeschütz, Das Judentum im deutschen Geschichtsbild (1967), S. 341 f.
39 Mommsen, Auch ein Wort über unser Judenthum (1880/1965), S. 218; Mann, (über die »Lösung der Judenfrage«) (1907), S. 242–246.
40 Ruppin, Die Juden der Gegenwart (1904/1911), S. 114.
41 Lackmann, Das Glück der Mendelssohns (2005), S. 17.
42 So der Aufruf zur Gründung und Unterstützung einer jüdischen Schule in Frankfurt a. M. aus dem Jahr 1794, zit. nach Scholtzhauer, Das Philanthropin 1804–1942 (1990), S. 8 f.
43 Schnabel, Deutsche Geschichte im neunzehnten Jahrhundert, Bd. 1 (1929), S. 422.
44 Sack, Gegen die Prügelpädagogen (1878/1961), S. 73–92.
45 Dittes, Geschichte der Erziehung (1878), S. 203–210, 258 f.; mit einigen Ergänzungen Dittes, Geschichte der Erziehung (1890), S. 259–267.
46 Sack, Schlaglichter zur Volksbildung (1886/1961), S. 174 f., eindrucksvolles statistisches Material auf S. 196 f., Anmerkung S. 209.
47 Dittes, Geschichte der Erziehung (1878), S. 47.
48 Schottlaender, Trotz allem ein Deutscher (1986), S. 8.
49 Preußische Statistik, Bd. 102, S. 66 ff.; Thon, Ruppin, Der Anteil der Juden am Unterrichtswesen in Preußen (1905), S. 21–47; im Einzelnen:

Unterrichtswesen in Preußen, in: Zeitschrift für Demographie und Statistik der Juden, H. 1 (Jan. 1905), S. 11; Ruppin, Begabungsunterschiede christlicher und jüdischer Kinder, in: Ebd., H. 8/9 (Aug. 1906), S. 129–135; Ruppin, Die Juden der Gegenwart, (1904/1911), S. 119–132; Jarausch, Universität und Hochschule (1991), S. 325; Müller, Datenhandbuch zur deutschen Bildungsgeschichte, Bd. 2,1: Tab. 12,3, S. 218; Herrmann, Datenhandbuch zur deutschen Bildungsgeschichte, Bd. 2,2: Tab. 3.5.3, S. 242 f., Tab. 3.5.8, S. 252 f. Zu den Zahlen über jüdische Gymnasiasten und Studenten auch Kampe, Studenten und »Judenfrage« (1988), S. 77–81. Auch im Jahr 1911 blieben die Anteile jüdischer und christlicher Schüler in höheren Schulen weitgehend unverändert. May, Konfessionelle Militärstatistik (1917), S. 6–9.

50 Paulsen, Die deutschen Universitäten (1902), S. 195–200; Hammerstein, Antisemitismus an deutschen Universitäten (1995), S. 12.

51 Kohn, Bürger vieler Welten (1965), S. 63.

52 Zit. nach Slezkine, Das jüdische Jahrhundert (2006), S. 137.

53 Ruppin, Die Juden der Gegenwart (1904/1911), S. 114; Weizmann, Trial and Error (1949), S. 19–45.

54 Scholem Alejchem, Tewje, der Milchmann (um 1900/1967), S. 70.

55 Němeček, Zur Psychologie christlicher und jüdischer Schüler (1916), S. 7 f., 12–16, 26, 29–34.

56 Bamberger, Deutschtum und Judentum (1880/1897), S. 25.

57 Von Suttner, Offener Brief vom 25. 1. 1893, zit. nach Simon, Wehrt Euch (1893), S. VI f.

58 Oettinger, Offenes Billet-doux (1869), S. 5.

59 Jost, Legislative Fragen (1842), S. 7.

60 Börne, Briefe aus Paris, 72. Brief (1832/1964), S. 512; Jost, Legislative Fragen (1842), S. 56; Silbergleit, Die Bevölkerungsverhältnisse der Juden (1933), S. 74*-77*; Toury, Deutschlands Stiefkinder (1997), S. 119 f.

61 Silbergleit, Die Bevölkerungsverhältnisse der Juden (1933), S. 74*-77*, S. 11 f.

62 Ruppin, Die Juden der Gegenwart (1904), S. 129 (Fußnote 9).

63 Zit. nach Schnabel, Deutsche Geschichte im neunzehnten Jahrhundert, Bd. 1 (1929), S. 471.

64 Von der Marwitz zit. nach Erb, Bergmann, Die Nachtseite der Judenemanzipation (1989), S. 19; Brief von Wilhelm an Caroline von Humboldt vom 4. 6. 1815, in: Humboldt, Briefe, Bd. 5 (1912), S. 565 f. Diese Bemerkung bietet keinen Anlass, Wilhelm von Humboldt verdeckte Judenfeindschaft vorzuwerfen. Dazu Rosenstrauch, Wahlverwandt und ebenbürtig (2009), S. 225–244.

65 Frantz, Der Nationalliberalismus und die Judenherrschaft (1874), S. 21 f.
66 Arnim, Texte der Deutschen Tischgesellschaft (2008), S. 114–120, 153 f., 159, 179–184; weitere Beispiele und Literaturhinweise bei Grab, Der deutsche Weg der Judenemanzipation (1983), S. 16 f.; Brumlik, Deutscher Geist und Judenhass (2000), S. 125–131.
67 Arnim, Texte der Deutschen Tischgesellschaft (2008), S. 114–120, 151–159, 179–184.
68 Arnim, Die Majoratsherren (1820/1920), besonders die Schlusspassage.
69 Aretin, Über die Gegner der großen Pläne Napoleon's (1809), S. 50.
70 Schnabel, Deutsche Geschichte im neunzehnten Jahrhundert, Bd. 2 (1933), S. 248 f.; Scheuer, Burschenschaft und Judenfrage (1927), S. 17.
71 Arndt, Noch etwas über die Juden, in: Derselbe, Ein Blick aus der Zeit auf die Zeit (1814), S. 192.
72 Arndt, Noch ein Wort über die Franzosen (1814), S. 4, 13.
73 Arndt, Deutsche Volkwerdung (1934), S. 115 f.; Arndt, Reden und Glossen (1848), S. 37 f., 70 f.; Arndt, Versuch in vergleichender Völkergeschichte (1843), S. 427 f.
74 Arndt, Noch etwas über die Juden, in: Derselbe, Ein Blick aus der Zeit auf die Zeit (1814), S. 180–204.
75 Arndt, Reden und Glossen (1848), S. 36 ff.; Arndt, Versuch in vergleichender Völkergeschichte (1843), S. 427 f.; Brief Arndts an Heinrich Eugen Marcard, zit. nach Herzig, Brandstifter und Biedermeier.
76 Arndt, Entwurf einer teutschen Gesellschaft (1814), S. 25 f.
77 Arndt, Auch ein Wort über die auf dem preußischen Reichstage diesen Sommer besprochene und bestrittene Judenfrage (1847), S. 1853.
78 Arndt, Phantasien zur Berichtigung der Urteile über die künftige deutsche Verfassung (1815), zit. nach Puschner, Antisemitismus im Kontext der Politischen Romantik (2008), S. 191.
79 Anna Aly (geb. Lochte): Wohl dem, der seiner Väter gern gedenket, Marburg 1925 (Privatdruck); Ansprachen anlässlich der Anbringung der Erinnerungstafel für Hoffmann von Fallersleben und Pastor David Lochte ans Pfarrhaus von St. Marien in Alt-Wolfsburg am 27. September 1992 (Privatdruck).
80 Mann, Deutschland und die Deutschen (1945/1947), S. 24 f.; »Polen, Franzosen, Pfaffen …«, zit. nach Sterling, Er ist wie du (1956), S. 164.
81 Ascher, Die Germanomanie (1815), S. 13 f.
82 Treitschke, Deutsche Geschichte im Neunzehnten Jahrhundert, Bd. 2 (1882), S. 381–420; Treitschke, Unsere Aussichten (1879), S. 572.
83 Zit. nach Treitschke, Deutsche Geschichte im Neunzehnten Jahrhundert,

Bd. 5 (1894), Dokumentenbeilage »Zur Geschichte der Burschenschaft«, S. 748.

84 Treitschke, Deutsche Geschichte im Neunzehnten Jahrhundert, Bd. 2 (1882), S. 383–395, 424–433; 531–537; ähnlich wie Treitschke, jedoch ungenau und verschwommen, urteilt über das Wartburgfest und den Mord an Kotzebue Fasel, Revolte und Judenmord (2010), S. 107–115. Im Bd. 4 (1889) seiner »Deutschen Geschichte« wurde Treitschke dann gegen Juden gehässig, wie die Passagen über Heine und Börne (besonders S. 433 f.) zeigen.

85 Fries, Von Deutschem Bund und Deutscher Staatsverfassung (1816), S. 41–43, 61–63, 71 f.

86 Fries, Über die Gefährdung … (1816), S. 3, 18–21; zur Biographie von Fries Brumlik, Deutscher Geist und Judenhass (2000), S. 227–231.

87 Eine knappe Übersicht bietet Sterling, Er ist wie du (1956), S. 190–192.

88 Richarz (Hrsg.), Jüdisches Leben (1976), S. 471 f. (Aufzeichnungen von Isaak Bernstein, geb. 1824 in Schildberg, gest. 1893 in Berlin); Bericht des Landrats und Parlamentärs Edmund von Bärensprung über das Gefecht bei Sokolowo vom 3. 5. 1848 und Schreiben des Generalleutnants Friedrich Wilhelm von Brünneck vom 18. 7. 1848, abgedruckt in: Deutsche und Polen in der Revolution von 1848–1849 (1991), S. 317–320, 410 f.

89 Gelber, Die Juden und der polnische Aufstand 1863 (1923), S. 145, 159; Kaplun-Kogan, Die Wanderbewegungen der Juden (1913), S. 79.

90 Zit. nach Kohn, Das zwanzigste Jahrhundert (1950), S. 25 f.

91 Zit. nach Hahn, Polnische Freiheit oder deutsche Einheit? (1998).

92 Zit. nach Kohn, Das zwanzigste Jahrhundert (1950), S. 24 f.

93 Dann, Nation und Nationalismus in Deutschland (1996), S. 205; Bamberger, Erinnerungen (1899), S. 528 f.

94 Hoffmann von Fallersleben, Gesammelte Werke, Bd. 4 (1891), S. 207 f.

95 Brief von Wilhelm an Caroline von Humboldt vom 4. 6. 1815, in: Humboldt, Briefe, Bd. 4 (1910), S. 566.

96 Metternich, Die Deutsche Frage (1848); Schreiben Metternichs an den preußischen Polizeiminister Fürst zu Sayn-Wittgenstein vom 25. 5. 1832, zit. nach Glossy, Literarische Geheimberichte aus dem Vormärz (1912), S. VIII f.

97 Rosskamm = Rosstäuscher. Heine, Ludwig Marcus. Denkworte (1844/1990), S. 276; Heine, Ludwig Börne (1840/1978), S. 84 f.

98 Heine, Zur Geschichte der Religion und Philosophie in Deutschland (1834/1979), S. 119.

99 Brief Heines an Moritz Embden vom 2. 2. 1823, in: Heine, Briefe, Bd. 1 (1948), S. 42.

100 Heine, Französische Zustände (Vorrede) (1832/1980), S. 67.
101 Bamberger, Erinnerungen (1899), S. 416 f., 524, 534 f.
102 Börne, Eine Kleinigkeit (1821/1911), S. 162–165; Scheuer, Burschenschaft und Judenfrage (1927), S. 43 f.
103 In Preußen blieb der Bevölkerungsanteil der Juden zwischen 1811 und 1933 fast konstant. Er betrug 1816 knapp 1,2 Prozent, stieg auf 1,4 Prozent im Jahr 1861 an und fiel bis 1925 leicht und kontinuierlich auf 1,1 Prozent. Silbergleit, Die Bevölkerungsverhältnisse der Juden (1930), S. 25.
104 Auerbach, Das Judenthum und die neueste Literatur (1836), S. 24, 26, 28 f., 54.
105 Brief von Friedrich Oertel an Thomas Mann vom 16. 2. 1947, in: Hübinger, Thomas Mann, die Universität Bonn und die Zeitgeschichte (1974), S. 598 f.
106 Virchow, Über den Hungertyphus und einige verwandte Krankheitsformen (1868), S. 17.
107 Villers, Brief an die Gräfin F. de B. (1807), S. 5–71.
108 Bisky, Kleist (2007), S. 356–362, die angeführten Zitate von Kleist ebendort.
109 Generell: Planert, Der Mythos vom Befreiungskrieg (2007); Haußherr, Erfüllung und Befreiung (1935); Napoleon und Europa (2010); Seibt, Generation Bonaparte (2010).
110 Bamberger, Deutschtum und Judentum (1880/1897), S. 25 f.
111 Verordnung über die deutsche Staatsangehörigkeit vom 5. 2. 1934, Reichsgesetzblatt 1934 I, S. 85. Paragraph 1 lautet: »(1) Die Staatsangehörigkeit in den deutschen Ländern fällt fort. (2) Es gibt nur noch eine deutsche Staatsangehörigkeit (Reichsangehörigkeit).«
112 Hamann, Hitlers Wien (1996), S. 160–168; Sturm des Jubels und der Freude. Die alte Kaiserstadt huldigt dem Gründer des neuen Reiches, in: Völkischer Beobachter vom 2. 4. 1938.
113 Zit. nach Botz, Nationalsozialismus in Wien (2008), S. 184 f.
114 Schnabel, Deutsche Geschichte, Bd. 2 (1933), S. 225; Graetz, Volkstümliche Geschichte der Juden, Bd. 6 (1888/1923), S. 245–252; zu Frankfurt Börne, Für die Juden, in: Die Zeitschwingen (1819), S. 280.
115 Börne, Der ewige Jude (1821), zit. nach Börne, Über den Antisemitismus (1885), S. 55 f.
116 Zit. nach Erb, Bergmann, Die Nachtseite der Judenemanzipation (1989), S. 109.
117 Hundt-Radowsky, Judenspiegel (1819), S. 80, 142–146, zit. nach Fasel, Revolte und Judenmord (2010), S. 165, 275–277; Hundt-Radowsky, Juden und ihr Schachergeist (1819), zit. nach Fasel, S. 270 f. Bei Fasel finden sich

eingehende biographische Angaben zu Hartwig von Hundt-Radowsky (1780–1835).

118 Hundt-Radowsky, An die patriotischen Deutschen (1832), zit. nach Fasel, Revolte und Judenmord (2010), S. 253, 285 f.

119 List, Schriften, Reden, Briefe (1971), Bd. 1,1, S. 158 (System der Gemeindewirtschaft, 1817), Bd. 1,2, S. 853 (Kommentar zu Staatskunde und Staatspraxis, 1818); Schnabel, Deutsche Geschichte im neunzehnten Jahrhundert, Bd. 3 (1934), S. 351.

120 Dann, Nation und Nationalismus in Deutschland (1996), S. 14, 100.

121 Auerbach, Das Judenthum und die neueste Literatur (1836), S. 30.

122 Zit. nach Riesser, Rede gegen Moritz Mohls Antrag zur Beschränkung der Rechte der Juden, gehalten in der deutschen Nationalversammlung zu Frankfurt am 29. 8. 1848 (1848/1913), S. 103.

123 Edler, Stimmen der preußischen Provinzial-Stände (1845), S. 1–56.

124 Die Judenfrage im Preußischen Abgeordnetenhause (1880), S. 58.

125 Schwarz, Sendschreiben (1848), S. 14; Philippson, Die Gleichstellung der Juden (1849), S. 73.

126 Eckstein, Beiträge zur Geschichte der Juden in Bayern (1902), S. 13.

127 Landau, Die Petition des Vorstandes der israelitischen Gemeinde zu Dresden (März 1843).

128 Auerbach, Das Judenthum und die neueste Literatur (1836), S. 24, 26, 28 f., 54; Bamberger, Erinnerungen (1899), S. 27.

129 Wagner, Das Judentum in der Musik (1850/1869), S. 9–32.

130 N.N., Die bürgerlichen Verhältnisse der Juden in Deutschland (1848), S. 353–355. Ludwig Philippson schrieb in seinem Artikel »Die Gleichstellung der Juden« (1849, S. 74) zu dieser Darstellung, sie sei »offenbar aus der Feder eines preußischen Christen geflossen, der die Angelegenheit unparteiisch behandelt«.

131 Riesser, Über die Stellung der Bekenner des mosaischen Glaubens (1831/1913), S. 22 f.; Riesser, Vertheidigung der bürgerlichen Gleichstellung der Juden (1831), S. 6 f., 30.

132 Goldstein, Deutsche Volks-Idee (1927), S. 94.

133 Segall, Die beruflichen und sozialen Verhältnisse der Juden in Deutschland (1912), S. 70; May, Konfessionelle Militärstatistik (1917), S. 33, 36.

134 Pohlmann, Das Judentum und seine Feinde (1893), S. 21 f.

135 Stoecker am 11. 2. 1880 im Preußischen Abgeordnetenhaus, zit. nach Die Judenfrage im Preußischen Abgeordnetenhause (1880), S. 158.

136 Volkov, Juden in Deutschland (2000), S. 53 f.; Sombart, Die Juden und das Wirtschaftsleben (1911), S. 217–221; Sombart, Die Zukunft der Juden (1912), S. 33–36; Marcus, Die wirtschaftliche Krise des deutschen Juden

(1931), S. 11–15; Lestschinsky, Das jüdische Volk im neuen Europa (1934), S. 43 f.; Weinryb, Der Kampf um die Berufsumschichtung (1936), S. 54 f.; Ruppin, Die Juden der Gegenwart (1911), S. 51 ff. Zur Methodenkritik an Sombart Segall, Die beruflichen und sozialen Verhältnisse der Juden in Deutschland (1912), S. 72–75.

137 Bahr, Der Antisemitismus (1894), S. 28 f.; Rieger, Ein Vierteljahrhundert im Kampf um das Recht (1918), S. 7.

138 Friedrich, Schmieder-Friedrich, Die Gailinger Juden (1981), S. 23, 48; am Beispiel Speyer Toury, Deutschlands Stiefkinder (1997), S. 119.

139 Frantz, Der Nationalliberalismus und die Judenherrschaft (1874), S. 20, 37–44, 64.

140 Marr, Der Judenkrieg (1880), S. 29–31; Marr, Der Sieg des Judenthums (1879), S. 3, 33, 45 f. Argumentativ ähnlich Boeckel, Verjudung der höheren Schulen (1886); Boeckel, Nochmals: Die Juden (1901), S. 6–9.

141 Frantz, Der Nationalliberalismus und die Judenherrschaft (1874), S. 20.

142 Pohlmann, Das Judentum und seine Feinde (1893), S. 26; Dann, Nation und Nationalismus in Deutschland (1996), S. 199.

143 Hirschfeld, Warum hassen uns die Völker (1915), S. 21–24; detaillierte Angaben zum Steueraufkommen und zum Wandel der Einkommensstruktur bei Helfferich, Deutschlands Volkswohlstand (1915), S. 90–103, 129–142.

144 So Ludwig Bamberger über Bismarcks Unwillen zur inneren Strukturierung des Kaiserreichs. Bamberger, Die Sezession (1881/1897), S. 62.

145 Lestschinsky, Das jüdische Volk im neuen Europa (1934), S. 81–83.

146 Zit. nach Die Judenfrage im Preußischen Abgeordnetenhause (1880), S. 100.

147 Weinryb, Der Kampf um die Berufsumschichtung (1936), S. 48; Kautsky, Rasse und Judentum (1921), S. 62.

148 So z. B. Frantz, Der Nationalliberalismus und die Judenherrschaft (1874), S. 27.

149 So Max Bewer, zit. nach Abwehr-ABC (1920), S. 90.

150 Wirth, Geschichte der Handelskrisen (1874), S. 454, ausführlicher in der erw. Ausg. (1890), S. 450–614.

151 Röpke, Die deutsche Frage (1945), S. 199–203; Hobrecht zit. nach W. J. Mommsen, Das Ringen um den nationalen Staat (1993), S. 376–384; Rürup, Emanzipation und Antisemitismus (1975), S. 106.

152 Treitschke, Unsere Aussichten (1879), S. 570–576.

153 Bamberger, Die Sezession (1881/1897), S. 132; Marcus, Die wirtschaftliche Krise der deutschen Juden (1931), S. 147.

154 Treitschke, Unsere Aussichten (1879); Treitschke, Ein Wort über unser Judenthum (1881), S. 2. f.
155 Treitschke, Das constitutionelle Königthum (1871/1915), S. 492 f.
156 Die Judenfrage. Verhandlungen des Preußischen Abgeordnetenhauses (1880), S. 50–52; Stoecker, Das moderne Judenthum (1880), S. 16 f., 38.
157 Die Judenfrage. Verhandlungen des Preußischen Abgeordnetenhauses (1880), (Hobrecht) S. 58, (Kröcher) S. 149, (Bachem) S. 85–95.
158 Ebd., S. 62 f.
159 Ebd., S. 68.
160 Ebd., S. 89.
161 Die Judenfrage. Verhandlungen des Preußischen Abgeordnetenhauses (1880), S. 83; The Jews in Germany, in: Times vom 16. 11. 1880.
162 Die Judenfrage. Verhandlungen des Preußischen Abgeordnetenhauses (1880), S. 137 f.
163 Ebd., S. 117.
164 Marr, Der Sieg des Judenthums (1879), S. 43–46.
165 Bernstein (Hrsg.), Die Geschichte der Berliner Arbeiter-Bewegung, Bd. 2 (1907), S. 59, 106.
166 Programm der Christlich-Sozialen Arbeiterpartei (Januar 1878), zit. nach Mommsen, Deutsche Parteiprogramme (1960), S. 71–73.
167 Massing, Vorgeschichte des politischen Antisemitismus (1959), S. 42.
168 Grundsätze und Forderungen der Antisemitischen Deutsch-sozialen Partei (1889), zit. nach Mommsen, Deutsche Parteiprogramme (1960), S. 73–78.
169 Claß, Wenn ich der Kaiser wär' (1912), S. 30–38, 74–78.
170 Ernst Moritz Arndt über die Juden, Judeneinwanderung und Judenemancipation, in: Germania, vom 29. 8., 30. 8., 1. 9. 1879, hier zwei der redaktionellen Kommentare, die in den über drei Ausgaben fortgesetzten, im Wesentlichen aus langen Arndt-Zitaten zusammengesetzten Artikel eingestreut sind. Den Hinweis auf diese Quelle verdanke ich Rybak, Ernst Moritz Arndts Judenbilder (1997), S. 129.
171 Scheidemann, Wandlungen des Antisemitismus (1906), S. 635.
172 Friedrich Kosnik, Über meine Vorfahren, Archiv der Familie Aly, I 5.
173 Fritsch, Die Juden im Handel (1913), S. 128, 196.
174 Fritsch, Die Stadt der Zukunft (1896), S. 29, passim.
175 Sombart, Die Zukunft der Juden (1912), S. 47; Stoecker, Das moderne Judenthum (1880), S. 3, 16 f., 36 f.; Die Judenfrage. Verhandlungen des Preußischen Abgeordnetenhauses (1880), S. 118.

176 Ludwig Schemann im Vorwort zur ersten Auflage der deutschen Übersetzung von Gobineaus »Versuch über die Ungleichheit der Menschenracen« (1897). 1910 mokierte sich Eugen Fischer über den späten Aufstieg der Rassenforschung in Deutschland. Fischer, Sozialanthropologie und ihre Bedeutung für den Staat (1910), S. 3.
177 Günther, Mein Eindruck von Adolf Hitler (1969), S. 14.
178 Goldstein, Rasse und Politik (1921), S. 63.
179 Giesen, Antisemitismus und Rassismus (1998), S. 209; Kiefer, Das Problem einer »jüdischen Rasse« (1991), S. 26–28.
180 Zit. nach Sombart, Die Juden und das Wirtschaftsleben (1911), S. 386.
181 Wilhelm II., Ereignisse und Gestalten (1922), S. 154; Kaltenbrunner, Wahnfried und die »Grundlagen« (1969), S. 120 f.
182 Fischer, Die Rehobother Bastards (1913), S. 164–167, 296–299, 302; Fischer, Rasse und Rassenentstehung (1927), S. 121.
183 Fischer, Sozialanthropologie (1910), S. 20.
184 Claß, Wider den Strom (1932), S. 157 f.
185 Claß, Wenn ich der Kaiser wär' (1912), S. 186. Der Begriff »zoologischer Patriotismus« geht auf den gemäßigten tschechischen Nationalisten und Demokraten Thomas Masaryk zurück. Masaryk, Zur russischen Geschichte (1913), S. 257.
186 Hitler, Zweites Buch (1928/1961), S. 62, ähnlich S. 125, 129; Hitler, Mein Kampf (1925/1927/1934), S. 441–451.
187 Fischer, Der völkische Staat (1933), S. 10, 19.
188 Pommerin, Sterilisierung der Rheinlandbastarde (1979), S. 78 f.
189 Fischer, Erbe (1934), S. 149–151.
190 Zit. nach Massing, Vorgeschichte des politischen Antisemitismus (1959), S. 218, 273; Osborn, Aus der immerhin besseren alten Zeit (1944).
191 Der Sozialdemokrat vom 9. 1. 1881.
192 Mehring, Herr Hofprediger Stöcker (1882), Abschnitt »Die Judenfrage«, S. 64–76.
193 Zit. wurde aus folgenden Texten von Mehring: Kapitalistische Agonie (1892), S. 545–548; Drillinge (1894), S. 581; Im Wechsel der Zeiten (1893), S. 2; Anti- und Philosemitisches (1891), S. 586 f.; generell Rürup, Emanzipation und Antisemitismus (1975), S. 110 f., 118; Leuschen-Seppel, Sozialdemokratie und Antisemitismus (1978), S. 165–167; zu Karl Marx' kurzem Text »Zur Judenfrage« Silberner, Sozialisten und Judenfrage (1962), S. 119–123. »Der Wechsel ist der wirkliche Gott des Juden«, heißt es bei Marx, oder, durchaus zweischneidig: »Wir müssen uns selbst emanzipieren, bevor wir andere emanzipieren können.« Zit. nach ebd.
194 Mehring, Einleitung (1902), S. 352–356.

195 Diese Wendung findet sich in den Veröffentlichungen der damaligen deutschen Sozialdemokratie häufig, zum Beispiel bei Kautsky, Das Massaker von Kischeneff und die Judenfrage (1903), S. 304.
196 Silberner, Sozialisten zur Judenfrage (1962), S. 208.
197 Geyer, Der Radikalismus in der deutschen Arbeiterbewegung (1923), S. 54–56.
198 Plessner, Die verspätete Nation (1936/1959), S. 123–125.
199 Silberner, Sozialisten zur Judenfrage (1962), S. 203–207; Der Sozialdemokrat vom 22. 5. 1881; Bebel, Sozialdemokratie und Antisemitismus (1893/94), S. 20 f.; Liebknecht, Rede über den Kölner Parteitag (1893); Parteitag 1893, Protokoll, S. 224; Vorwärts, Die Stichwahlen, vom 26. 6. 1893; Mehring, Sauve qui peut (1893), S. 163; Mehring, Zu den preußischen Landtagswahlen (1893), S. 803; Braun, Zur Lage der deutschen Sozialdemokratie (1893), S. 513 f.
200 Naumann, National-sozialer Katechismus (1897).
201 Naumann, Mitteleuropa (1915), S. 4, 112 f., 147, 174–178.
202 Hitler, Zweites Buch (1928/1961), insbesondere Kapitel IX, S. 117–132; Hitler, Mein Kampf (1925/1927/1934), Kapitel 14 (»Ostorientierung oder Ostpolitik«).
203 Protokoll der Reichstagssitzung vom 23. 3. 1933, Verhandlungen des Reichstags, Bd. 457, S. 23–45.
204 Arendt, Philippson und Holländer zit. nach Blumenfeld, Erlebte Judenfrage (1962), S. 45, 51, 55.
205 Weltsch, Judentum und Nationalismus (1920), S. 40.
206 Hirschfeld, Warum hassen uns die Völker (1915); Goldmann, Der Geist des Militarismus (1915); Nathan, Die Enttäuschungen unserer Gegner (1914), S. 33; Lewin, Was verlor die deutsche Judenheit durch den Frieden von Versailles? (1920), S. 2.
207 May, Konfessionelle Militärstatistik (1917), S. 9.
208 Wassermann, Mein Weg als Deutscher und Jude (1921/1994), S. 8.
209 Wolfgang Aly, Das Leben eines deutschen Professors 1881-(1962). Erinnerungen und Erfahrungen, Privatdruck, Freiburg i. Br. 1961, S. 145, 154 f.
210 Stenographischer Bericht über die Hauptversammlung des Central-Vereins (1917), S. 14–18, 30–32.
211 Oppenheimer, Die Judenstatistik des preußischen Kriegsministeriums (1922); York-Steiner, Die Kunst als Jude zu leben (1928), S. 520–526; Brief von Carl Melchior an Hugo Stinnes jr. vom 3. 1. 1923, Stiftung Warburg Archiv, Nachlass Max Warburg/Carl Melchior (Dank an Dorothea Hauser für den Hinweis auf diese Quelle).
212 Naumann, Mitteleuropa (1915), S. 70 f.

213 Brief von Walther Rathenau an Wilhelm Schwaner vom 4. 8. 1916, zit. nach Jochmann, Gesellschaftskrise und Judenfeindschaft (1988), S. 111.
214 Röpke, Der Weg des Unheils (1931), S. 33.
215 Sieferle, Die Geburt des nationalen Sozialismus im Weltkrieg: Paul Lensch, in: Sieferle, Die Konservative Revolution (1995), S. 106–131.
216 Lensch, Drei Jahre Weltrevolution (1917), S. 29 f., 87, 211–221; zu Lensch Hayek, Der Weg zur Knechtschaft (1944/1945), S. 117–122.
217 Lensch, Die Sozialdemokratie (1916), S. 177.
218 Meinecke, Die deutsche November-Revolution (1929), S. 213.
219 Sieburg, Es werde Deutschland (1933), S. 18.
220 Goebbels, Michael. Ein deutsches Schicksal (1929), S. 62.
221 Wolfgang Aly, Das Leben eines deutschen Professors 1881-(1962). Erinnerungen und Erfahrungen, Privatdruck, Freiburg i. Br. 1961, S. 152, 156 f., 171 f.
222 Hindenburg, Aus meinem Leben (1920), S. 89.
223 Plessner, Die verspätete Nation (1936/1959), S. 32 f.
224 Jünger, Der Kampf als inneres Erlebnis, Vorwort zur 2. Aufl. (1926), S. XII.
225 Sforza, Die feindlichen Brüder (1933), S. 86–91.
226 Keynes, Revision des Friedensvertrages (1922), S. 1 f.
227 Das Parteiprogramm. Wesen, Grundsätze und Ziele der NSDAP (1922).
228 Keynes, Revision des Friedensvertrages (1922), S. 12–16.
229 Keynes, Die wirtschaftlichen Folgen des Friedensvertrages (1920), S. 184, 192, 219; Heuss, Hitlers Weg (1931), S. 152.
230 Zit. nach Sforza, Die feindlichen Brüder (1933), S. 93–95.
231 Jünger, Revolution und Idee, in: Völkischer Beobachter vom 23./24. 9. 1923, zit. nach: Derselbe, Politische Publizistik 1919–1933 (2001), S. 36.
232 Keynes, Die wirtschaftlichen Folgen des Friedensvertrages (1920), S. 176 f. Viel spricht dafür, dass der von Keynes zitierte Unterhändler der deutsch-jüdische Delegierte Carl Melchior war.
233 Keynes, Revision des Friedensvertrages (1922), S. 183–207.
234 Sforza, Die feindlichen Brüder (1933), S. 103–116.
235 Geyer, Der Radikalismus in der deutschen Arbeiterbewegung (1923), S. 71.
236 So Kautsky in der Welt am Montag, Frühjahr 1920, zit. nach Fendrich, Der Judenhaß und der Sozialismus (1920), S. 6; Kautsky, Rasse und Judentum (1921), S. 5–10.
237 Geyer, Der Radikalismus in der deutschen Arbeiterbewegung (1923), S. 78, 88 f.

238 Wassermann, Mein Weg als Deutscher und Jude (1921/1994), S. 38 f., 118; zu Löwenthal Hammerstein, Antisemitismus an deutschen Universitäten (1995), Fußnote 291.
239 Hitler, Warum sind wir Antisemiten? (13. 8. 1920), S. 201.
240 Reuth, Hitlers Judenhass (2009), S. 51–101.
241 Bloch, Hitlers Gewalt (1924).
242 Michel, Verrat am Deutschtum (1922), S. 29 f., 34.
243 Ebd., S. 3 f., 29 f., 34.
244 Goebbels, Der Nazi-Sozi (1929), Vorblatt.
245 So auf der Führertagung in München am 31. 8. 1928, zit. nach Heiden, Geschichte des Nationalsozialismus (1932), S. 243.
246 Stapel, Antisemitismus (1920), S. 5; Hildebrandt, Staat und Rasse (1928), S. 51.
247 Feder, Das Programm der NSDAP und seine weltanschaulichen Grundlagen (1925).
248 Zit. nach Jäckel, Kuhn (Hrsg.), Hitler (1980), S. 906–909.
249 Brief von Max Warburg an Hugo Stinnes jr. vom 3. 1. 1923, Stiftung Warburg Archiv, Nachlass Max Warburg/Carl Melchior.
250 Riemer, Mitteilungen über Goethe (1841/1921), S. 208.
251 Riesser, Über die Stellung der Bekenner des mosaischen Glaubens (1831/1913), S. 24.
252 Bamberger, Deutschtum und Judentum (1880/1897), S. 18; York-Steiner, Die Kunst als Jude zu leben (1928), S. 412; York-Steiner, Wie entsteht der Antisemitismus der Deutschen? (1932), S. 395; Adam, Reichmann-Jungmann, Eine Aussprache über die Judenfrage (1931), S. 35.
253 Mann, Der Untertan (1914/1950), S. 83 f.
254 Rosenberg, Treitschke und die Juden (1930), S. 82; Jarausch, Universität und Hochschule (1991), S. 313–345; Kyffhäuser-Rede von 1881 zit. nach Jarausch, Deutsche Studenten (1984), S. 82.
255 Ebenso verortete Kautsky den Antisemitismus derer, »die statt dem väterlichen Berufe einem der Intelligenzberufe sich zuwenden«. Kautsky, Das Massaker von Kischeneff und die Judenfrage (1903), S. 304.
256 Bebel, Sozialdemokratie und Antisemitismus (1893/1894), S. 18–20.
257 Sombart, Die Zukunft der Juden (1912), S. 82 f.
258 Sombart, Die Zukunft der Juden (1912), S. 83; Sombart, Die Juden und das Wirtschaftsleben (1911), S. 284–287, 299; Sombart, Deutscher Sozialismus (1934), S. 144, 192–195.
259 Paulsen, Die deutschen Universitäten (1902), S. 200; Hammerstein, Antisemitismus an deutschen Universitäten (1995), S. 13.
260 Schmoller, Obrigkeitsstaat und Volksstaat (1916), S. 423–434.

261 Zit. nach Landmann, Bausteine zur Biographie (Simmels) (1958), S. 26 f.
262 Lenz, Geschichte der Königlichen Friedrich-Wilhelms-Universität zu Berlin, Bd. 2,1 (1910), S. 216–224.
263 Frieda Erdmannsdörffer: Ein Lebensbild von Grössing, Johanna Lenz, geb. Adlich (1827–1908), Manuskript (Frieda E. war eine der Enkelinnen von Johanna und eine der Nichten von Max Lenz.); Archiv der Familie Aly, F 4.
264 G. Lenz, Über die geschichtliche Entstehung des Rechts (1854); Demelius, Rezension des genannten Buches von G. Lenz (1855). Lenz, (familiengeschichtlicher) Privatdruck, zusammengestellt von Ernst Aly u. a. (1985).
265 Briefe von Anna Erdmannsdörffer an ihre Mutter Johanna Lenz vom 12. 7. 1879 und 16. 3. 1881; Brief von Bernhard Erdmannsdörffer an Gustav Lenz, ca. 1886, zit. nach Frieda Erdmannsdörffer: Ein Lebensbild von Grössing (wie Anmerkung 263). Frieda war eine der Töchter von Bernhard und Anna Erdmannsdörffer. Ich kannte die lebenslustige, »Gott sei Dank« unverheiratet gebliebene Großtante noch gut. Wie ihre Mutter liebte sie Mendelssohn, Heine und die Lieder von Fanny Hensel-Mendelssohn. 1947 markierte sie die Stellen in den Briefen ihrer Eltern, die von Juden handelten, und beschrieb in dem genannten Lebensbild ihrer Großmutter den Antisemitismus ihres Vaters mit klaren Sätzen.
266 Sombart, Die Zukunft der Juden (1912), S. 83; Sombart, Die Juden und das Wirtschaftsleben (1911), S. 284–287, 299; York-Steiner, Die Kunst als Jude zu leben (1928), S. 412.
267 Kautsky, Rasse und Judentum (1914/1921), S. 60; Fraser, The Conquering Jew (1915), S. 35, zit. nach Slezkine, Das jüdische Jahrhundert (2006), S. 76.
268 Gemeint ist womöglich der Jurist Jakob Friedrich Behrend, der 1882/83 Rektor der Universität Greifswald war.
269 Müller, Das Judentum in der deutschen Studentenschaft (1890).
270 Stapel, Antisemitismus (1920), S. 47; Goldstein, Deutsche Volks-Idee (1927), S. 50, ähnlich S. 110 f.; Stapel, Aphoristisches zur Judenfrage (1932), S. 172 f.
271 Zit. nach Lichtenstaedter, Antisemitica (1926), S. 115; Verhandlungen des Bayerischen Landtags, Sitzungsperiode 1924–1928, Bd. 1: Stenographische Berichte zu den öffentlichen Sitzungen 1–34. 18. Sitzung vom 1. 8. 1924, Rede des Abgeordneten Rutz, S. 205–214, Zitate, S. 212.
272 Weltbühne, Jg. 21, Nr. 9 vom 3. 3. 1925, S. 333.
273 Schottlaender, Trotz allem ein Deutscher (1986), S. 39.

274 Bernstein, Der Antisemitismus als Gruppenerscheinung (1926), S. 114, 144; Mann, Der Zauberberg (1924/1981), S. 961 f.
275 Voegelin, Staat und Rasse (1933), S. 186 f.; Faas, Mund, Sturm der Entrüstung (2009), passim. Der Aufsatz versammelt die Reaktionen, die das Bild »Der zwölfjährige Jesus im Tempel« während der zweiten Internationalen Kunstausstellung im Münchner Glaspalast 1879 auslöste, weil der Maler Max Liebermann Jesus (und nicht nur die Pharisäer) als Juden dargestellt hatte.
276 Abwehr-ABC (1920), S. 88 f.
277 Friedenthal, Die unsichtbare Kette (1936), S. 38. Herbert Friedenthal (seit 1939: Herbert Freeden) wurde 1909 in Posen geboren, wanderte 1939 nach Großbritannien aus, später weiter nach Israel. Er arbeitete dort als Journalist, Drehbuchautor und Schriftsteller und starb 2003 in Oxford.
278 Heuss, Hitlers Weg (1932), S. 42 f.; De Man, Sozialismus und National-Fascismus (1931), S. 15–17, 22; Voegelin, Staat und Rasse (1933), S. 182.
279 Mann, Zum Problem des Antisemitismus (1937), S. 28; Mann, Deutschland und die Deutschen (1945/1947), S. 9, 11.
280 Heuss, Hitlers Weg (1932), S. 42 f.; Hitler, Mein Kampf (1925/1927/1934), S. 329–332, 338.
281 Hitler, Zweites Buch (1928/1961), S. 64, 129, 221.
282 Anweisung (Geheime Kommandosache) der 22. Infanteriedivision vom 20. 6. 1941, abgedruckt in VEJ, Bd. 7 (2011), S. 124–126 (Dok. 5); Hitler, Monologe im Führerhauptquartier (1980), S. 293, Eintrag vom 22. 2. 1942 abends (mit in der Runde dabei: Heinrich Himmler).
283 Gemessen am Schicksal anderer »Verräter der großen Sache« kam Samjatin glimpflich davon. Er starb 1937 im Pariser Exil.
284 Bettauer, Die Stadt ohne Juden (1922), S. 3–50.
285 Lichtenstaedter, Jüdische Fragen (1935), Vorwort, S. 7.
286 Lichtenstaedter, Zionismus und andere Zukunftsmöglichkeiten (1937), S. 59.
287 Lichtenstaedter, Das neue Weltreich, Bd. 1 (1901), S. 22 f.
288 Aly, Wohltaten der europäischen Gesittung (2003), S. 19.
289 Lichtenstaedter, Das neue Weltreich, Bd. 2 (1903), S. 37–41, 59 f., 65–69, 105–110.
290 Lichtenstaedter, Antisemitica (1926), S. 12.
291 Conze, Die weißrussische Frage in Polen (1938).
292 Lichtenstaedter, Antisemitica (1926), S. 14–85.
293 Zum Beispiel Erben, Auf eigenen Spuren (2001), S. 85.
294 Friedenthal, Die unsichtbare Kette (1936), S. 125.

295 Beischreibung zum Geburtsvermerk Lichtenstaedters im Geburtsregister der Israelitischen Kultusgemeinde Baiersdorf, S. 65, Staatsarchiv Nürnberg, Fremde Archivalien, Nr. 80 (Baiersdorf). Ich danke Horst Gemeinhardt für den Hinweis.
296 Wassermann, Offener Brief an Richard Drews, Herausgeber der Monatsschrift Kulturelle Erneuerung (1925), zit. nach Wassermann, Lebensdienst (1928), S. 155–159.
297 Baur, Fischer, Lenz, Erblichkeitslehre, Bd. 1 (1927), S. 138, 162 f., 215, 290, 537–539, 547, 556–559.
298 Die Zitate und mehr bei Gilsenbach, Erwin Baur (1990).
299 Zollschan, Der Rassenwahnsinn als Staatsphilosophie (1949), S. 15.
300 Hertz, Rasse und Kultur (1904/1925), S. 229.
301 Baur, Fischer, Lenz, Grundriss der Erblichkeitslehre und Rassenhygiene, Bd. 2 (1923), S. 160.
302 Zur Biographie Schildt, Ein konservativer Prophet moderner nationaler Integration (1987).
303 Zit. nach Herbert, Generation der Sachlichkeit (1995), S. 49.
304 Adam, Reichmann-Jungmann, eine Aussprache über die Judenfrage (1929/1931), S. 3–24, 41. Die Auseinandersetzung führten die beiden Autorinnen im Frühjahr 1929, in den Druck ging die vom Central-Verein deutscher Staatsbürger jüdischen Glaubens herausgegebene Broschüre Ende 1931, versehen mit dem Nachwort von Margarete Adam »Warum habe ich nationalsozialistisch gewählt?« und einer äußerst knappen Nachbemerkung von Eva Reichmann-Jungmann.
305 Wehler, Deutsche Gesellschaftsgeschichte, Bd. 4 (2003), S. 256.
306 Grantzow, 700 Jahre Berlin (1937), S. 29.
307 Lederer, Die Umschichtung des Proletariats (1929/1979), S. 172–185; Kracauer, Die Angestellten (1930/1959), S. 85; Speier, Die Angestellten vor dem Nationalsozialismus (1977), S. 44–51, 161 (Fußnote 7).
308 Staatsarchiv München, Spruchkammern, Karton 1668, XII/22/48 (Schneider, Friedrich); darin ausführlich Schneiders Hilfe für einen kommunistischen Kollegen.
309 Die biographischen Angaben stützen sich auf Hüttenberger, Die Gauleiter (1969); Höffkes, Hitlers politische Generale (1986); Lilla, Die Stellvertretenden Gauleiter der NSDAP (2003).
310 *Erich Koch* (1896–1986), evangelisch, Sohn eines Werkmeisters in Elberfeld: Mittelschule, Handelsschule, kaufmännische Lehre, Beamtenanwärter im mittleren Dienst der Eisenbahnverwaltung, 1926 wegen politischer Tätigkeit entlassen, 1928–1945 Gauleiter von Ostpreußen; 1941–1944 Reichskommissar für die Ukraine.

Hinrich Lose (1896–1964), evangelisch, Sohn eines Kleinbauern in Mühlenborbek (Holstein): Handelsschule, kaufmännischer Angestellter, 1925–1945 Gauleiter von Schleswig-Holstein, 1941–1944 Reichskommissar für das Ostland.

Alfred Meyer (1891–1945), evangelisch, Sohn eines Regierungsrats in Göttingen: Gymnasium, Offizier, Studium der Nationalökonomie, Promotion, Zechenbeamter, 1930–1945 Gauleiter von Westfalen-Nord, 1941–1945 Staatssekretär im Reichsministerium für die besetzten Ostgebiete.

Wilhelm Murr (1888–1945), evangelisch, Sohn eines Schlossermeisters in Esslingen: Volksschule, kaufmännische Lehre, Angestellter, Vizefeldwebel, 1928–1945 Gauleiter von Württemberg-Hohenzollern.

Martin Mutschmann (1879–1947), evangelisch, Sohn eines Schlossers in Hirschberg (Saale): Bürgerschule, Handelsschule, kaufmännische Lehre, Angestellter, Gründung eigener Unternehmen, 1925–1945 Gauleiter von Sachsen.

Carl Röver (1889–1942), evangelisch, Sohn eines Kaufmanns in Lemwerder (Oldenburg): Mittelschule, kaufmännische Lehre, Angestellter (1911–1913 in Kamerun), selbständiger Manufakturist, 1928–1942 Gauleiter von Weser-Ems.

Bernhard Rust (1883–1945), katholisch, Sohn eines Zimmermanns aus dem Eichsfeld, geboren in Hannover: Gymnasium, Studium der Philologie, Gymnasiallehrer, 1925–1940 Gauleiter von Hannover-Nord (später: Süd-Hannover-Braunschweig), 1933/34–1945 Reichsminister für Wissenschaft, Erziehung und Volksbildung.

Fritz Sauckel (1894–1946), evangelisch, Sohn eines Postassistenten in Haßfurt (Unterfranken): nach der 4. Klasse vom Gymnasium abgegangen, Ausbildung zum Seemann, Matrose, 1922–1923 Besuch der Ingenieurschule, 1927–1945 Gauleiter von Thüringen, 1942–1945 Generalbevollmächtigter für den Arbeitseinsatz (insbesondere von Zwangsarbeitern).

Franz Schwede (1888–1960), evangelisch, Sohn eines Försters in Drawöhnen (Memel): Volksschule, Maschinenschlosser, Maschinistenanwärter der Kriegsmarine, Maschinistenmaat, Bordkommando auf »SMS Kaiser Wilhelm II.«, 1918 Maschinisten-Deckoffizier, technischer Betriebsleiter, 1934–1945 Gauleiter von Pommern.

Gustav Simon (1900–1945), katholisch, Sohn eines Bahnbeamten in Mahlstatt-Burbach (Saarland): Volksschule, Lehrerseminar, Studium der Volkswirtschaft, Diplomhandelslehrer, Studienreferendar, 1931–1945 Gauleiter von Koblenz-Trier (später: Moselland).

Jakob Sprenger (1884–1945), evangelisch, Sohn eines Landwirts in Oberhausen (Rheinpfalz): Progymnasium, Telegrafenschule, Oberpostinspektor, (1927–1945) Gauleiter von Hessen-Nassau-Süd (später: Hessen-Nassau).

Julius Streicher (1885–1946), katholisch, Sohn eines Volksschullehrers in Fleinhausen (Kreis Augsburg): Volksschule, Lehrerseminar, Aushilfslehrer, Hauptlehrer, 1930–1940 Gauleiter von Mainfranken (später: Franken).

Emil Stürtz (1887–1945), evangelisch, Sohn eines Landarbeiters in Wieps (bei Allenstein): Volksschule, Oberrealschule, Seemann, Soldat, Kriegsinvalide, Kraftfahrer, 1936–1945 Gauleiter von Brandenburg (später: Kurmark/Mark Brandenburg).

Otto Telschow (1876–1945), evangelisch, Sohn eines Gerichtsdieners in Wittenberge: Militärerziehungsinstitut, Unteroffizier (Kavallerie), 1902–1924 Polizeibeamter, 1925–1945 Gauleiter von Lüneburg-Stade (später: Ost-Hannover).

Josef Terboven (1882–1945), katholisch, Sohn eines Landwirts in Essen: Oberrealschule, abgebrochenes Studium der Rechts- und Staatswissenschaften, Banklehre, 1928–1945 Gauleiter von Essen, 1940–1945 Reichskommissar für Norwegen.

Fritz Wächtler (1891–1945), evangelisch, Sohn eines Uhrmachers in Triebes (Thüringen): Volksschule, Lehrerseminar, Volksschullehrer, 1935–1945 Gauleiter der Bayerischen Ostmark.

Adolf Wagner (1890–1944), katholisch, Sohn eines Bergmanns in Algringen (Lothringen): Oberrealschule, Studium der Mathematik und des Bergbaus, 1919/20 in leitender Stellung bei bayerischen Bergwerksgesellschaften, 1930–1942 Gauleiter von München-Oberbayern.

Josef Wagner (1898–1945), katholisch, sechstes Kind eines Bergmanns in Algringen (Lothringen): Volksschule, Lehrerseminar, Finanzbeamter, Angestellter, 1928–1941 Gauleiter von Westfalen (später: Westfalen-Süd), 1935–1941 zudem Gauleiter von Schlesien.

Robert Wagner (1895–1946), evangelisch, Sohn eines Bauern in Lindach (Baden): Volksschule, Lehrerseminar, Berufsoffizier, 1925–1945 Gauleiter von Baden, seit 1940 Chef der Zivilverwaltung im Elsass.

Karl Wahl (1892–1981), evangelisch, letztes von 13 Kindern eines Lokomotivführers in Aalen: Volksschule, Schlosser, Berufliche Fortbildungsschule, Militärsanitäter, Unteroffizier, Kanzleibeamter, 1928–1945 Gauleiter von Schwaben.

Karl Weinrich (1887–1973), evangelisch, Sohn eines Schuhfabrikanten in Molmeck (Südharz): Volksschule, Bergfachschule, Bergpraktikant,

Militärproviantamtmann, 1928–1944 Gauleiter von Hessen-Nassau-Nord (später: Kurhessen).

311 Hitler, Mein Kampf (1925/1927/1934), S. 2–5.

312 Vgl. Merkl, Political Violence under the Swastika (1975), S. 62–76.

313 Bettelheim, Janowitz, Social Change and Prejudice (1950/1964), S. 165.

314 Neumann, Die Parteien der Weimarer Republik (1931/1970), S. 34 f.; Falter, Die parteistatistische Erhebung der NSDAP 1939 (1993), S. 186.

315 Grüttner, Studenten im Dritten Reich (1995), S. 101–106.

316 Zum rapiden Wandel der studentischen Sozialstruktur zwischen 1919 und 1932 Jarausch, Deutsche Studenten (1984), S. 134–137.

317 Zitate und Zahlen bei Langewiesche, Tenorth (Hrsg.), Handbuch der deutschen Bildungsgeschichte, Bd. 5 (1989), S. 155–257.

318 Heiden, Adolf Hitler, Bd. 1 (1936), S. 77.

319 Grüttner, Studenten im Dritten Reich (1995), S. 54, 56.

320 Rede Ammerlahns auf einer Schülerkundgebung in den Berliner Hohenzollern-Festsälen, zit. nach Oehme, Caro, Kommt »das dritte Reich«? (1930), S. 29 f.; Rede Goebbels' anlässlich der Führertagung des Nationalsozialistischen Deutschen Studentenbundes (ohne Datum, ca. 1930), Bundesarchiv, NS 38/II/21, Bl. 224–226; Goebbels, Wege ins Dritte Reich, Abschnitt »Student und Arbeiter« (ohne Datum, ca. 1930), ebd., Bl. 18–24.

321 Die Bewegung (Kampfblatt des Nationalsozialistischen Deutschen Studentenbundes) vom 27. 1., 10. 2. und vom 17. 2. 1931.

322 Lessing, Hindenburg (1925); Lessing, »Wir machen nicht mit« (1914–1933/1997), S. 67 f.

323 Hitler, Reden, Schriften und Anordnungen, Bd. 3,3 (1995), Dok. 80 (3. 8. 1930), S. 294.

324 Döring, »Parlamentarischer Arm der Bewegung« (2001), S. 407, 416; zu ähnlichen Ergebnissen für die 1932 in den Preußischen Landtag gewählte Fraktion der NSDAP gelangt Möller, Parlamentarismus in Preußen 1919–1932 (1985), S. 298–305.

325 Falter, Hitlers Wähler (1991), S. 146.

326 Unruh, National-Sozialismus (1931), S. 43.

327 Hitler, Mein Kampf (1925/1927/1934), S. 433, 439, 447.

328 Zit. nach Remmele, Faschistische Treibhauskulturen (1930), S. 19.

329 Hitler, Rede auf der NSDAP-Versammlung vom 16. 12. 1925 in der Stuttgarter Liederhalle, in: Hitler, Reden, Schriften, Anordnungen, Bd. 1 (1992), S. 239–262; Hitler, Mein Kampf (1925/1927/1934), S. 451; Goebbels, Michael. Ein deutsches Schicksal (1929), S. 64, 101 f., 122 f.

330 Goebbels, Michael. Ein deutsches Schicksal (1929), S. 42.

331 Schieder, Faschismus und Imperium (1940), S. 479.
332 Schotthöfer, Il Fascio (1924), S. 164; Mussolinis Gespräche mit Emil Ludwig (1932), S. 126 f.; De Man, Sozialismus und National-Fascismus (1931), S. 24–26; Michels, Sozialismus und Fascismus in Italien (1925), S. 251–309.
333 Mussolinis Gespräche mit Emil Ludwig (1932), S. 123.
334 Klemperer, Ich will Zeugnis ablegen bis zum letzten, Bd. 1, S. 410 (25. 5. 1938); Völkischer Beobachter vom 11. 9. 1939; Die Tagebücher von Joseph Goebbels, Bd. I/9, S. 171, 229, 247, Einträge vom 5. 3., 6. 4., 14. 4. 1941.
335 Lederer, Der Massenstaat (1940/1995), S. 143.
336 Neumann, Die Parteien der Weimarer Republik (1932/1970), S. 73–86.
337 Röpke, Der Weg des Unheils (1931), S. 46–58, 71–75, 84 f., 112–115.
338 Hitler, Reden, Schriften und Anordnungen, Bd. 3,3 (1995), Dok. 76 (18. 7. 1930), S. 277–281, Dok. 77 (24. 7. 1930), S. 289, Dok. 79 (27. 7. 1930), S. 292, Dok. 78 (12. 8. 1930), S. 332, Dok. 89 (16. 8. 1930), S. 339, Fußnote 1, Dok. 108 (8. 9. 1930), S. 390 f.
339 Brief von August R. an seine Mutter vom 13. 6. 1931, Archiv der Familie Aly, H 15.
340 Organisationsstatut der SPD von 1929, in: Sozialdemokratischer Parteitag Magdeburg 1929. Protokoll, Berlin 1974 (Reprint), S. 297. (Dank an das Archiv der Sozialen Demokratie der Friedrich-Ebert-Stiftung für diese Auskunft).
341 Oehme, Caro, Kommt »das dritte Reich«? (1930), S. 90–93.
342 Unruh, National-Sozialismus (1931), S. 6, 27.
343 Proklamation des Zentralkomitees der KPD für die nationale und soziale Befreiung des deutschen Volkes vom 24. 8. 1930; Deklaration des Zentralkomitees der KPD gegen die Tributsklaverei des deutschen Volkes vom Februar 1932, zit. nach Berthold, Das Programm der KPD zur nationalen und sozialen Befreiung des deutschen Volkes (1956), Dokumentenanhang, S. 229–238, 254–264.
344 Kommunismus und Judenfrage (1932), S. 283.
345 Winkler, Weimar 1918–1933 (1993), S. 422–424; Möller, Parlamentarismus in Preußen 1919–1932 (1985), S. 315–323.
346 Falter, Hitlers Wähler (1991), S. 224–226, zu den Angestellten: S. 232–242.
347 Zu diesen und weiteren Einzelheiten finden sich die Quellen in VEJ, Bd. 1 (2008), S. 30–36 (Einleitung).
348 Tagebucheintrag von Hertha Nathorff vom 16. 4. 1933, zit. nach VEJ, Bd. 1 (2008), S. 141 f. (Dok. 35).
349 Schreiben von Joseph Kardinal Faulhaber vom 8. 4. 1933, zit. nach VEJ, Bd. 1 (2008), S. 135 f. (Dok. 30).

350 Harling, Juden und Judenmission, in: Kirchliches Jahrbuch (1932), S. 484, zit. nach Kraus, Die evangelische Kirche (1966), S. 259; Böhm zit. nach Jochmann, Gesellschaftskrise und Judenfeindschaft (1988), S. 193.
351 Brief von August R. an die Familie vom 27. 11. 1930, Brief an den Vater vom 19. 10. 1938, Archiv der Familie Aly, H 15.
352 Hilberg, Die Vernichtung der europäischen Juden (1990), S. 56.
353 Hitler, Monologe im Führerhauptquartier (1980), S. 293, Eintrag vom 22. 2. 1942.
354 Goebbels, Michael. Ein deutsches Schicksal (1929), S. 57; ähnlich, auf der Basis eines Floh-Vergleiches, Goebbels, Der Nazi-Sozi (1929), S. 8.
355 Zit. nach Eckehard, Fieberkurve oder Zeitenwende (1931), S. 39, 44.
356 Fischer, Erbe (1934), S. 149–151. Ähnlich argumentierte Fischer in seinem Aufsatz »Die Fortschritte der menschlichen Erblehre als Grundlage eugenischer Bevölkerungspolitik« (besonders S. 214). In seinem Buch »Rasse als Konstrukt. Leben und Werk Eugen Fischers« (1997) übergeht Niels C. Lösch solche Quellen und erfindet, Fischer habe dem nationalsozialistischen Rassenantisemitismus ferngestanden (S. 282–297).
357 Bettauer, Die Stadt ohne Juden (1922), S. 11.
358 So die letzte Strophe des Gedichts »Das Frankfurter Ghetto«, zit. nach Hoffmann, Passier (Hrsg.), Die Juden (1986), S. 34–36.
359 Wawrzinek, Deutsche Antisemitenparteien (1927), S. 28, 33; Christenschutz oder Judenschutz (1893).
360 VEJ, Bd. 1 (2008), S. 676 f. (Dok. 285); Verordnung vom 12. 12. 1938, zit. nach VEJ, Bd. 2 (2009), S. 403 (Dok. 142).
361 Hitler, Reichstagsrede vom 30. 1. 1939, zit. nach VEJ, Bd. 2 (2009), S. 678–680 (Dok. 248).
362 Esser, Die jüdische Weltpest (1939), S. 78.
363 Goebbels, Der Krieg und die Juden, in: Goebbels, Der steile Aufstieg (1943), S. 270.
364 Der Prozess gegen die Hauptkriegsverbrecher (1948), Bd. 29, S. 146; Smith, Peterson (Hrsg.), Heinrich Himmler. Geheimreden (1974), S. 169, 201–203.
365 Heimatland. Vaterländisches Wochenblatt (für Bayern), Folge 42 vom 15. 10. 1923, S. 8 f.
366 Lichtenstaedter, Antisemitica (1926), S. 108–111 (Wohl infolge eines Druckfehlers werden bei Lichtenstaedter für Österreich 600 000 Juden genannt.); Tröbst, Mustapha Kemal Pascha und sein Werk (1923); Tröbst, Soldatenblut (1925).
367 Hitler, Mein Kampf (1925/1927/1934), S. 279–282, 433–448; Hitler, Zweites Buch (1928/1961), S. 56 f.

368 Baur, Die Bedeutung der natürlichen Zuchtwahl (1933/1936), S. 7 f., 10 f.
369 Lenz, Die Rasse als Wertprinzip (1917/1933), S. 31, 39; Fischer, Erbe (1934), S. 150.
370 Aly, Roth, Die restlose Erfassung (1984), S. 105–108.
371 Lübbe, Terror (1993), S. 307.
372 Aly, Medizin gegen Unbrauchbare (1985), S. 14–16.
373 Mann, Deutsche Hörer! (1941/1975), S. 44.
374 Zweig, Caliban (1927), S. 353; York-Steiner, Antisemitismus der Deutschen (1932), S. 369.
375 York-Steiner, Die Kunst als Jude zu leben (1928), S. 405.
376 Kohn, Bürger vieler Welten (1965), S. 60; Ruppin, Soziologie der Juden, Bd. 2 (1931), S. 53.
377 Blumenfeld, Die zionistische Aufgabe im heutigen Deutschland (1932), S. 353 f.; Röpke, Die deutsche Frage (1948), S. 39.
378 Mann, Deutschland und die Deutschen (1945/1947), S. 22 f.
379 Hayek, Der Weg zur Knechtschaft (1944/1945).
380 So der Kondomfabrikant Fromm. Aly, Sontheimer, Fromms (2007).
381 Lederer, Zur Soziologie des Weltkrieges (1915/1979), S. 120–126.
382 Meinecke, Die deutsche Katastrophe (1946/1955), S. 106 f.
383 Röpke, Die deutsche Frage (1945), S. 12.
384 Röpke, Die deutsche Frage (1948), S. 28.
385 Goldstein, Deutsche Volks-Idee (1927), S. 110 f.
386 Notat von Werner Koeppen vom 19. 9. 1941, zit. nach Vogt (Hrsg.), Herbst 1941 im »Führerhauptquartier«, S. 25.
387 Arendt, Besuch in Deutschland (1950/1993), S. 25 f.
388 Kraus, Warum vadient … (1924), S. 149–152; Kraus, Die dritte Walpurgisnacht (1933/1952), S. 16, 125.
389 Epstein, Neid (2010), S. 76; Riesser, Über die Stellung der Bekenner des mosaischen Glaubens in Deutschland (1831/1913), S. 22 f.
390 Kant, Metaphysik der Sitten (1797/1956), S. 596.
391 Hughes, Good People and Dirty Work (1962), S. 4–7.
392 Meinecke, Die deutsche Katastrophe (1946/1969), S. 339, 356.
393 Ruppin, Soziologie der Juden, Bd. 2 (1931), S. 54–56; Marcus, Wirtschaftliche Krise des deutschen Juden (1931), S. 144.
394 Falter, Hitlers Wähler (1991), S. 140, 177–179.
395 Scheler, Das Ressentiment im Aufbau der Moralen (1903/1972), S. 38–45.
396 Ruppin, Soziologie der Juden, Bd. 2 (1931), S. 53 f.; Zweig, Caliban (1927), S. 221.
397 Voegelin, Die Rassenidee in der Geistesgeschichte (1933), S. 160.
398 Ruppin, Soziologie der Juden, Bd. 1 (1930), S. 54.

Literatur

Abwehr-ABC, hrsg. vom Verein zur Abwehr des Antisemitismus, Berlin 1920.
Adam, Margarete, Reichmann-Jungmann, Eva: Eine Aussprache über die Judenfrage (veranstaltet 1929). Mit dem Nachwort von M. Adam, Warum habe ich (1930) nationalsozialistisch gewählt?, Berlin 1931.
Aly, Götz, Roth, Karl Heinz: Die restlose Erfassung. Volkszählen, Identifizieren, Aussondern im Nationalsozialismus, Berlin 1984.
Aly, Götz: Medizin gegen Unbrauchbare, in: Aussonderung und Tod. Die klinische Hinrichtung der Unbrauchbaren (= Beiträge zur nationalsozialistischen Gesundheits- und Sozialpolitik, Bd. 1), Berlin 1985, S. 9–74.
Aly, Götz: Wohltaten der europäischen Gesittung. Ein rheinischer Fürst im albanesischen Dornengarten, in: Derselbe, Rasse und Klasse. Nachforschungen zum deutschen Wesen, Frankfurt a. M. 2003, S. 16–27.
Aly, Götz: Im Tunnel. Das kurze Leben der Marion Samuel 1931–1943, Frankfurt a. M. 2004.
Aly, Götz: Hitlers Volksstaat. Raub, Rassenkrieg und nationaler Sozialismus, Frankfurt a. M. 2005.
Aly, Götz, Sontheimer, Michael: Fromms. Wie der jüdische Kondomfabrikant Julius F. unter die deutschen Räuber fiel, Frankfurt a. M. 2007.
Arendt, Hannah: Besuch in Deutschland. Mit einem Vorwort von Henryk M. Broder und einem Portrait von Ingeborg Nordmann, Berlin 1993.
Aretin, Johann Christoph Freiherr von: Über die Gegner der großen Pläne Napoleon's besonders in Teutschland und Österreich, 2., erw. Aufl., Straßburg 1809.
Arndt, Ernst Moritz: Ein Blick aus der Zeit auf die Zeit, Frankfurt a. M. 1814.
Arndt, Ernst Moritz: Entwurf einer teutschen Gesellschaft, Frankfurt a. M. 1814.
Arndt, Ernst Moritz: Noch ein Wort über die Franzosen und über uns, Leipzig 1814.

Arndt, Ernst Moritz: Versuch in vergleichender Völkergeschichte, Leipzig 1843.

Arndt, Ernst Moritz (Pseud.: Ein ehrlicher Deutscher): Auch ein Wort über die auf dem preußischen Reichstage diesen Sommer besprochene und bestrittene Judenfrage, in: (Augsburger) Allgemeine Zeitung, Beilagen vom 19. und 20. 8. 1847, S. 1844–1846, 1852 f.

Arndt, Ernst Moritz: Reden und Glossen, Leipzig 1848.

Arndt, Ernst Moritz: Deutsche Volkwerdung. Sein politisches Vermächtnis an die deutsche Gegenwart. Kernstellen aus seinen Schriften und Briefen, hrsg. von C. Petersen und P. H. Ruth, Breslau 1934.

Arnim, Ludwig Achim von: Werke und Briefwechsel. Historisch-kritische Ausgabe, Bd. 11: Texte der deutschen Tischgesellschaft, hrsg. von Stefan Nienhaus, Tübingen 2008.

Arnim, Ludwig Achim von: Die Majoratsherren, München 1920 (Erstausg. 1820).

Ascher, Saul: Die Germanomanie. Skizze zu einem Zeitgemälde, Berlin 1815.

Auerbach, Berthold: Das Judenthum und die neueste Literatur. Kritischer Versuch, Stuttgart 1836.

Baas, Josef: Die Juden bei Wilhelm Raabe, in: Monatsschrift für Geschichte und Wissenschaft des Judentums, 54(1910), S. 641–688.

Bahr, Hermann: Der Antisemitismus. Ein internationales Interview, Berlin 1894.

Bakunin, Michael: Gesammelte Werke, 3 Bde., Berlin 1921–1924 (Reprint 1975).

Bamberger, Ludwig: Deutschtum und Judentum, in: Derselbe, Gesammelte Schriften, Bd. 5: Politische Schriften von 1879–1892, Berlin 1897, S. 3–37 (Erstausg. 1880).

Bamberger, Ludwig: Die Sezession, in: Derselbe, Gesammelte Schriften, Bd. 5: Politische Schriften von 1879–1892, Berlin 1897, S. 38–134 (Erstausg. 1881).

Bamberger, Ludwig: Erinnerungen, hrsg. von Paul Nathan, Berlin 1899.

Barth, Hans Paul: Gesellschaftliche Voraussetzungen des Antisemitismus, in: Mosse, Werner E. (Hrsg.), Entscheidungsjahr 1932. Zur Judenfrage in der Endphase der Weimarer Republik, Tübingen 1966, S. 135–155.

Baur, Erwin, Fischer, Eugen, Lenz, Fritz: Menschliche Erblichkeitslehre und Rassenhygiene, Bd. 1: Menschliche Erblichkeitslehre, München 1927; Bd. 2: Menschliche Auslese und Rassenhygiene (Eugenik), München 1923 (Erstausg. 1921).

Baur, Erwin: Die Bedeutung der natürlichen Zuchtwahl bei Tieren und Pflanzen, Berlin 1936 (Erstausg. 1933).
Bebel, August: Sozialdemokratie und Antisemitismus. Rede des Reichstagsabgeordneten Bebel auf dem IV. Parteitag der Sozialdemokratischen Partei zu Köln a. Rh. (1893). Nebst einem Nachtrag, Berlin 1894.
Benz, Wolfgang: Was ist Antisemitismus?, München 2004.
Bernstein, Eduard (Hrsg.): Die Geschichte der Berliner Arbeiter-Bewegung. Ein Kapitel zur Geschichte der deutschen Sozialdemokratie, Bd. 2: Die Geschichte der Sozialistengesetze in Berlin, Berlin 1907.
Bernstein, Fritz: Der Antisemitismus als Gruppenerscheinung. Versuch einer Soziologie des Judenhasses, Berlin 1926.
Berthold, Lothar: Das Programm der KPD zur nationalen und sozialen Befreiung des deutschen Volkes vom August 1930. Die Grundlage der Politik der KPD zur Herstellung der Aktionseinheit und zur Gewinnung der Volksmassen für die Lösung der Lebensfragen der deutschen Nation, Berlin 1956.
Bettauer, Hugo: Die Stadt ohne Juden. Ein Roman von übermorgen, Wien 1922.
Bettelheim, Bruno, Janowitz, Morris: Social Change and Prejudice. Including Dynamics of Prejudice, London 1964 (Erstausg. 1950).
Bisky, Jens: Kleist. Eine Biographie, Berlin 2007.
Bloch, Ernst: Hitlers Gewalt, in: Das Tage-Buch, 5 (1924), H. 15 vom 12. April, S. 474–477.
Blumenfeld, Kurt: Der Zionismus. Eine Frage deutscher Orientpolitik (Sonderdruck aus den Preußischen Jahrbüchern), Berlin 1915.
Blumenfeld, Kurt: Die zionistische Aufgabe im heutigen Deutschland. Referat auf dem Delegiertentag der Zionistischen Vereinigung für Deutschland in Frankfurt a. M., gehalten am 11. 9. 1932, in: Jüdische Rundschau vom 16. 9. 1932, S. 353 f.
Blumenfeld, Kurt: Erlebte Judenfrage. Ein Vierteljahrhundert deutscher Zionismus, Stuttgart 1962.
Boeckel, Otto: Die Verjudung der höheren Schulen in Oesterreich und Deutschland, o. O. 1886.
Boeckel, Otto: Nochmals: »Die Juden – Könige unserer Zeit«. Eine neue Ansprache an das deutsche Volk, Berlin 1901.
Boehlich, Walter (Hrsg.): Der Berliner Antisemitismusstreit, Frankfurt a. M. 1965.
Börne, Ludwig: Für die Juden, in: Die Zeitschwingen, Nr. 69 vom 28. 8. 1819, S. 280.
Börne, Ludwig: Über den Antisemitismus (Erstausg. 1821). Ein Mahnruf aus vergangenen Tagen, Wien 1885.

Börne, Ludwig: Eine Kleinigkeit, in: Börnes Werke, Bd. 3, Berlin 1911, S. 162–165 (Erstausg. 1821).

Börne, Ludwig: Briefe aus Paris, in: Derselbe, Sämtliche Schriften, neubearb. und hrsg. von Inge und Peter Rippmann, Bd. 3, Düsseldorf 1964 (Erstausg. 1832).

Bornemann, Elke: Der Frieden von Bukarest 1918, Frankfurt a. M. 1978.

Botz, Gerhard: Nationalsozialismus in Wien. Machtübernahme, Herrschaftssicherung, Radikalisierung 1938/39, überarb. und erw. Neuaufl., Wien 2008.

Braun, Heinrich: Zur Lage der deutschen Sozialdemokratie, in: Archiv für soziale Gesetzgebung und Statistik, 6 (1893), S. 506–520.

Brumlik, Micha: Deutscher Geist und Judenhass. Das Verhältnis des philosophischen Idealismus zum Judentum, München 2000.

Bürger, Curt (Hrsg.): Antisemiten-Spiegel. Die Antisemiten im Lichte des Christenthums, des Rechtes und der Wissenschaft, 3., vollst. umgearb. und erw. Aufl., Berlin 1911.

Chasanowitsch, Leon, Motzkin, Leo (Hrsg.): Die Judenfrage der Gegenwart. Dokumentensammlung, Stockholm 1919.

Christenschutz oder Judenschutz? Erwägungen über Ursprung, Umfang und Berechtigung der Judenfrage vom katholisch-conservativen Standpunkt, Linz 1893.

Claß, Heinrich (Pseud.: Daniel Frymann): Wenn ich der Kaiser wär'. Politische Wahrheiten und Notwendigkeiten, Leipzig 1912.

Claß, Heinrich: Wider den Strom. Vom Werden und Wachsen der nationalen Opposition im alten Reich, Leipzig 1932.

Conze, Werner: Die weißrussische Frage in Polen (= Schulungsbriefe des Bundes Deutscher Osten, Nr. 6, hrsg. von Theodor Oberländer), Berlin 1938.

Dann, Otto: Nation und Nationalismus in Deutschland 1770–1990, München 1996.

De Man, Hendrik: Sozialismus und National-Fascismus, Potsdam 1931.

Demelius, Gustav: Rezension von Gustav Lenz' Über die geschichtliche Entstehung des Rechts, in: Kritische Zeitschrift für die gesamte Rechtswissenschaft, 2 (1855), S. 164–184.

Denkler, Horst: Das »wirkliche« Juda und der Renegat. Moses Freudenstein als Kronzeuge für Wilhelm Raabes Verhältnis zu Juden und Judentum. Neues über Wilhelm Raabe, in: Derselbe, Zehn Annäherungsversuche an einen verkannten Schriftsteller, Tübingen 1988, S. 66–80.

Deutsche und Polen in der Revolution von 1848. Dokumente aus deutschen und polnischen Archiven, hrsg. von Hans Bohms und Marian Wojeciechowski, Boppard a. Rhein 1991.

Deutsche Schulerziehung. Jahrbuch des Deutschen Zentralinstituts für Erziehung und Unterricht, Berlin 1940.

Dittes, Friedrich: Geschichte der Erziehung und des Unterrichtes. Für deutsche Volksschullehrer, 6. Aufl., Leipzig 1878, 9., verb. Aufl., Leipzig 1890.

Döring, Martin: »Parlamentarischer Arm der Bewegung«. Die Nationalsozialisten im Reichstag der Weimarer Republik, Düsseldorf 2001.

Eckehard, Kurt: Fieberkurve oder Zeitenwende. Nachdenkliches über den Nationalsozialismus, München 1931.

Eckstein, Adolf: Beiträge zur Geschichte der Juden in Bayern. Die bayerischen Parlamentarier jüdischen Glaubens, Bamberg 1902.

Edler, Carl F.: Stimmen der preußischen Provinzial-Stände des Jahres 1845 über die Emancipation der Juden, Berlin 1845.

Epstein, Josef: Neid. Die böseste Todsünde, Berlin 2010.

Erb, Rainer, Bergmann, Werner: Die Nachtseite der Judenemanzipation. Der Widerstand gegen die Integration der Juden in Deutschland 1780–1860, Berlin 1989.

Erben, Peter: Auf eigenen Spuren. Aus Mährisch-Ostrau durch Theresienstadt, Auschwitz I, Mauthausen, Gusen III über Paris nach Israel. Jüdische Schicksale aus der Tschechoslowakei, Konstanz 2001.

Esser, Hermann: Die jüdische Weltpest. Judendämmerung auf dem Erdball, München 1939.

Faas, Martin, Mund, Henrike: Sturm der Entrüstung. Kunstkritik, Presse und öffentliche Diskussion, in: Faas, Martin (Hrsg.): Der Jesus-Skandal. Ein Liebermann-Bild im Kreuzfeuer der Kritik, Berlin 2009.

Falter, Jürgen W.: Hitlers Wähler, München 1991.

Falter, Jürgen W.: Die parteistatistische Erhebung der NSDAP 1939. Einige Ergebnisse aus dem Gau Groß-Berlin, in: Weltbürgerkrieg der Ideologien. Antworten an Ernst Nolte. Festschrift zum 70. Geburtstag, hrsg. von Thomas Nipperdey, Frankfurt a. M. 1993, S. 175–203.

Fasel, Peter: Revolte und Judenmord. Hartwig von Hundt-Radowsky (1780–1835). Biografie eines Demagogen, Berlin 2010.

Feder, Gottfried: Das Programm der NSDAP und seine weltanschaulichen Grundlagen, München 1925.

Fendrich, Anton: Der Judenhaß und der Sozialismus, Freiburg i. Br. 1920.

Fichte, Johann Gottlieb: Beiträge zur Berichtigung der Urtheile des Publicums über die französische Revolution, in: Fichtes Werke, hrsg. von Immanuel Hermann Fichte, Bd. 6: Zur Politik und Moral, S. 39–288, Berlin 1971 (Erstausg. 1793).

Fischer, Eugen: Sozialanthropologie und ihre Bedeutung für den Staat. Vortrag, gehalten in der Naturforschenden Gesellschaft zu Freiburg i. Br. am 8. Juni 1910, Freiburg i. Br. 1910.

Fischer, Eugen: Die Rehobother Bastards und das Bastardisierungsproblem bei Menschen, Jena 1913 (um das Kapitel »Die politische Bedeutung des Bastards« gekürzter Reprint, Graz 1961).

Fischer, Eugen: Rasse und Rassenentstehung beim Menschen, Berlin 1927.

Fischer, Eugen: Der völkische Staat, biologisch gesehen, Berlin 1933.

Fischer, Eugen: Die Fortschritte der menschlichen Erblehre als Grundlage eugenischer Bevölkerungspolitik, in: Mein Heimatland, 20 (1933), S. 210–219.

Fischer, Eugen: Erbe, in: Mein Heimatland, 21 (1934), S. 149–151.

Fischer, Eugen: Das Erbgut der Sippen, in: Mein Heimatland, 22 (1935), S. 357–365.

Frantz, Constantin: Der Nationalliberalismus und die Judenherrschaft, München 1874.

Freytag, Gustav: Jacob Kaufmann, in: Derselbe, Gesammelte Werke, Bd. 16, 2. Aufl., Leipzig 1897, S. 9–20.

Freytag, Gustav: Über den Antisemitismus. Eine Pfingstbetrachtung, hrsg. vom Central-Verein deutscher Staatsbürger jüdischen Glaubens, Berlin 1910 (Erstabdruck in: Neue Freie Presse vom 21. 5. 1893).

Friedenthal, Herbert: Die unsichtbare Kette. Roman eines Juden, Berlin 1936.

Friedrich, Eckhardt, Schmieder-Friedrich, Dagmar: Die Gailinger Juden. Materialien zur Geschichte der jüdischen Gemeinde Gailingen aus ihrer Blütezeit und den Jahren der gewaltsamen Auflösung, Konstanz 1981.

Fries, Friedrich Jakob: Über die Gefährdung des Wohlstandes und Charakters der Deutschen durch die Juden. Eine aus den Heidelberger Jahrbüchern der Litteratur besonders abgedruckte Recension der Schrift des Professors Rühs in Berlin: »Über die Ansprüche der Juden an das deutsche Bürgerrecht. 2., verb. Abdruck«, Heidelberg 1816.

Fries, Friedrich Jakob: Von Deutschem Bund und Deutscher Staatsverfassung, Heidelberg 1816.

Fritsch, Theodor: Die Stadt der Zukunft, Leipzig 1896.

Fritsch, Theodor (Pseud.: F. Roderich-Stoltheim): Die Juden im Handel und das Geheimnis ihres Erfolges, (Berlin-)Steglitz 1913.

Fröbel, Julius: Die deutsche Auswanderung und ihre nationale und culturhistorische Bedeutung, in: Derselbe, Kleine politische Schriften, Bd. 1, Stuttgart 1866, S. 93–198.

Geiger, Theodor: Die soziale Schichtung des deutschen Volkes. Soziographischer Versuch auf statistischer Grundlage, Stuttgart 1932.
Gelber, Nathan M.: Die Juden und der polnische Aufstand 1863, Berlin 1923.
Geyer, Curt: Der Radikalismus in der deutschen Arbeiterbewegung. Ein soziologischer Versuch, Jena 1923.
Giesen, Bernhard: Kollektive Identität. Die Intellektuellen und ihre Nation, Frankfurt a. M. 1999.
Gilsenbach, Reimar: Erwin Baur. Eine deutsche Chronik, in: Arbeitsmarkt und Sondererlass (= Beiträge zur nationalsozialistischen Gesundheits- und Sozialpolitik, Bd. 8), Berlin 1990, S. 184–197.
Glossy, Karl (Hrsg.): Literarische Geheimberichte aus dem Vormärz, Wien 1912.
Gobineau, Arthur de: Versuch über die Ungleichheit der Menschenracen, Stuttgart 1897.
Goebbels, siehe auch Tagebücher.
Goebbels, Joseph: Wege ins dritte Reich. Briefe und Aufsätze für Zeitgenossen, München 1927.
Goebbels, Joseph: Michael. Ein deutsches Schicksal in Tagebuchblättern, München 1929.
Goebbels, Joseph: Der Nazi-Sozi. Fragen und Antworten für den Nationalsozialisten, 1. Aufl., 2. Ausg., München 1929.
Goebbels, Joseph: Der steile Aufstieg. Reden und Aufsätze aus den Jahren 1942/43, Berlin 1943.
Görtemaker, Manfred: Deutschland im 19. Jahrhundert. Entwicklungslinien, Opladen 1996.
Goethe, Johann Wolfgang: Maximen und Reflexionen, in: Derselbe, Goethes Werke. Hamburger Ausgabe, Bd. 12, 6. Aufl., Hamburg 1967; S. 365–547 (Erstausg. 1832).
Goldhagen, Daniel Jonah: Hitlers willige Vollstrecker. Ganz gewöhnliche Deutsche und der Holocaust, Berlin 1996.
Goldmann, Nahum: Der Geist des Militarismus (= Der Deutsche Krieg. Politische Flugschriften, hrsg. von Ernst Jäckh, Heft 52), Stuttgart 1915.
Goldstein, Julius: Rasse und Politik. Mit einer Vorrede von Heinrich Frick, 2., erw. Aufl., Berlin 1921.
Goldstein, Julius: Deutsche Volks-Idee und deutsch-völkische Idee. Eine soziologische Erörterung der völkischen Denkart, Berlin 1927.
Grab, Walter: Der deutsche Weg der Judenemanzipation 1789–1938, München 1993.
Grab, Walter: Zwei Seiten einer Medaille. Demokratische Revolution und Judenemanzipation, Köln 2000.

Graetz, Heinrich: Volkstümliche Geschichte der Juden, Bd. 6: Das europäische Judentum der Neuzeit bis zur Revolution von 1848, Berlin 1923 (Erstausg. 1888).
Grantzow, Hans: 700 Jahre Berlin. Im Auftrage der Stadtverwaltung zur 700-Jahr-Feier der Reichshauptstadt, Berlin 1937.
Grüttner, Michael: Studenten im Dritten Reich, Paderborn 1995.
Günther, Hans F. K.: Mein Eindruck von Adolf Hitler, Pähl (Oberbayern) 1969.

Hahn, Hans Henning: Polnische Freiheit oder deutsche Einheit? Vor hundertfünfzig Jahren führte das Paulskirchen-Parlament seine große Polen-Debatte, in: Frankfurter Allgemeine Zeitung vom 22. 7. 1998.
Hamann, Brigitte: Hitlers Wien. Lehrjahre eines Diktators, München 1996.
Hammerstein, Notker: Antisemitismus und deutsche Universitäten, Frankfurt a. M. 1995.
Hauptmann, Gerhart: Der rote Hahn. Tragikomödie in vier Akten, Berlin 1901.
Haußherr, Hans: Erfüllung und Befreiung. Der Kampf um die Durchführung des Tilsiter Friedens 1807/1808, Hamburg 1935.
Hayek, Friedrich A.: Der Weg zur Knechtschaft, Erlenbach bei Zürich 1945 (Erstausg.: The Road of Serfdom, London 1944).
Hegel, Georg Friedrich Wilhelm: Grundlinien der Philosophie des Rechts, Berlin 1821.
Heiden, Konrad: Geschichte des Nationalsozialismus. Die Karriere einer Idee, Berlin 1932.
Heiden, Konrad: Adolf Hitler. Eine Biographie, Bd. 1: Das Zeitalter der Verantwortungslosigkeit, Zürich 1936; Bd. 2: Ein Mann gegen Europa, Zürich 1937.
Heine, Heinrich: Französische Zustände, in: Derselbe, Historisch-kritische Gesamtausgabe der Werke, Bd. 12,1, Hamburg 1980, S. 63–226 (Erstausg. 1832).
Heine, Heinrich: Zur Geschichte der Religion und Philosophie in Deutschland, in: Derselbe, Historisch-kritische Gesamtausgabe der Werke, Bd. 8,1, Hamburg 1979, S. 9–120 (Erstausg. 1834).
Heine, Heinrich: Ludwig Börne. Eine Denkschrift, in: Derselbe, Historisch-kritische Gesamtausgabe der Werke, Bd. 11, Hamburg 1978, S. 9–132 (Erstausg. 1840).
Heine, Heinrich: Ludwig Marcuse. Denkworte, in: Derselbe, Historisch-kritische Gesamtausgabe der Werke, Bd. 14,1, Hamburg 1978, S. 265–275 (Erstfassung 1844).

Heine, Heinrich: Briefe. Erste Gesamtausgabe nach den Handschriften, Bd. 1, Mainz 1948.
Helfferich, Karl: Deutschlands Volkswohlstand 1888–1913, 6. Aufl., Berlin 1915.
Herbert, Ulrich: Generation der Sachlichkeit. Die völkische Studentenbewegung der frühen zwanziger Jahre, in: Derselbe, Arbeit, Volkstum, Weltanschauung. Über Fremde und Deutsche im 20. Jahrhundert, Frankfurt a. M. 1995, S. 31–58.
Herrmann, Ulrich G.: Datenhandbuch zur deutschen Bildungsgeschichte, Bd. 2: Höhere und mittlere Schulen, Teil 2: Regionale Differenzierung und gesamtstaatliche Systembildung. Preußen und seine Provinzen, Deutsches Reich und seine Staaten 1800–1945, Göttingen 2003.
Hertz, Friedrich: Rasse und Kultur. Eine kritische Untersuchung der Rassentheorien, 3., gänzl. neu bearb. u. veränd. Aufl., Leipzig 1925 (Erstausg.: Moderne Rassentheorien. Kritische Essays, Wien 1904).
Herzig, Arno: Brandstifter und Biedermeier, in: Die Zeit vom 20. 1. 2010.
Heuss, Theodor: Hitlers Weg. Eine historisch-politische Studie über den Nationalsozialismus, Stuttgart 1932.
Heuss, Theodor: Mut zur Liebe. Rede, gehalten am 7. Dezember 1949 anlässlich einer Feierstunde der Gesellschaft für christlich-jüdische Zusammenarbeit in Wiesbaden, in: Derselbe, An und über die Juden. Aus Schriften und Reden 1906–1963, hrsg. von Hans Lamm, Düsseldorf 1964, S. 121–127.
Hilberg, Raul: Die Vernichtung der europäischen Juden, Frankfurt a. M. 1990.
Hildebrandt, Kurt: Staat und Rasse, Breslau 1928.
Hindenburg, Paul von: Aus meinem Leben, Leipzig 1920.
Hirschfeld, Magnus: Warum hassen uns die Völker? Eine kriegspsychologische Betrachtung, Bonn 1915.
Hitler, Adolf: Warum sind wir Antisemiten? Rede in München am 11. 8. 1920, in: Jäckel, Eberhard, Kuhn, Axel (Hrsg.), Hitler. Sämtliche Aufzeichnungen: 1905–1924, Stuttgart 1980, S. 184–204.
Hitler, Adolf: Mein Kampf, 30. und 31. Aufl., München 1934. Die Auflage erschien in zwei, allerdings durchgehend paginierten Bänden. Die Erstausg. des ersten Bandes erfolgte 1925 mit dem Untertitel »Eine Abrechnung«, die des zweiten Bandes 1927 mit dem Untertitel »Die nationalsozialistische Bewegung«. (In der von mir benutzten Ausg. reicht Bd. 1 von S. 1–406 und Bd. 2 von S. 409–782).
Hitler, Adolf: Zweites Buch. Ein Dokument aus dem Jahre 1928, Stuttgart 1961.
Hitler. Reden, Schriften und Anordnungen. Februar 1925 bis Januar 1933, Bd. 1: Die Wiederbegründung der NSDAP. Februar 1925–Juni 1926, hrsg.

und kommentiert von Clemens Vollnhals, München 1992; Bd. 3,1: Juli 1928–Februar 1929, hrsg. und kommentiert von Bärbel Dusik, München 1994; Bd. 3,3: Januar 1930–September 1930, hrsg. und kommentiert von Christian Hartmann, München 1995.

Hitler, Adolf: Monologe im Führerhauptquartier 1941–1944. Die Aufzeichnungen Heinrich Heims, hrsg. von Werner Jochmann, Hamburg 1980.

Höffkes, Karl: Hitlers politische Generale. Die Gauleiter des Dritten Reiches. Ein biographisches Nachschlagewerk, Tübingen 1986.

Hoffmann, Christhard, Passier, Bernd (Hrsg.): Die Juden. Vorurteil und Verfolgung im Spiegel literarischer Texte, Stuttgart 1986.

Hoffmann von Fallersleben, August Heinrich: Gesammelte Werke, Bd. 4: Zeit-Gedichte, Berlin 1891.

Hübinger, Paul Egon: Thomas Mann, die Universität Bonn und die Zeitgeschichte. Drei Kapitel deutscher Vergangenheit aus dem Leben des Dichters 1905–1955, München 1974.

Hüttenberger, Peter: Die Gauleiter. Eine Studie zum Wandel des Machtgefüges in der NSDAP, Stuttgart 1969.

Hughes, Everett C.: Good People and Dirty Work, in: Social Problems, 10 (1962), Nr. 1, S. 3–11.

Humboldt, Wilhelm von, Humboldt, Caroline von: In ihren Briefen, Bd. 4: Federn und Schwerter in den Freiheitskriegen, Berlin 1910; Bd. 5: Diplomatische Friedensarbeit 1815–1817, Berlin 1912.

Jarausch, Konrad H.: Deutsche Studenten 1800–1970, Frankfurt a. M. 1984.

Jarausch, Konrad H.: Universität und Hochschule, in: Handbuch der deutschen Bildungsgeschichte, Bd. 4: 1870–1918. Von der Reichsgründung bis zum Ende des Ersten Weltkriegs, hrsg. von Christa Berg, München 1991.

Jochmann, Werner: Gesellschaftskrise und Judenfeindschaft in Deutschland, Hamburg 1988.

Jost, Isaak Markus: Legislative Fragen betreffend die Juden im Preußischen Staate, Berlin 1842.

Die Judenfrage. Verhandlungen des Preußischen Abgeordnetenhauses über die Interpellation des Abgeordneten Dr. Hänel am 20. und 22. November 1880. Separatdruck der Amtlichen Stenographischen Berichte des Hauses der Abgeordneten, Berlin 1880.

Die Judenfrage im preußischen Abgeordnetenhause. Wörtlicher Abdruck der stenographischen Berichte vom 20. und 22. November 1880, Breslau 1880.

Jünger, Ernst: Der Kampf als inneres Erlebnis, Berlin 1926.

Jünger, Ernst: Politische Publizistik 1919–1933, Stuttgart 2001.

Kaltenbrunner, Gerd-Klaus: Wahnfried und die »Grundlagen«: Houston Stewart Chamberlain, in: Karl Schwedhelm (Hrsg.), Propheten des Nationalsozialismus, München 1969, S. 105–123.

Kampe, Norbert: Studenten und »Judenfrage« im Deutschen Kaiserreich. Die Entstehung einer akademischen Trägerschicht des Antisemitismus, Göttingen 1988.

Kant, Immanuel: Metaphysik der Sitten in zwey Theilen. Metaphysische Anfangsgründe der Tugendlehre, in: Derselbe, Werke in zwölf Bänden, Bd. 8: Schriften zur Ethik und Religionsphilosophie 2, Wiesbaden 1956, S. 501–634 (Erstausg. 1797).

Kaplun-Kogan, Wladimir Wolf: Die jüdischen Wanderbewegungen in der neuesten Zeit, Bonn 1919.

Kautsky, Karl: Das Massaker von Kischeneff und die Judenfrage, in: Die Neue Zeit, 21 (1902/1903), Bd. 2, S. 303–309.

Kautsky, Karl: Rasse und Judentum, 2., erw. Aufl., Stuttgart 1921 (Erstausg. 1914).

Keynes, John Maynard: Die wirtschaftlichen Folgen des Friedensvertrages, München 1920.

Keynes, John Maynard: Revision des Friedensvertrages. Eine Fortsetzung von »Die wirtschaftlichen Folgen des Friedensvertrages«, München 1922.

Kiefer, Annegret: Das Problem einer »jüdischen Rasse«. Eine Diskussion zwischen Wissenschaft und Ideologie (1870–1930), Frankfurt a. M. 1991.

Klemperer, Victor: Ich will Zeugnis ablegen bis zum letzten. Tagebücher, Bd. 1: 1933–1941, Berlin 1995.

Kohn, Hans: Das zwanzigste Jahrhundert. Eine Zwischenbilanz des Westens, Zürich 1950.

Kohn, Hans: Bürger vieler Welten. Ein Leben im Zeitalter der Weltrevolution, Frauenfeld 1965.

Kommunismus und Judenfrage, in: Bahr, Hermann u. a., Der Jud ist schuld …? Diskussionsbuch über die Judenfrage, Basel 1932, S. 272–286. (Zur Autorenschaft des Textes merkte der Verlag an: »Von dem Zentralkomitee der Kommunistischen Partei Deutschlands wurde uns folgende Arbeit eines seiner Mitarbeiter zur Verfügung gestellt.«)

Kracauer, Siegfried: Die Angestellten, Allensbach 1959 (Erstausg.: Die Angestellten. Aus dem neuesten Deutschland, Frankfurt a. M. 1930).

Kraus, Hans-Joachim: Die evangelische Kirche, in: Mosse, Werner E. (Hrsg.), Entscheidungsjahr 1932. Zur Judenfrage in der Endphase der Weimarer Republik, Tübingen 1966, S. 249–270.

Kraus, Karl: Warum vadient der Jude schneller und mehr Jeld als der Christ, in: Die Fackel, H. 668–675 (1924), S. 149–152.

Kraus, Karl: Die Dritte Walpurgisnacht, München 1967 (Manuskript 1933).

Lackmann, Thomas: Das Glück der Mendelssohns. Geschichte einer deutschen Familie, Berlin 2005.

Landau, Wolf: Die Petition des Vorstandes der israelitischen Gemeinde zu Dresden und ihr Schicksal in der II. Kammer, Dresden 1843.

Landmann, Michael: Bausteine zur Biographie, in: Gassen, Kurt, Landmann, Michael (Hrsg.), Buch des Dankes an Georg Simmel. Briefe, Erinnerungen, Bibliographie. Zu seinem 100. Geburtstag am 1. März 1958, Berlin 1958.

Langewiesche, Dieter, Tenorth, Heinz-Elmar (Hrsg.): Handbuch der deutschen Bildungsgeschichte, Bd. 5: 1918–1945. Die Weimarer Republik und die nationalsozialistische Diktatur, München 1989.

Lederer, Emil: Zur Soziologie des Weltkrieges, in: Derselbe, Kapitalismus, Klassenstruktur und Probleme der Demokratie in Deutschland 1910–1940, hrsg. von Jürgen Kocka, Göttingen 1979, S. 119–145 (Erstdruck 1915).

Lederer, Emil: Die Umschichtung des Proletariats, in: Derselbe, Kapitalismus, Klassenstruktur und Probleme der Demokratie in Deutschland 1910–1940, hrsg. von Jürgen Kocka, Göttingen 1979, S. 172–185 (Erstdruck. 1929).

Lederer, Emil: Der Massenstaat. Gefahren der klassenlosen Gesellschaft, hrsg. und eingeleitet von Claus-Dieter Krohn, Graz 1995 (Erstausg.: State of the Masses. The Threat of the Classless Society, New York 1940).

Lensch, Paul: Die Sozialdemokratie. Ihr Ende und ihr Glück, Leipzig 1916.

Lensch, Paul: Drei Jahre Weltrevolution, Berlin 1917.

Lenz, Fritz: Die Rasse als Wertprinzip. Zur Erneuerung der Ethik, München 1933 (Erstausg.: Zur Erneuerung der Ethik, München 1917).

Lenz, Gustav: Über die geschichtliche Entstehung des Rechts. Eine Kritik an der historischen Schule, Greifswald 1854.

Lenz, Max: Geschichte der Königlichen Friedrich-Wilhelms-Universität zu Berlin, Bd. 2,1: Ministerium Altenstein, Halle a. d. S. 1910.

Leonhardt, Ludwig: Heirat und Rassenpflege. Ein Berater für Eheanwärter, München 1934.

Lessing, Theodor: Hindenburg, in: Prager Tagblatt vom 25. 4. 1925.

Lessing, Theodor: Ausgewählte Schriften, hrsg. von Jörg Wollenberg, Bd. 2: »Wir machen nicht mit!« Schriften gegen den Nationalismus und zur Judenfrage, Bremen 1997.

Lest(s)chinsky, Jakob: Das jüdische Volk im neuen Europa. Die wirtschaftliche Lage der Juden in Ost- und Zentraleuropa seit dem Weltkrieg, Prag 1934.

Lestschinsky, Jacob (Jakob), Bilan de l'extermination, hrsg. vom Congrès Juif Mondial, Bruxelles, Paris, Genève 1946.

Lestschinsky, Jacob (Jakob): Jewish Migrations, 1840–1956, in: The Jews. Their History, Culture, and Religion, hrsg. von Louis Finkelstein, Bd. 2, New York 1960, S. 1536–1596.
Leuschen-Seppel, Rosemarie: Sozialdemokratie und Antisemitismus im Kaiserreich. Die Auseinandersetzung der Partei mit den konservativen und völkischen Strömungen des Antisemitismus 1871–1914, Bonn 1978.
Levy, J.: Fichte und die Juden, Berlin 1924.
Lewin, Reinhold: Was verlor die deutsche Judenheit durch den Frieden von Versailles? (= Schlaglichter, Reihe 2, Folge 9), Berlin (ca. 1920).
Lichtenstaedter, Siegfried (Pseud.: Dr. Mehemed Emin Efendi): Das neue Weltreich. Ein Beitrag zur Geschichte des 20. Jahrhunderts. Psychologische und politische Phantasien, Bd. 1: Vom chinesischen Kriege bis zur Eroberung Konstantinopels, München 1901; Bd. 2: Von der Eroberung Konstantinopels bis zum Ende Österreich-Ungarns, Leipzig 1903.
Lichtenstaedter, Siegfried (Pseud.: Ne'man): »Die große Täuschung« in völkerpsychologischer Beleuchtung. Offenes Schreiben an Herrn Geheimrat Friedrich Delitzsch, Leipzig 1922.
Lichtenstaedter, Siegfried (Pseud.: Dr. Mehemed Emin Efendi): Antisemitica. Heiteres und Ernstes, Wahres und Nüchternes, Leipzig 1926.
Lichtenstaedter, Siegfried (Pseud.: Ne'man): Jüdische Politik. Betrachtungen, Mahnworte, Scheltworte, Trostworte, Leipzig 1933.
Lichtenstaedter, Siegfried (Pseud.: Ne'man): Jüdische Fragen (Judentum und Judenheit, Lehre und Leben), Leipzig 1935.
Lichtenstaedter, Siegfried: Jüdische Sorgen, jüdische Irrungen, jüdische Zukunft. Eindringliche Worte an meine Religions-Genossen zur Besinnung, Winnenden b. Stuttgart 1937.
Lichtenstaedter, Siegfried: Zionismus und andere Zukunftsmöglichkeiten. Herausforderung zu einer Diskussion, Leipzig 1937.
Liebeschütz, Hans: Das Judentum im deutschen Geschichtsbild von Hegel bis Max Weber, Tübingen 1967.
Liebknecht, Wilhelm: Rede über den Kölner Parteitag mit besonderer Berücksichtigung der Gewerkschaftsbewegung, Bielefeld 1893.
Lilla, Joachim: Die Stellvertretenden Gauleiter der NSDAP im »Dritten Reich«, Bremerhaven 2003.
List, Friedrich: System der Gemeindewirtschaft, in: Derselbe, Schriften, Reden, Briefe, Bd. 1: Der Kampf um die politische und ökonomische Reform 1815–1825, Teil 1: Staatspolitische Schriften der Frühzeit, Aalen 1971, S. 149–204 (Erstausg. 1817).
List, Friedrich: Kommentar zu Staatskunde und Staatspraxis, in: Derselbe, Schriften, Reden, Briefe, Bd. 1: Der Kampf um die politische und ökono-

mische Reform 1815–1825, Teil 2: Handelspolitische Schriften der Frühzeit und Dokumente zum Prozess, Aalen 1971, S. 823–965 (Erstausg. 1818).
Lösch, Niels C.: Rasse als Konstrukt. Leben und Werk Eugen Fischers, Frankfurt a. M. 1997.
Loewenthal, Max J. (Hrsg.): Das jüdische Bekenntnis als Hinderungsgrund bei der Beförderung zum preußischen Reserveoffizier. Im Auftrage des Verbandes der Deutschen Juden, Berlin 1911.
Ludwig, Emil, siehe Mussolini.
Lübbe, Hermann: Terror. Über die ideologische Rationalität des Völkermords, in: Weltbürgerkrieg der Ideologien. Antworten an Ernst Nolte. Festschrift zum 70. Geburtstag, hrsg. von Thomas Nipperdey, Berlin 1993, S. 304–311.

Mann, Heinrich: Der Untertan, Berlin 1950 (teilweise Erstveröffentlichung 1914).
Mann, Thomas: (Ohne Titel), in: Moses, Julius (Hrsg.), Die Lösung der Judenfrage. Eine Rundfrage, Berlin 1907, S. 242–246.
Mann, Thomas: Der Zauberberg. Frankfurt a. M. 1981 (Erstausg. 1924).
Mann, Thomas: Zum Problem des Antisemitismus (1937), in: Derselbe, Sieben Manifeste zur jüdischen Frage, hrsg. von Walter A. Berendsohn, Darmstadt 1966, S. 27–42.
Mann, Thomas: Deutsche Hörer! Fünfundfünfzig Radiosendungen nach Deutschland, Leipzig 1975 (Erstsendungen Oktober 1940–10. Mai 1945).
Mann, Thomas: Deutschland und die Deutschen, Stockholm 1947.
Marcus, Alfred: Die wirtschaftliche Krise der deutschen Juden. Eine soziologische Untersuchung, Berlin 1931.
Marr, Wilhelm: Der Sieg des Judenthums über das Germanenthum. Vom confessionellen Standpunkt aus betrachtet, Bern 1879.
Marr, Wilhelm: Der Judenkrieg, seine Fehler und wie er zu organisieren ist (= Antisemitische Hefte, Nr. 1), Chemnitz 1880.
Masaryk, Thomas G.: Zur russischen Geschichte und Religionsphilosophie. Soziologische Skizzen, Jena 1913.
Massing, Paul W.: Vorgeschichte des politischen Antisemitismus, Frankfurt a. M. 1959.
May, Raphael Ernst: Konfessionelle Militärstatistik, Tübingen 1919.
Mehring, Franz: Herr Hofprediger Stöcker, der Socialpolitiker. Eine Streitschrift, Bremen 1882.
Mehring, Franz: Anti- und Philosemitisches, in: Die Neue Zeit, 9 (1890/91), Bd. 2, S. 585–588.

Mehring, Franz: Kapitalistische Agonie, in: Die Neue Zeit, 10 (1891/92), Bd. 2, S. 545–548.
Mehring, Franz: Im Wechsel der Zeiten, in: Die Neue Zeit, 11 (1892/93), Bd. 2, S. 1–4.
Mehring, Franz: Sauve qui peut, in: Die Neue Zeit, 11 (1892/93), Bd. 2, S. 161–164.
Mehring, Franz: Zu den preußischen Landtagswahlen, in: Die Neue Zeit, 11 (1892/93), Bd. 2, S. 801–804.
Mehring, Franz: Drillinge, in: Die Neue Zeit, 12 (1893/94), Bd. 2, S. 577–582.
Mehring, Franz: Einleitung, in: Gesammelte Schriften von Karl Marx und Friedrich Engels 1841 bis 1850, hrsg. von Franz Mehring, Bd. 1: Von März 1841 bis März 1844, Stuttgart 1902, S. 331–359.
Meinecke, Friedrich: Das Zeitalter der deutschen Erhebung (1795–1815), Bielefeld 1906.
Meinecke, Friedrich: Die deutsche November-Revolution. Ursachen und Tatsachen, in: Derselbe, Staat und Persönlichkeit, Berlin 1933, S. 206–238.
Meinecke, Friedrich: Die deutsche Katastrophe. Betrachtungen und Erinnerungen, Wiesbaden 1955 (Erstausg. 1946).
Merkl, Peter H.: Political Violence under the Swastika. 581 Early Nazis, Princeton 1975.
Metternich, Klemens Wenzel Lothar von: Die Deutsche Frage. Genesis, Verlauf und gegenwärtiger Stand derselben. Denkschrift an Erzherzog Johann, Reichsverweser, London, August 1848, in: Metternich-Winneburg, Richard von (Hrsg.), Aus Metternich's nachgelassenen Papieren, Bd. 8, Wien 1884, S. 443–453.
Michel, Wilhelm: Verrat am Deutschtum. Eine Streitschrift zur Judenfrage, Hannover 1922.
Michels, Robert: Sozialismus und Fascismus als politische Strömungen in Italien. Historische Studien, Bd. 2: Sozialismus und Fascismus in Italien, München 1925.
Möller, Horst: Parlamentarismus in Preußen 1919–1932, Düsseldorf 1985.
Mommsen, Theodor: Auch ein Wort über unser Judenthum, abgedruckt in: Boehlich, Walter (Hrsg.), Der Berliner Antisemitismusstreit, Frankfurt a. M., S. 210–225.
Mommsen, Wilhelm (Hrsg.): Deutsche Parteiprogramme, München 1960.
Mommsen, Wolfgang J.: Das Ringen um den nationalen Staat. Die Gründung und der innere Ausbau des Deutschen Reiches unter Otto von Bismarck. 1850 bis 1890, Berlin 1993.
Müller, Curt: Das Judentum in der deutschen Studentenschaft (= Cyclus akademischer Broschüren, H. 10, hrsg. von Arnim Bouman), Leipzig 1891.

Müller, Detlef K.: Datenhandbuch zur deutschen Bildungsgeschichte, Bd. 2: Höhere und mittlere Schulen, Teil 1: Sozialgeschichte und Statistik des Schulsystems in den Staaten des Deutschen Reiches 1800–1945, Göttingen 1987.

Mussolini, Benito: Mussolinis Gespräche mit Emil Ludwig, Berlin 1932.

Napoleon und Europa. Traum und Trauma, München 2010.

Nathan, Paul: Die Enttäuschungen unserer Gegner (= Der Deutsche Krieg. Politische Flugschriften, H. 11, hrsg. von Ernst Jäckh), Stuttgart 1914.

Naumann, Friedrich: National-sozialer Katechismus. Erklärung der Grundlinien des National-Sozialen Vereins, Berlin 1897.

Naumann, Friedrich: Mitteleuropa, Berlin 1915.

Němeček, Ottokar: Zur Psychologie christlicher und jüdischer Schüler, Langensalza 1916.

Neumann, Sigmund: Die Parteien der Weimarer Republik. Mit einer Einführung von Karl Dietrich Bracher, Stuttgart 1965 (Erstausg.: Die politischen Parteien in Deutschland, Berlin 1932).

N.N.: Die gegenwärtig beabsichtigte Umgestaltung der bürgerlichen Verhältnisse der Juden in Preußen. Nach authentischen Quellen beleuchtet, Breslau 1842.

N.N.: Die bürgerlichen Verhältnisse der Juden in Deutschland, in: Die Gegenwart. Eine encyklopädische Darstellung der neuesten Zeitgeschichte für alle Stände, Bd. 1, Leipzig 1848, S. 353–407.

Oehme, Walter, Caro, Curt: Kommt »das dritte Reich«? Berlin 1930.

Oettinger, Eduard Maria: Offenes Billet-doux an den berühmten Hepp-Hepp-Schreier und Juden-Fresser Herrn Wilhelm Richard Wagner, 2. Aufl., Dresden 1869.

Oppenheimer, Franz: Die Judenstatistik des preußischen Kriegsministeriums, München 1922.

Osborn, Max: Aus der immerhin besseren alten Zeit. Eine Erinnerung an Paul Singer, in: Aufbau (New York) vom 13. 10. 1944.

Das Parteiprogramm. Wesen, Grundsätze und Ziele der NSDAP, hrsg. und erläutert von Alfred Rosenberg, München 1922.

Paulsen, Friedrich: Die deutschen Universitäten und das Universitätsstudium, Berlin 1902.

Philippson, Ludwig: Die Gleichstellung der Juden, in: Die Allgemeine Zeitung des Judenthums. Ein unparteiisches Organ für alles jüdische Interesse vom 5. 2. 1849.

Planert, Ute: Der Mythos vom Befreiungskrieg. Frankreichs Kriege und der deutsche Süden. Alltag, Wahrnehmung, Deutung 1792–1841, Paderborn 2007.

Plessner, Helmuth: Grenzen der Gemeinschaft. Eine Kritik des sozialen Radikalismus, Frankfurt am Main 2001 (Erstausg. 1924).

Plessner, Helmuth: Die verspätete Nation. Über die Verführbarkeit des bürgerlichen Geistes, Stuttgart 1959 (Erstausg.: Schicksal deutschen Geistes im Ausgang seiner bürgerlichen Epoche, Zürich 1935).

Pohlmann, Walter: Das Judentum und seine Feinde, Neuwied 1893.

Pommerin, Reiner: Sterilisierung der Rheinlandbastarde. Das Schicksal einer farbigen deutschen Minderheit, Düsseldorf 1979.

Die Preußische Staatsverwaltung und die Juden. Protestversammlung vom 10. Februar (1901) in Berlin. Stenographischer Bericht, Berlin 1901.

Der Prozess gegen die Hauptkriegsverbrecher vor dem Internationalen Militärgerichtshof. Nürnberg 14. November 1945–1. Oktober 1946, Nürnberg 1948.

Puschner, Marco: Antisemitismus im Kontext der Politischen Romantik. Konstruktion des »Deutschen« und des »Jüdischen« bei Arnim, Brentano und Saul Ascher, Tübingen 2008.

Remmele, Adam: Faschistische Treibhauskulturen. Eine belehrende Betrachtung über den Kampf zur Reichstagswahl 1930, Karlsruhe 1930.

Reuth, Ralf Georg: Hitlers Judenhass. Klischee und Wirklichkeit, München 2009.

Richarz, Monika (Hrsg.): Jüdisches Leben in Deutschland. Selbstzeugnisse zur Sozialgeschichte 1780–1871, Stuttgart 1976.

Rieger, Paul: Ein Vierteljahrhundert im Kampf um das Recht und die Zukunft der deutschen Juden. Ein Rückblick auf die Geschichte des Centralvereins deutscher Staatsbürger jüdischen Glaubens in den Jahren 1893–1918, Berlin 1918.

Riemer, Friedrich Wilhelm: Mitteilungen über Goethe, auf Grund der Ausgabe von 1841 und des handschriftlichen Nachlasses hrsg. von Arthur Pollmer, Leipzig 1921.

Riesser, Gabriel: Über die Stellung der Bekenner des mosaischen Glaubens in Deutschland. An die Deutschen aller Konfessionen, in: Derselbe, Eine Auswahl aus seinen Schriften und Briefen, Frankfurt a. M. 1913, S. 9–26 (Erstausg. 1831).

Riesser, Gabriel: Vertheidigung der bürgerlichen Gleichstellung der Juden gegen die Einwürfe des Herrn Dr. H. E. G. Paulus. Den gesetzgebenden Versammlungen in Deutschland gewidmet, Altona 1831.

Riesser, Gabriel: Rede gegen Moritz Mohls Antrag zur Beschränkung der Rechte der Juden, gehalten in der deutschen Nationalversammlung zu Frankfurt am 29. 8. 1848, in: Derselbe, Eine Auswahl aus seinen Schriften und Briefen, Frankfurt a. M. 1913, S. 103–108 (Erstausg. 1848).

Röpke, Wilhelm: Der Weg des Unheils, Berlin 1931.

Röpke, Wilhelm: Die deutsche Frage, Erlenbach-Zürich 1945, 3., veränd. und erw. Ausg. 1948.

Rosenberg, Arthur: Treitschke und die Juden. Zur Soziologie der deutschen akademischen Reaktion, in: Die Gesellschaft. Internationale Revue für Sozialismus und Politik, 7 (1930), Bd. 2, S. 78–83.

Rosenstrauch, Hazel: Wahlverwandt und ebenbürtig. Caroline und Wilhelm von Humboldt, Frankfurt a. M. 2009.

Rürup, Reinhard: Emanzipation und Antisemitismus. Studien zur »Judenfrage« der bürgerlichen Gesellschaft, Göttingen 1975.

Rumberg, Egon: Die Rassenschande, Düsseldorf 1937.

Ruppin, Arthur: Die Juden der Gegenwart. Eine sozialwissenschaftliche Studie, Berlin 1904, 2., wesentlich veränd. Aufl., Berlin 1911.

Ruppin, Arthur: Soziologie der Juden, Bd. 1: Die soziale Struktur der Juden, Berlin 1930; Bd. 2: Der Kampf der Juden um ihre Zukunft, Berlin 1931.

Ruppin, Arthur: Briefe, Tagebücher, Erinnerungen, hrsg. von Schlomo Krolik. Mit einem Nachwort von Alex Bein, Königstein/Ts. 1985.

Rybak, Jens: Ernst Moritz Arndts Judenbilder. Ein unbekanntes Kapitel, in: Über Ernst Moritz Arndts Leben und Wirken. Aufsätze, hrsg. von der Ernst-Moritz-Arndt-Gesellschaft, Heft 5/6, Groß Schoritz (Rügen) 1997, S. 102–147.

Sack, Eduard: Gegen die Prügelpädagogen, in: Derselbe, Die preußische Schule im Dienste gegen die Freiheit. Schulpolitische Kampfschriften, ausgew., eingel. und erl. von Karl-Heinz Günther, Berlin 1961, S. 73–91 (Erstausg. 1878).

Sack, Eduard: Schlaglichter zur Volksbildung, in: Derselbe, Die preußische Schule im Dienste gegen die Freiheit. Schulpolitische Kampfschriften, ausgew., eingel. und erl. von Karl-Heinz Günther, Berlin 1961, S. 157–198 (Erstausg. 1886).

Samjatin, Jewgenij: Wir, Köln 1984 (verfasst 1920).

Scheidemann, Philipp: Wandlungen des Antisemitismus, in: Die Neue Zeit, 2 (1906), S. 632–636.

Scheler, Max: Das Ressentiment im Aufbau der Moralen, in: Derselbe, Gesammelte Werke, Bd. 3: Vom Umsturz der Werte, Bonn 1972, S. 35–147 (Erstausg. 1912).

Scheuer, Oskar Franz: Burschenschaft und Judenfrage. Der Rassenantisemitismus in der deutschen Studentenschaft, Berlin 1927.

Scheur, Wolfgang: Einrichtungen und Maßnahmen der sozialen Sicherheit in der Zeit des Nationalsozialismus, Köln 1967.

Schieder, Theodor: Faschismus und Imperium, in: Seidlmayer, Michael: Geschichte des italienischen Volkes und Staates, Leipzig 1940, S. 467–503.

Schildt, Axel: Ein konservativer Prophet moderner nationaler Integration. Biographische Skizze des streitbaren Soziologen Johann Plenge, in: Vierteljahrshefte für Zeitgeschichte, 35 (1987), S. 523–570.

Schmoller, Gustav: Obrigkeitsstaat und Volksstaat, ein mißverständlicher Gegensatz, in: Schmollers Jahrbuch für Gesetzgebung, Verwaltung und Volkswirtschaft im Deutschen Reiche, 40 (1916), S. 423–434.

Schnabel, Franz: Deutsche Geschichte im neunzehnten Jahrhundert, Bd. 1: Die Grundlagen, Freiburg i. Br. 1929; Bd. 2: Monarchie und Volkssouveränität, Freiburg i. Br. 1933; Bd. 3: Erfahrungswissenschaften und Technik, Freiburg i. Br. 1934.

Schoeck, Helmut: Der Neid. Eine Theorie der Gesellschaft, Freiburg i. Br. 1966.

Scholem Alejchem: Tewje, der Milchmann, Dresden 1967 (verfasst zwischen 1894 und 1916).

Scholtzhauer, Inge: Das Philanthropin 1804–1942. Die Schule der Israelitischen Gemeinde in Frankfurt am Main, Frankfurt a. M. 1990.

Schotthöfer, Fritz: Il Fascio. Sinn und Wirklichkeit des italienischen Faschismus, Frankfurt a. M. 1924.

Schottlaender, Rudolf: Trotz allem ein Deutscher. Mein Lebensweg seit Jahrhundertbeginn, Freiburg i. Br. 1986.

Schwarz, Israel: Sendschreiben an das teutsche Parlament in Frankfurt am Main, für die Aussprechung der Judenemancipation, und ein offenes Wort an den christlichen Clerus, Heidelberg 1848.

Segall, Jakob: Die beruflichen und sozialen Verhältnisse der Juden in Deutschland, Berlin 1912.

Seibt, Gustav: Generation Bonaparte. Erbe der Gewalt, in: Süddeutsche Zeitung vom 17. 12. 2010.

Seldte, Franz: Sozialpolitik im Dritten Reich 1933–1938, München 1939.

Sforza, Carlo: Die feindlichen Brüder. Inventur der europäischen Probleme, Berlin 1933.

Sieburg, Friedrich: Es werde Deutschland, Frankfurt 1933.

Sieferle, Rolf Peter: Die konservative Revolution. Fünf biographische Skizzen, Frankfurt a. M. 1995.

Silbergleit, Heinrich: Die Bevölkrungs- und Berufsverhältnisse der Juden im Deutschen Reich, Bd. 1, Berlin 1931 (Bd. 2 nicht erschienen).

Silbermann, Alphons: Der ungeliebte Jude. Zur Soziologie des Antisemitismus, Zürich 1981.
Silberner, Edmund: Sozialisten zur Judenfrage. Ein Beitrag zur Geschichte des Sozialismus vom Anfang des 19. Jahrhunderts bis 1914, Berlin 1962.
Simon, F.: Wehrt Euch!! Ein Mahnwort an die Juden. Mit einem offenen Brief der Frau Baronin Bertha von Suttner, Berlin 1893.
Slezkine, Yuri: Das jüdische Jahrhundert, Göttingen 2006.
Smith, Bradley F., Petersen, Agnes F. (Hrsg.): Heinrich Himmler. Geheimreden 1933 bis 1945 und andere Ansprachen. Mit einer Einführung von Joachim Fest, Frankfurt a. M. 1974.
Sombart, Werner: Die Juden und das Wirtschaftsleben, Leipzig 1911.
Sombart, Werner: Die Zukunft der Juden, Leipzig 1912.
Sombart, Werner: Deutscher Sozialismus, Berlin 1934.
Speier, Hans: Die Angestellten vor dem Nationalsozialismus. Ein Beitrag zum Verständnis der deutschen Sozialstruktur 1918–1933, Göttingen 1977.
Stapel, Wilhelm: Antisemitismus, Hamburg 1920.
Stapel, Wilhelm: Aphoristisches zur Judenfrage, in: Bahr, Hermann u. a., Der Jud ist schuld ...? Diskussionsbuch über die Judenfrage, Basel 1932, S. 171–174.
Stein, Karl vom und zum: Briefe und amtliche Schriften, Bd. 5: Juni 1814–Dezember 1818, neu bearb. von Manfred Botzenhardt, Stuttgart 1964; Bd. 6: Januar 1819–Mai 1826, neu bearb. von Alfred Hartlieb von Wallthor, Stuttgart 1965; Bd. 9: Historische und politische Schriften, bearb. von Walther Hubatsch, Stuttgart 1972.
Stenographischer Bericht über die Hauptversammlung des Centralvereins deutscher Staatsbürger jüdischen Glaubens vom 4. Februar 1917, Berlin 1917.
Sterling, Eleonore: Er ist wie du. Aus der Frühgeschichte des Antisemitismus in Deutschland (1815–1850), München 1956.
Stern, H.: Angriff und Abwehr. Ein Handbuch der Judenfrage, 2. Aufl., Berlin 1924.
Stoecker, Adolf: Das moderne Judenthum in Deutschland, besonders in Berlin. Zwei Reden, in der christlich-sozialen Arbeiterpartei gehalten, Berlin 1880.

Die Tagebücher von Joseph Goebbels, hrsg. von Elke Fröhlich, Teil 1: Aufzeichnungen 1923–1941, Bd. 9: Dezember 1940–Juli 1941, München 1998.
Thon, Jakob, Ruppin, Arthur: Der Anteil der Juden am Unterrichtswesen in Preußen, Berlin 1905.
Toury, Jacob: Deutschlands Stiefkinder. Ausgewählte Aufsätze zur deutschen und deutsch-jüdischen Geschichte, Gerlingen 1997.
Treitschke, Heinrich von: Das constitutionelle Königthum in Deutschland

(Heidelberg 1869–1871), in: Derselbe, Historische und politische Aufsätze, Bd. 3: Freiheit und Königthum, 7. Aufl., Leipzig 1915, S. 427–561.
Treitschke, Heinrich von: Unsere Aussichten, in: Preußische Jahrbücher, Bd. 44, 1879, S. 559–576.
Treitschke, Heinrich von: Ein Wort über unser Judenthum. Separatabdruck aus dem 44., 45. und 46. Bande der Preußischen Jahrbücher, 4., verm. Aufl., Berlin 1881.
Treitschke, Heinrich von: Deutsche Geschichte im Neunzehnten Jahrhundert, Bd. 1: Bis zum zweiten Pariser Frieden, 3. Aufl., Leipzig 1882; Bd. 2: Bis zu den Karlsbader Beschlüssen, Leipzig 1882; Bd. 3: Bis zur März-Revolution, Leipzig 1894; Bd. 4: Bis zum Tode Friedrich Wilhelms III.; Leipzig 1889, Bd. 5: Bis zur Märzrevolution, Leipzig 1894.
Tröbst, Hans: Mustapha Kemal Pascha und sein Werk, Teil VI (Schluss), in: Heimatland. Vaterländisches Wochenblatt, Organ des Deutschen Kampfbundes vom 15. 10. 1923 (Folge 42), S. 7 f.
Tröbst, Hans: Soldatenblut. Vom Baltikum zu Kemal Pascha, Leipzig 1925.

Unruh, Friedrich Franz von: National-Sozialismus. Mit dem Anhang von Carl Busemann, Das Wirtschaftsprogramm, Frankfurt a. M. 1931.

VEJ = Die Verfolgung und Ermordung der europäischen Juden durch das nationalsozialistische Deutschland 1933–1945, hrsg. von Götz Aly (Bde. 1 und 2), Wolf Gruner (Bd. 1), Susanne Heim, Ulrich Herbert, Hans-Dieter Kreikamp, Horst Möller, Dieter Pohl, Hartmut Weber, Bd. 1: Deutsches Reich 1933–1937, bearb. von Wolf Gruner, München 2008; Bd. 2: Deutsches Reich 1938–August 1939, bearb. von Susanne Heim, München 2009; Bd. 7: Besetzte sowjetische Gebiete unter deutscher Militärverwaltung, Baltikum und Transnistrien unter deutscher und rumänischer Zivilverwaltung, bearb. von Bert Hoppe, München 2011.
Villers, Brief an die Gräfin F. de B., enthaltend eine Nachricht von den Begebenheiten, die zu Lübeck an dem Tage, Donnerstag den 6ten November 1806, und folgenden vorgefallen sind, Amsterdam 1807.
Virchow, Rudolf: Ueber den Hungertyphus und einige verwandte Krankheitsformen. Vortrag, gehalten am 9. Februar 1868 zum Besten der Typhuskranken in Ostpreußen, Berlin 1868.
Voegelin, Erich: Rasse und Staat, Tübingen 1933.
Voegelin, Erich: Die Rassenidee in der Geistesgeschichte von Ray bis Carus, Berlin 1933.
Vogt, Martin (Hrsg.): Herbst im »Führerhauptquartier«. Berichte Werner Koeppens an seinen Minister Alfred Rosenberg, Koblenz 2002.
Volkov, Shulamit: Die Juden in Deutschland 1780–1918, München 2000.

Wagner, Richard: Das Judenthum in der Musik. Leipzig 1869, S. 9–32 (Erstausg. unter dem Pseudonym K. Freigedank 1850).
Wassermann, Henry, Franz, Eckhart G.: »Kauft nicht beim Juden«. Der politische Antisemitismus des späten 19. Jahrhunderts in Darmstadt, in: Franz, Eckhart G. (Hrsg.), Juden als Darmstädter Bürger, Darmstadt 1984, S. 123–136.
Wassermann, Jakob: Mein Weg als Deutscher und Jude, München 1994 (Erstausg. 1921).
Wassermann, Jakob: Lebensdienst. Gesammelte Studien, Erfahrungen und Reden aus drei Jahrzehnten, Leipzig 1928.
Wawrzinek, Kurt: Die Entstehung der deutschen Antisemitenparteien (1873–1890), Berlin 1927.
Weinryb, Bernard D.: Der Kampf um die Berufsumschichtung. Ein Ausschnitt aus der Geschichte der Juden in Deutschland, Berlin 1936.
Weizmann, Chaim: Trial and Error. The Autobiography of Chaim Weizmann, New York 1949.
Wehler, Hans-Ulrich: Deutsche Gesellschaftsgeschichte, Bd. 4: Vom Beginn des Ersten Weltkriegs bis zur Gründung der beiden deutschen Staaten 1914–1949, München 2003.
Weltsch, Felix: Judentum und Nationalismus, Berlin 1920.
Wilhelm II.: Ereignisse und Gestalten aus den Jahren 1878–1918, Leipzig 1922.
Winkler, August Heinrich: Weimar 1918–1933. Die Geschichte der ersten deutschen Demokratie, München 1993.
Wirth, Max: Geschichte der Handelskrisen, Frankfurt a. M. 1874, 4., verm. und verb. Aufl. 1890.
World Jewish Congress: Memorandum to the United Nations Special Committee on Palestine, New York 1947.

York-Steiner, Heinrich: Die Kunst als Jude zu leben. Minderheit verpflichtet, Leipzig 1928.
York-Steiner, Heinrich: Wie entsteht der Antisemitismus der Deutschen? in: Bahr, Hermann u. a., Der Jud ist schuld …?, Diskussionsbuch über die Judenfrage, Basel 1932, S. 393–398.

Zandman, Felix: Never the Last Journey, New York 1995.
Zollschan, Ignaz: Der Rassenwahnsinn als Staatsphilosophie. Mit einem Vorwort von Julian Huxley, Heidelberg 1949.
Zweig, Arnold: Caliban oder die Politik der Leidenschaft. Versuch über die menschlichen Gruppenleidenschaften dargetan am Antisemitismus, Potsdam 1927.

Register